Be e

MW01675110

POCHE

Conjugaison

Hatier

Conception graphique : Massimo Miola
Mise en page : Olivier Cabon / Thotm
Édition : Charlotte Monnier
Relecture : Danièle Bouilly

© HATIER – Paris 2025 – ISBN 978-2-401-11326-8

Avant-propos

Comment est organisé l'ouvrage ?

L'ouvrage comprend deux parties complémentaires, qui donnent toutes les indications nécessaires pour trouver et orthographier rapidement les formes de n'importe quel verbe français.

Les tableaux de conjugaison (numérotés de 1 à 104)

À chacun des verbes modèles correspond un tableau clairement structuré, comprenant l'ensemble des formes simples et composées à la voix active. Reportez-vous, pour plus de détails, au descriptif situé p. 8-9.

Les tableaux des verbes *être, avoir, aimer, être aimé, s'aimer, finir* ont été placés en tête car, à eux six, ils permettent de produire, sans difficulté particulière, la conjugaison de la majorité des verbes français.

Le répertoire des verbes

Pour chacun des verbes énumérés à l'infinitif et classés par ordre alphabétique figurent des indications sur leur construction. Un renvoi à l'un des 104 tableaux permet de résoudre rapidement un problème de conjugaison. Reportez-vous, pour plus de détails, au descriptif situé p. 220-221.

Quels verbes trouve-t-on dans le Bescherelle ?

Le répertoire des verbes de cette édition recense tous les verbes de la langue française contemporaine, d'un usage courant ou recherché, hors lexiques très spécialisés : soit 7 600 verbes.

Sont également pris en compte des verbes spécifiques à la Belgique, au Canada, à l'Afrique francophone et à la Suisse romande.

Et la nouvelle orthographe ?

La réforme de l'orthographe de 1990 propose, pour certaines formes verbales, des variantes. Celles-ci sont systématiquement données, sous la mention **N. ORTH.**, dans les remarques qui figurent au bas des tableaux.

Sommaire

LES TABLEAUX DE CONJUGAISON

Comment lire et utiliser les tableaux de conjugaison ?

Les 6 tableaux clés

Tous les autres tableaux modèles

1er groupe

2e groupe

3e groupe

LE RÉPERTOIRE DES VERBES

Les 7 600 verbes de la langue française contemporaine, avec leurs caractéristiques et un renvoi au tableau modèle de conjugaison.

Les tableaux de conjugaison

1 La caractérisation du verbe

Chaque verbe est caractérisé au moins par le groupe auquel il appartient. Une mention supplémentaire du type « verbes en *-éger* » permet, le cas échéant, de préciser le modèle de conjugaison à l'intérieur du groupe.

2 Modes et temps

Les formes de la conjugaison d'un verbe sont classées par **modes** (bandeaux orange) et par **temps** (mentions en capitales). Le mode **gérondif** ne figure pas dans les tableaux, sa formation étant parfaitement régulière : *en* + participe présent.

3 De la couleur pour mémoriser

Sont notées en **rouge** :
– la première personne du singulier (ou la deuxième à l'impératif) ;
– les difficultés orthographiques particulières.

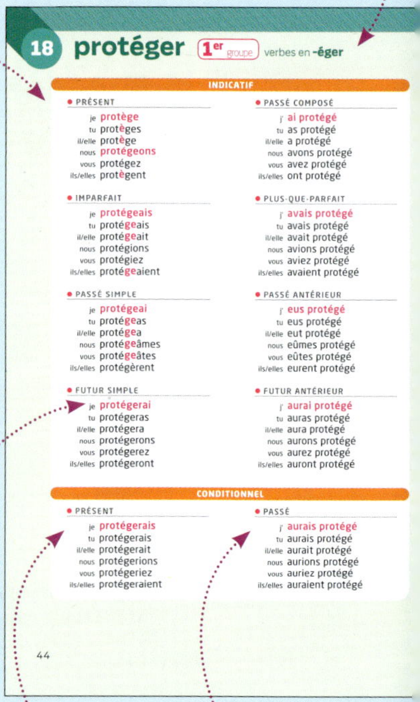

18 **protéger** 1er groupe verbes en **-éger**

INDICATIF

PRÉSENT	PASSÉ COMPOSÉ
je protège	j' ai protégé
tu protèges	tu as protégé
il/elle protège	il/elle a protégé
nous protégeons	nous avons protégé
vous protégez	vous avez protégé
ils/elles protègent	ils/elles ont protégé
IMPARFAIT	**PLUS-QUE-PARFAIT**
je protégeais	j' avais protégé
tu protégeais	tu avais protégé
il/elle protégeait	il/elle avait protégé
nous protégions	nous avions protégé
vous protégiez	vous aviez protégé
ils/elles protégeaient	ils/elles avaient protégé
PASSÉ SIMPLE	**PASSÉ ANTÉRIEUR**
je protégeai	j' eus protégé
tu protégeas	tu eus protégé
il/elle protégea	il/elle eut protégé
nous protégeâmes	nous eûmes protégé
vous protégeâtes	vous eûtes protégé
ils/elles protégèrent	ils/elles eurent protégé
FUTUR SIMPLE	**FUTUR ANTÉRIEUR**
je protégerai	j' aurai protégé
tu protégeras	tu auras protégé
il/elle protégera	il/elle aura protégé
nous protégerons	nous aurons protégé
vous protégerez	vous aurez protégé
ils/elles protégeront	ils/elles auront protégé

CONDITIONNEL

PRÉSENT	PASSÉ
je protégerais	j' aurais protégé
tu protégerais	tu aurais protégé
il/elle protégerait	il/elle aurait protégé
nous protégerions	nous aurions protégé
vous protégeriez	vous auriez protégé
ils/elles protégeraient	ils/elles auraient protégé

44

4 Temps simples et temps composés

À l'intérieur de chaque mode, les formes des temps **simples** apparaissent dans la première colonne ; celles des temps **composés** sont en regard, dans la seconde colonne.

5 Les verbes voisins

Quand ils existent, figurent – en haut de la page à droite – les (principaux) verbes qui se conjuguent sur le même modèle.

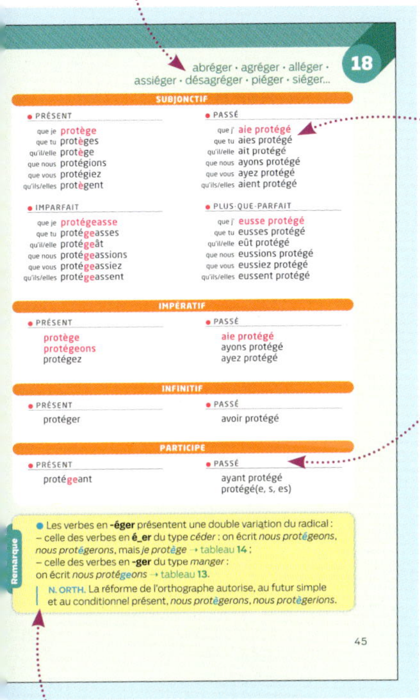
abréger · agréger · alléger · assiéger · désagréger · piéger · siéger...

18

SUBJONCTIF

• PRÉSENT	• PASSÉ
que je protège	que j' aie protégé
que tu protèges	que tu aies protégé
qu'il/elle protège	qu'il/elle ait protégé
que nous protégions	que nous ayons protégé
que vous protégiez	que vous ayez protégé
qu'ils/elles protègent	qu'ils/elles aient protégé

• IMPARFAIT	• PLUS-QUE-PARFAIT
que je protégeasse	que j' eusse protégé
que tu protégeasses	que tu eusses protégé
qu'il/elle protégeât	qu'il/elle eût protégé
que nous protégeassions	que nous eussions protégé
que vous protégeassiez	que vous eussiez protégé
qu'ils/elles protégeassent	qu'ils/elles eussent protégé

IMPÉRATIF

• PRÉSENT	• PASSÉ
protège	aie protégé
protégeons	ayons protégé
protégez	ayez protégé

INFINITIF

• PRÉSENT	• PASSÉ
protéger	avoir protégé

PARTICIPE

• PRÉSENT	• PASSÉ
protégeant	ayant protégé
	protégé(e, s, es)

Remarque

• Les verbes en **-éger** présentent une double variation du radical :
– celle des verbes en **é_er** du type *céder* : on écrit *nous protégeons, nous protégerons*, mais *je protège* → tableau **14** ;
– celle des verbes en **-ger** du type *manger* :
on écrit *nous protégeons* → tableau **13**.

N. ORTH. La réforme de l'orthographe autorise, au futur simple et au conditionnel présent, *nous protègerons, nous protègerions*.

45

6 *Que*

Cette présentation rappelle que, sans être un élément de morphologie verbale, ***que*** permet de distinguer les formes, souvent semblables, du subjonctif et de l'indicatif.

7 Le participe passé

Pour le participe passé sont citées **deux formes** : la forme composée (***ayant protégé***) et la forme simple ***(protégé)*** suivie – si la forme peut varier – des marques de genre et de nombre.

8 Les remarques

Des remarques apparaissent dans un encadré au bas de la page à droite. Y sont résumées les caractéristiques de la conjugaison présentée dans le tableau.

1 être

INDICATIF

PRÉSENT

je **suis**
tu **es**
il/elle est
nous **sommes**
vous êtes
ils/elles sont

IMPARFAIT

j' **étais**
tu étais
il/elle était
nous étions
vous étiez
ils/elles étaient

PASSÉ SIMPLE

je **fus**
tu fus
il/elle fut
nous fûmes
vous fûtes
ils/elles furent

FUTUR SIMPLE

je **serai**
tu seras
il/elle sera
nous serons
vous serez
ils/elles seront

PASSÉ COMPOSÉ

j' **ai été**
tu as été
il/elle a été
nous avons été
vous avez été
ils/elles ont été

PLUS-QUE-PARFAIT

j' **avais été**
tu avais été
il/elle avait été
nous avions été
vous aviez été
ils/elles avaient été

PASSÉ ANTÉRIEUR

j' **eus été**
tu eus été
il/elle eut été
nous eûmes été
vous eûtes été
ils/elles eurent été

FUTUR ANTÉRIEUR

j' **aurai été**
tu auras été
il/elle aura été
nous aurons été
vous aurez été
ils/elles auront été

CONDITIONNEL

PRÉSENT

je **serais**
tu serais
il/elle serait
nous serions
vous seriez
ils/elles seraient

PASSÉ

j' **aurais été**
tu aurais été
il/elle aurait été
nous aurions été
vous auriez été
ils/elles auraient été

SUBJONCTIF

PRÉSENT

que je **sois**
que tu sois
qu'il/elle soit
que nous **soyons**
que vous soyez
qu'ils/elles soient

PASSÉ

que j' **aie été**
que tu aies été
qu'il/elle ait été
que nous ayons été
que vous ayez été
qu'ils/elles aient été

IMPARFAIT

que je **fusse**
que tu fusses
qu'il/elle fût
que nous fussions
que vous fussiez
qu'ils/elles fussent

PLUS-QUE-PARFAIT

que j' **eusse été**
que tu eusses été
qu'il/elle eût été
que nous eussions été
que vous eussiez été
qu'ils/elles eussent été

IMPÉRATIF

PRÉSENT

sois
soyons
soyez

PASSÉ

aie été
ayons été
ayez été

INFINITIF

PRÉSENT

être

PASSÉ

avoir été

PARTICIPE

PRÉSENT

étant

PASSÉ

ayant été
été

Remarques

- *Être* peut être utilisé comme auxiliaire aux temps composés :
1. de quelques verbes intransitifs : *nous sommes arrivés* ;
2. de certains verbes qui admettent les deux auxiliaires : *il est descendu* ;
3. des verbes pronominaux : *ils se sont aimés*. Il sert aussi d'auxiliaire aux temps de la voix passive : *il est aimé*, *il a été aimé*.
- Le participe *été* est toujours invariable.

2 avoir

INDICATIF

PRÉSENT

j' **ai**
tu as
il/elle a
nous **avons**
vous avez
ils/elles **ont**

PASSÉ COMPOSÉ

j' **ai eu**
tu as eu
il/elle a eu
nous avons eu
vous avez eu
ils/elles ont eu

IMPARFAIT

j' **avais**
tu avais
il/elle avait
nous avions
vous aviez
ils/elles avaient

PLUS-QUE-PARFAIT

j' **avais eu**
tu avais eu
il/elle avait eu
nous avions eu
vous aviez eu
ils/elles avaient eu

PASSÉ SIMPLE

j' **eus**
tu eus
il/elle eut
nous eûmes
vous eûtes
ils/elles eurent

PASSÉ ANTÉRIEUR

j' **eus eu**
tu eus eu
il/elle eut eu
nous eûmes eu
vous eûtes eu
ils/elles eurent eu

FUTUR SIMPLE

j' **aurai**
tu auras
il/elle aura
nous aurons
vous aurez
ils/elles auront

FUTUR ANTÉRIEUR

j' **aurai eu**
tu auras eu
il/elle aura eu
nous aurons eu
vous aurez eu
ils/elles auront eu

CONDITIONNEL

PRÉSENT

j' **aurais**
tu aurais
il/elle aurait
nous aurions
vous auriez
ils/elles auraient

PASSÉ

j' **aurais eu**
tu aurais eu
il/elle aurait eu
nous aurions eu
vous auriez eu
ils/elles auraient eu

SUBJONCTIF

PRÉSENT

que j' aie
que tu aies
qu'il/elle ait
que nous ayons
que vous ayez
qu'ils/elles aient

PASSÉ

que j' aie eu
que tu aies eu
qu'il/elle ait eu
que nous ayons eu
que vous ayez eu
qu'ils/elles aient eu

IMPARFAIT

que j' eusse
que tu eusses
qu'il/elle eût
que nous eussions
que vous eussiez
qu'ils/elles eussent

PLUS-QUE-PARFAIT

que j' eusse eu
que tu eusses eu
qu'il/elle eût eu
que nous eussions eu
que vous eussiez eu
qu'ils/elles eussent eu

IMPÉRATIF

PRÉSENT

aie
ayons
ayez

PASSÉ

aie eu
ayons eu
ayez eu

INFINITIF

PRÉSENT

avoir

PASSÉ

avoir eu

PARTICIPE

PRÉSENT

ayant

PASSÉ

ayant eu
eu(e, s, es)

Remarques

- *Avoir* peut être utilisé comme auxiliaire aux temps composés :
1. des verbes transitifs : *j'ai aimé*, *j'avais aimé* ;
2. de plusieurs verbes intransitifs (dont *être*) : *il a atterri*, *il avait atterri* ;
3. de certains verbes qui admettent les deux auxiliaires.

- Le participe passé *eu* s'accorde en suivant les règles d'accord habituelles. Il peut donc s'écrire *eu*, *eue*, *eus* ou *eues*.

3 aimer

1er groupe verbes en **-er**

INDICATIF

PRÉSENT

j' **aime**
tu aimes
il/elle aime
nous aimons
vous aimez
ils/elles aiment

PASSÉ COMPOSÉ

j' **ai aimé**
tu as aimé
il/elle a aimé
nous avons aimé
vous avez aimé
ils/elles ont aimé

IMPARFAIT

j' **aimais**
tu aimais
il/elle aimait
nous aimions
vous aimiez
ils/elles aimaient

PLUS-QUE-PARFAIT

j' **avais aimé**
tu avais aimé
il/elle avait aimé
nous avions aimé
vous aviez aimé
ils/elles avaient aimé

PASSÉ SIMPLE

j' **aimai**
tu aimas
il/elle aima
nous aimâmes
vous aimâtes
ils/elles aimèrent

PASSÉ ANTÉRIEUR

j' **eus aimé**
tu eus aimé
il/elle eut aimé
nous eûmes aimé
vous eûtes aimé
ils/elles eurent aimé

FUTUR SIMPLE

j' **aimerai**
tu aimeras
il/elle aimera
nous aimerons
vous aimerez
ils/elles aimeront

FUTUR ANTÉRIEUR

j' **aurai aimé**
tu auras aimé
il/elle aura aimé
nous aurons aimé
vous aurez aimé
ils/elles auront aimé

CONDITIONNEL

PRÉSENT

j' **aimerais**
tu aimerais
il/elle aimerait
nous aimerions
vous aimeriez
ils/elles aimeraient

PASSÉ

j' **aurais aimé**
tu aurais aimé
il/elle aurait aimé
nous aurions aimé
vous auriez aimé
ils/elles auraient aimé

SUBJONCTIF

PRÉSENT

que j' aime
que tu aimes
qu'il/elle aime
que nous aimions
que vous aimiez
qu'ils/elles aiment

PASSÉ

que j' aie aimé
que tu aies aimé
qu'il/elle ait aimé
que nous ayons aimé
que vous ayez aimé
qu'ils/elles aient aimé

IMPARFAIT

que j' aimasse
que tu aimasses
qu'il/elle aimât
que nous aimassions
que vous aimassiez
qu'ils/elles aimassent

PLUS-QUE-PARFAIT

que j' eusse aimé
que tu eusses aimé
qu'il/elle eût aimé
que nous eussions aimé
que vous eussiez aimé
qu'ils/elles eussent aimé

IMPÉRATIF

PRÉSENT

aime
aimons
aimez

PASSÉ

aie aimé
ayons aimé
ayez aimé

INFINITIF

PRÉSENT

aimer

PASSÉ

avoir aimé

PARTICIPE

PRÉSENT

aimant

PASSÉ

ayant aimé
aimé(e, s, es)

Remarques

- Les verbes du 1er groupe représentent la majorité des verbes de la langue française. Ils se conjuguent tous sur le modèle d'*aimer*. Pour certains cependant, il faut tenir compte d'une légère variation du radical ou d'une difficulté orthographique → tableaux **7** à **28**.
- *Aller* est un verbe irrégulier du 3e groupe → tableau **31**.

4 être aimé la voix passive

INDICATIF

PRÉSENT

je **suis aimé(e)**
tu es aimé(e)
il/elle est aimé(e)
nous sommes aimé(e)s
vous êtes aimé(e)s
ils/elles sont aimé(e)s

PASSÉ COMPOSÉ

j' **ai été aimé(e)**
tu as été aimé(e)
il/elle a été aimé(e)
nous avons été aimé(e)s
vous avez été aimé(e)s
ils/elles ont été aimé(e)s

IMPARFAIT

j' **étais aimé(e)**
tu étais aimé(e)
il/elle était aimé(e)
nous étions aimé(e)s
vous étiez aimé(e)s
ils/elles étaient aimé(e)s

PLUS-QUE-PARFAIT

j' **avais été aimé(e)**
tu avais été aimé(e)
il/elle avait été aimé(e)
nous avions été aimé(e)s
vous aviez été aimé(e)s
ils/elles avaient été aimé(e)s

PASSÉ SIMPLE

je **fus aimé(e)**
tu fus aimé(e)
il/elle fut aimé(e)
nous fûmes aimé(e)s
vous fûtes aimé(e)s
ils/elles furent aimé(e)s

PASSÉ ANTÉRIEUR

j' **eus été aimé(e)**
tu eus été aimé(e)
il/elle eut été aimé(e)
nous eûmes été aimé(e)s
vous eûtes été aimé(e)s
ils/elles eurent été aimé(e)s

FUTUR SIMPLE

je **serai aimé(e)**
tu seras aimé(e)
il/elle sera aimé(e)
nous serons aimé(e)s
vous serez aimé(e)s
ils/elles seront aimé(e)s

FUTUR ANTÉRIEUR

j' **aurai été aimé(e)**
tu auras été aimé(e)
il/elle aura été aimé(e)
nous aurons été aimé(e)s
vous aurez été aimé(e)s
ils/elles auront été aimé(e)s

CONDITIONNEL

PRÉSENT

je **serais aimé(e)**
tu serais aimé(e)
il/elle serait aimé(e)
nous serions aimé(e)s
vous seriez aimé(e)s
ils/elles seraient aimé(e)s

PASSÉ

j' **aurais été aimé(e)**
tu aurais été aimé(e)
il/elle aurait été aimé(e)
nous aurions été aimé(e)s
vous auriez été aimé(e)s
ils/elles auraient été aimé(e)s

SUBJONCTIF

PRÉSENT

que je **sois aimé(e)**
que tu sois aimé(e)
qu'il/elle soit aimé(e)
que nous soyons aimé(e)s
que vous soyez aimé(e)s
qu'ils/elles soient aimé(e)s

PASSÉ

que j' **aie été aimé(e)**
que tu aies été aimé(e)
qu'il/elle ait été aimé(e)
que nous ayons été aimé(e)s
que vous ayez été aimé(e)s
qu'ils/elles aient été aimé(e)s

IMPARFAIT

que je **fusse aimé(e)**
que tu fusses aimé(e)
qu'il/elle fût aimé(e)
que nous fussions aimé(e)s
que vous fussiez aimé(e)s
qu'ils/elles fussent aimé(e)s

PLUS-QUE-PARFAIT

que j' **eusse été aimé(e)**
que tu eusses été aimé(e)
qu'il/elle eût été aimé(e)
que nous eussions été aimé(e)s
que vous eussiez été aimé(e)s
qu'ils/elles eussent été aimé(e)s

IMPÉRATIF

PRÉSENT

sois aimé(e)
soyons aimé(e)s
soyez aimé(e)s

PASSÉ

INFINITIF

PRÉSENT

être aimé

PASSÉ

avoir été aimé

PARTICIPE

PRÉSENT

étant aimé

PASSÉ

ayant été aimé

Remarques

- Seuls les verbes transitifs directs peuvent être mis au passif.
- Le verbe à la voix passive est constitué de l'auxiliaire *être* suivi du participe passé : *je serai aimé, j'ai été aimé*.
- Le participe passé du verbe s'accorde avec le sujet : *elle était aimé**e**, elles seront aimé**es**, elle doit être aimé**e***.

5 s'aimer la construction pronominale

INDICATIF

PRÉSENT

je **m'aime**
tu t'aimes
il/elle s'aime
nous nous aimons
vous vous aimez
ils/elles s'aiment

IMPARFAIT

je **m'aimais**
tu t'aimais
il/elle s'aimait
nous nous aimions
vous vous aimiez
ils/elles s'aimaient

PASSÉ SIMPLE

je **m'aimai**
tu t'aimas
il/elle s'aima
nous nous aimâmes
vous vous aimâtes
ils/elles s'aimèrent

FUTUR SIMPLE

je **m'aimerai**
tu t'aimeras
il/elle s'aimera
nous nous aimerons
vous vous aimerez
ils/elles s'aimeront

PASSÉ COMPOSÉ

je **me suis aimé(e)**
tu t'es aimé(e)
il/elle s'est aimé(e)
nous nous sommes aimé(e)s
vous vous êtes aimé(e)s
ils/elles se sont aimé(e)s

PLUS-QUE-PARFAIT

je **m'étais aimé(e)**
tu t'étais aimé(e)
il/elle s'était aimé(e)
nous nous étions aimé(e)s
vous vous étiez aimé(e)s
ils/elles s'étaient aimé(e)s

PASSÉ ANTÉRIEUR

je **me fus aimé(e)**
tu te fus aimé(e)
il/elle se fut aimé(e)
nous nous fûmes aimé(e)s
vous vous fûtes aimé(e)s
ils/elles se furent aimé(e)s

FUTUR ANTÉRIEUR

je **me serai aimé(e)**
tu te seras aimé(e)
il/elle se sera aimé(e)
nous nous serons aimé(e)s
vous vous serez aimé(e)s
ils/elles se seront aimé(e)s

CONDITIONNEL

PRÉSENT

je **m'aimerais**
tu t'aimerais
il/elle s'aimerait
nous nous aimerions
vous vous aimeriez
ils/elles s'aimeraient

PASSÉ

je **me serais aimé(e)**
tu te serais aimé(e)
il/elle se serait aimé(e)
nous nous serions aimé(e)s
vous vous seriez aimé(e)s
ils/elles se seraient aimé(e)s

SUBJONCTIF

PRÉSENT

que je **m'aime**
que tu t'aimes
qu'il/elle s'aime
que nous nous aimions
que vous vous aimiez
qu'ils/elles s'aiment

PASSÉ

que je **me sois aimé(e)**
que tu te sois aimé(e)
qu'il/elle se soit aimé(e)
que nous nous soyons aimé(e)s
que vous vous soyez aimé(e)s
qu'ils/elles se soient aimé(e)s

IMPARFAIT

que je **m'aimasse**
que tu t'aimasses
qu'il/elle s'aimât
que nous nous aimassions
que vous vous aimassiez
qu'ils/elles s'aimassent

PLUS-QUE-PARFAIT

que je **me fusse aimé(e)**
que tu te fusses aimé(e)
qu'il/elle se fût aimé(e)
que nous nous fussions aimé(e)s
que vous vous fussiez aimé(e)s
qu'ils/elles se fussent aimé(e)s

IMPÉRATIF

PRÉSENT

aime-toi
aimons-nous
aimez-vous

PASSÉ

INFINITIF

PRÉSENT

s'aimer

PASSÉ

s'être aimé

PARTICIPE

PRÉSENT

s'aimant

PASSÉ

s'étant aimé

Remarques

- Les verbes pronominaux se caractérisent par la présence d'un pronom personnel réfléchi : *me*, *te*, *se*...
- Dans le répertoire ne sont indiqués que les verbes essentiellement pronominaux.

6

finir

2e groupe — verbes en **-ir** — participe présent en **-issant**

INDICATIF

PRÉSENT

je **finis**
tu finis
il/elle finit
nous **finissons**
vous finissez
ils/elles finissent

IMPARFAIT

je **finissais**
tu finissais
il/elle finissait
nous finissions
vous finissiez
ils/elles finissaient

PASSÉ SIMPLE

je **finis**
tu finis
il/elle finit
nous finîmes
vous finîtes
ils/elles finirent

FUTUR SIMPLE

je **finirai**
tu finiras
il/elle finira
nous finirons
vous finirez
ils/elles finiront

PASSÉ COMPOSÉ

j' **ai fini**
tu as fini
il/elle a fini
nous avons fini
vous avez fini
ils/elles ont fini

PLUS-QUE-PARFAIT

j' **avais fini**
tu avais fini
il/elle avait fini
nous avions fini
vous aviez fini
ils/elles avaient fini

PASSÉ ANTÉRIEUR

j' **eus fini**
tu eus fini
il/elle eut fini
nous eûmes fini
vous eûtes fini
ils/elles eurent fini

FUTUR ANTÉRIEUR

j' **aurai fini**
tu auras fini
il/elle aura fini
nous aurons fini
vous aurez fini
ils/elles auront fini

CONDITIONNEL

PRÉSENT

je **finirais**
tu finirais
il/elle finirait
nous finirions
vous finiriez
ils/elles finiraient

PASSÉ

j' **aurais fini**
tu aurais fini
il/elle aurait fini
nous aurions fini
vous auriez fini
ils/elles auraient fini

SUBJONCTIF

PRÉSENT

que je finisse
que tu finisses
qu'il/elle finisse
que nous finissions
que vous finissiez
qu'ils/elles finissent

PASSÉ

que j' aie fini
que tu aies fini
qu'il/elle ait fini
que nous ayons fini
que vous ayez fini
qu'ils/elles aient fini

IMPARFAIT

que je finisse
que tu finisses
qu'il/elle finît
que nous finissions
que vous finissiez
qu'ils/elles finissent

PLUS-QUE-PARFAIT

que j' eusse fini
que tu eusses fini
qu'il/elle eût fini
que nous eussions fini
que vous eussiez fini
qu'ils/elles eussent fini

IMPÉRATIF

PRÉSENT

finis
finissons
finissez

PASSÉ

aie fini
ayons fini
ayez fini

INFINITIF

PRÉSENT

finir

PASSÉ

avoir fini

PARTICIPE

PRÉSENT

finissant

PASSÉ

ayant fini
fini(e, s, es)

Remarques

- Tous les verbes du 2e groupe se conjuguent comme *finir*, sauf *haïr*, *se haïr* et *s'entre-haïr* → tableau **29**.
- Le radical des verbes du 2e groupe présente deux formes : une forme en **-i** *(je finis, je finirai)* et une forme en **-iss** *(nous finissons, que je finisse)*.

7 jouer 1er groupe verbes en -ouer et -uer

INDICATIF

PRÉSENT

je joue
tu joues
il/elle joue
nous jouons
vous jouez
ils/elles jouent

PASSÉ COMPOSÉ

j' ai joué
tu as joué
il/elle a joué
nous avons joué
vous avez joué
ils/elles ont joué

IMPARFAIT

je jouais
tu jouais
il/elle jouait
nous jouions
vous jouiez
ils/elles jouaient

PLUS-QUE-PARFAIT

j' avais joué
tu avais joué
il/elle avait joué
nous avions joué
vous aviez joué
ils/elles avaient joué

PASSÉ SIMPLE

je jouai
tu jouas
il/elle joua
nous jouâmes
vous jouâtes
ils/elles jouèrent

PASSÉ ANTÉRIEUR

j' eus joué
tu eus joué
il/elle eut joué
nous eûmes joué
vous eûtes joué
ils/elles eurent joué

FUTUR SIMPLE

je jouerai
tu joueras
il/elle jouera
nous jouerons
vous jouerez
ils/elles joueront

FUTUR ANTÉRIEUR

j' aurai joué
tu auras joué
il/elle aura joué
nous aurons joué
vous aurez joué
ils/elles auront joué

CONDITIONNEL

PRÉSENT

je jouerais
tu jouerais
il/elle jouerait
nous jouerions
vous joueriez
ils/elles joueraient

PASSÉ

j' aurais joué
tu aurais joué
il/elle aurait joué
nous aurions joué
vous auriez joué
ils/elles auraient joué

SUBJONCTIF

PRÉSENT

que je **joue**
que tu joues
qu'il/elle joue
que nous jouions
que vous jouiez
qu'ils/elles jouent

PASSÉ

que j' **aie joué**
que tu aies joué
qu'il/elle ait joué
que nous ayons joué
que vous ayez joué
qu'ils/elles aient joué

IMPARFAIT

que je **jouasse**
que tu jouasses
qu'il/elle jouât
que nous jouassions
que vous jouassiez
qu'ils/elles jouassent

PLUS-QUE-PARFAIT

que j' **eusse joué**
que tu eusses joué
qu'il/elle eût joué
que nous eussions joué
que vous eussiez joué
qu'ils/elles eussent joué

IMPÉRATIF

PRÉSENT

joue
jouons
jouez

PASSÉ

aie joué
ayons joué
ayez joué

INFINITIF

PRÉSENT

jouer

PASSÉ

avoir joué

PARTICIPE

PRÉSENT

jouant

PASSÉ

ayant joué
joué(e, s, es)

Remarque

• Au futur simple et au conditionnel présent, on ne prononce pas le **e** qui précède la terminaison.
Il ne faut pas l'oublier à l'écrit : *je jou**e**rai*, *je jou**e**rais*.

8 étudier 1er groupe verbes en -ier

INDICATIF

PRÉSENT

j' **étudie**
tu étudies
il/elle étudie
nous étudions
vous étudiez
ils/elles étudient

PASSÉ COMPOSÉ

j' **ai étudié**
tu as étudié
il/elle a étudié
nous avons étudié
vous avez étudié
ils/elles ont étudié

IMPARFAIT

j' **étudiais**
tu étudiais
il/elle étudiait
nous étudiions
vous étudiiez
ils/elles étudiaient

PLUS-QUE-PARFAIT

j' **avais étudié**
tu avais étudié
il/elle avait étudié
nous avions étudié
vous aviez étudié
ils/elles avaient étudié

PASSÉ SIMPLE

j' **étudiai**
tu étudias
il/elle étudia
nous étudiâmes
vous étudiâtes
ils/elles étudièrent

PASSÉ ANTÉRIEUR

j' **eus étudié**
tu eus étudié
il/elle eut étudié
nous eûmes étudié
vous eûtes étudié
ils/elles eurent étudié

FUTUR SIMPLE

j' **étudierai**
tu étudieras
il/elle étudiera
nous étudierons
vous étudierez
ils/elles étudieront

FUTUR ANTÉRIEUR

j' **aurai étudié**
tu auras étudié
il/elle aura étudié
nous aurons étudié
vous aurez étudié
ils/elles auront étudié

CONDITIONNEL

PRÉSENT

j' **étudierais**
tu étudierais
il/elle étudierait
nous étudierions
vous étudieriez
ils/elles étudieraient

PASSÉ

j' **aurais étudié**
tu aurais étudié
il/elle aurait étudié
nous aurions étudié
vous auriez étudié
ils/elles auraient étudié

SUBJONCTIF

PRÉSENT

que j'	**étudie**
que tu	étudies
qu'il/elle	étudie
que nous	étudiions
que vous	étudiiez
qu'ils/elles	étudient

PASSÉ

que j'	**aie étudié**
que tu	aies étudié
qu'il/elle	ait étudié
que nous	ayons étudié
que vous	ayez étudié
qu'ils/elles	aient étudié

IMPARFAIT

que j'	**étudiasse**
que tu	étudiasses
qu'il/elle	étudiât
que nous	étudiassions
que vous	étudiassiez
qu'ils/elles	étudiassent

PLUS-QUE-PARFAIT

que j'	**eusse étudié**
que tu	eusses étudié
qu'il/elle	eût étudié
que nous	eussions étudié
que vous	eussiez étudié
qu'ils/elles	eussent étudié

IMPÉRATIF

PRÉSENT

étudie
étudions
étudiez

PASSÉ

aie étudié
ayons étudié
ayez étudié

INFINITIF

PRÉSENT

étudier

PASSÉ

avoir étudié

PARTICIPE

PRÉSENT

étudiant

PASSÉ

ayant étudié
étudié(e, s, es)

Remarques

- Au futur simple et au conditionnel présent, on ne prononce pas le **e** qui précède la terminaison. Il ne faut pas l'oublier à l'écrit → tableau 7.
- À l'indicatif imparfait et au subjonctif présent, aux 1re et 2e personnes du pluriel, noter les deux **i** qui se suivent, le **i** final du radical et le **i** initial de la terminaison : *nous étudi/ions, vous étudi/iez.*

9 piller 1er groupe verbes en -iller et -gner

INDICATIF

PRÉSENT

je **pille**
tu pilles
il/elle pille
nous pillons
vous pillez
ils/elles pillent

IMPARFAIT

je **pillais**
tu pillais
il/elle pillait
nous pillions
vous pilliez
ils/elles pillaient

PASSÉ SIMPLE

je **pillai**
tu pillas
il/elle pilla
nous pillâmes
vous pillâtes
ils/elles pillèrent

FUTUR SIMPLE

je **pillerai**
tu pilleras
il/elle pillera
nous pillerons
vous pillerez
ils/elles pilleront

PASSÉ COMPOSÉ

j' **ai pillé**
tu as pillé
il/elle a pillé
nous avons pillé
vous avez pillé
ils/elles ont pillé

PLUS-QUE-PARFAIT

j' **avais pillé**
tu avais pillé
il/elle avait pillé
nous avions pillé
vous aviez pillé
ils/elles avaient pillé

PASSÉ ANTÉRIEUR

j' **eus pillé**
tu eus pillé
il/elle eut pillé
nous eûmes pillé
vous eûtes pillé
ils/elles eurent pillé

FUTUR ANTÉRIEUR

j' **aurai pillé**
tu auras pillé
il/elle aura pillé
nous aurons pillé
vous aurez pillé
ils/elles auront pillé

CONDITIONNEL

PRÉSENT

je **pillerais**
tu pillerais
il/elle pillerait
nous pillerions
vous pilleriez
ils/elles pilleraient

PASSÉ

j' **aurais pillé**
tu aurais pillé
il/elle aurait pillé
nous aurions pillé
vous auriez pillé
ils/elles auraient pillé

SUBJONCTIF

PRÉSENT

que je **pille**
que tu pilles
qu'il/elle pille
que nous pillions
que vous pilliez
qu'ils/elles pillent

PASSÉ

que j' **aie pillé**
que tu aies pillé
qu'il/elle ait pillé
que nous ayons pillé
que vous ayez pillé
qu'ils/elles aient pillé

IMPARFAIT

que je **pillasse**
que tu pillasses
qu'il/elle pillât
que nous pillassions
que vous pillassiez
qu'ils/elles pillassent

PLUS-QUE-PARFAIT

que j' **eusse pillé**
que tu eusses pillé
qu'il/elle eût pillé
que nous eussions pillé
que vous eussiez pillé
qu'ils/elles eussent pillé

IMPÉRATIF

PRÉSENT

pille
pillons
pillez

PASSÉ

aie pillé
ayons pillé
ayez pillé

INFINITIF

PRÉSENT

piller

PASSÉ

avoir pillé

PARTICIPE

PRÉSENT

pillant

PASSÉ

ayant pillé
pillé(e, s, es)

Remarque

Aux 1re et 2e personnes du pluriel de l'indicatif imparfait et du subjonctif présent, on ne prononce pas toujours le **i** de la terminaison, en raison de la syllabe mouillée qui termine le radical. Il ne faut pas l'oublier à l'écrit : *nous pill/ions, vous pill/iez ; nous gagn/ions, vous gagn/iez.*

10 créer 1er groupe verbes en -éer

INDICATIF

PRÉSENT

je crée
tu crées
il/elle crée
nous créons
vous créez
ils/elles créent

IMPARFAIT

je créais
tu créais
il/elle créait
nous créions
vous créiez
ils/elles créaient

PASSÉ SIMPLE

je créai
tu créas
il/elle créa
nous créâmes
vous créâtes
ils/elles créèrent

FUTUR SIMPLE

je créerai
tu créeras
il/elle créera
nous créerons
vous créerez
ils/elles créeront

PASSÉ COMPOSÉ

j' ai créé
tu as créé
il/elle a créé
nous avons créé
vous avez créé
ils/elles ont créé

PLUS-QUE-PARFAIT

j' avais créé
tu avais créé
il/elle avait créé
nous avions créé
vous aviez créé
ils/elles avaient créé

PASSÉ ANTÉRIEUR

j' eus créé
tu eus créé
il/elle eut créé
nous eûmes créé
vous eûtes créé
ils/elles eurent créé

FUTUR ANTÉRIEUR

j' aurai créé
tu auras créé
il/elle aura créé
nous aurons créé
vous aurez créé
ils/elles auront créé

CONDITIONNEL

PRÉSENT

je créerais
tu créerais
il/elle créerait
nous créerions
vous créeriez
ils/elles créeraient

PASSÉ

j' aurais créé
tu aurais créé
il/elle aurait créé
nous aurions créé
vous auriez créé
ils/elles auraient créé

SUBJONCTIF

PRÉSENT

que je **crée**
que tu crées
qu'il/elle crée
que nous créions
que vous créiez
qu'ils/elles créent

PASSÉ

que j' **aie créé**
que tu aies créé
qu'il/elle ait créé
que nous ayons créé
que vous ayez créé
qu'ils/elles aient créé

IMPARFAIT

que je **créasse**
que tu créasses
qu'il/elle créât
que nous créassions
que vous créassiez
qu'ils/elles créassent

PLUS-QUE-PARFAIT

que j' **eusse créé**
que tu eusses créé
qu'il/elle eût créé
que nous eussions créé
que vous eussiez créé
qu'ils/elles eussent créé

IMPÉRATIF

PRÉSENT

crée
créons
créez

PASSÉ

aie créé
ayons créé
ayez créé

INFINITIF

PRÉSENT

créer

PASSÉ

avoir créé

PARTICIPE

PRÉSENT

créant

PASSÉ

ayant créé
créé(e, s, es)

Remarques

- Les verbes du type *créer* présentent de nombreuses formes dans lesquelles deux ou trois **e** se suivent. Cela s'explique par la rencontre du **é** final du radical et du (des) **e** de la terminaison : *je cré/e, vous cré/ez, ils cré/èrent, j'ai cré/é, elle a été cré/ée*.
- Au futur simple et au conditionnel présent, on ne prononce pas le **e** qui précède la terminaison. Il ne faut pas l'oublier à l'écrit → tableau **7**.

11 naviguer 1er groupe verbes en -guer et -quer

INDICATIF

PRÉSENT		PASSÉ COMPOSÉ	
je	**navigue**	j'	ai **navigué**
tu	navigues	tu	as navigué
il/elle	navigue	il/elle	a navigué
nous	naviguons	nous	avons navigué
vous	naviguez	vous	avez navigué
ils/elles	naviguent	ils/elles	ont navigué

IMPARFAIT		PLUS-QUE-PARFAIT	
je	**naviguais**	j'	**avais navigué**
tu	naviguais	tu	avais navigué
il/elle	naviguait	il/elle	avait navigué
nous	naviguions	nous	avions navigué
vous	naviguiez	vous	aviez navigué
ils/elles	naviguaient	ils/elles	avaient navigué

PASSÉ SIMPLE		PASSÉ ANTÉRIEUR	
je	**naviguai**	j'	**eus navigué**
tu	naviguas	tu	eus navigué
il/elle	navigua	il/elle	eut navigué
nous	naviguâmes	nous	eûmes navigué
vous	naviguâtes	vous	eûtes navigué
ils/elles	naviguèrent	ils/elles	eurent navigué

FUTUR SIMPLE		FUTUR ANTÉRIEUR	
je	**naviguerai**	j'	**aurai navigué**
tu	navigueras	tu	auras navigué
il/elle	naviguera	il/elle	aura navigué
nous	naviguerons	nous	aurons navigué
vous	naviguerez	vous	aurez navigué
ils/elles	navigueront	ils/elles	auront navigué

CONDITIONNEL

PRÉSENT		PASSÉ	
je	**naviguerais**	j'	**aurais navigué**
tu	naviguerais	tu	aurais navigué
il/elle	naviguerait	il/elle	aurait navigué
nous	naviguerions	nous	aurions navigué
vous	navigueriez	vous	auriez navigué
ils/elles	navigueraient	ils/elles	auraient navigué

SUBJONCTIF

PRÉSENT

que je **navigue**
que tu navigues
qu'il/elle navigue
que nous naviguions
que vous naviguiez
qu'ils/elles naviguent

PASSÉ

que j' **aie navigué**
que tu aies navigué
qu'il/elle ait navigué
que nous ayons navigué
que vous ayez navigué
qu'ils/elles aient navigué

IMPARFAIT

que je **naviguasse**
que tu naviguasses
qu'il/elle naviguât
que nous naviguassions
que vous naviguassiez
qu'ils/elles naviguassent

PLUS-QUE-PARFAIT

que j' **eusse navigué**
que tu eusses navigué
qu'il/elle eût navigué
que nous eussions navigué
que vous eussiez navigué
qu'ils/elles eussent navigué

IMPÉRATIF

PRÉSENT

navigue
naviguons
naviguez

PASSÉ

aie navigué
ayons navigué
ayez navigué

INFINITIF

PRÉSENT

naviguer

PASSÉ

avoir navigué

PARTICIPE

PRÉSENT

naviguant

PASSÉ

ayant navigué
navigué

Remarques

- Les verbes en **-guer** et en **-quer** conservent toujours le **u** à tous les temps et à tous les modes : *je navigu/e, nous navigu/ons.*
- Pour certains verbes en **-guer**, le participe présent est en **-guant** et l'adjectif verbal en **-gant** : *Elle chantait, fatiguant ses voisins. La visite fut fatigante.*
- Pour certains verbes en **-quer**, le participe présent est en **-quant** et l'adjectif verbal en **-cant** : *Il a refusé, provoquant le scandale ; une tenue provocante.*

12 placer

1er groupe — verbes en **-cer**

INDICATIF

PRÉSENT

je **place**
tu places
il/elle place
nous **plaçons**
vous placez
ils/elles placent

PASSÉ COMPOSÉ

j' **ai placé**
tu as placé
il/elle a placé
nous avons placé
vous avez placé
ils/elles ont placé

IMPARFAIT

je **plaçais**
tu plaçais
il/elle plaçait
nous placions
vous placiez
ils/elles plaçaient

PLUS-QUE-PARFAIT

j' **avais placé**
tu avais placé
il/elle avait placé
nous avions placé
vous aviez placé
ils/elles avaient placé

PASSÉ SIMPLE

je **plaçai**
tu plaças
il/elle plaça
nous plaçâmes
vous plaçâtes
ils/elles placèrent

PASSÉ ANTÉRIEUR

j' **eus placé**
tu eus placé
il/elle eut placé
nous eûmes placé
vous eûtes placé
ils/elles eurent placé

FUTUR SIMPLE

je **placerai**
tu placeras
il/elle placera
nous placerons
vous placerez
ils/elles placeront

FUTUR ANTÉRIEUR

j' **aurai placé**
tu auras placé
il/elle aura placé
nous aurons placé
vous aurez placé
ils/elles auront placé

CONDITIONNEL

PRÉSENT

je **placerais**
tu placerais
il/elle placerait
nous placerions
vous placeriez
ils/elles placeraient

PASSÉ

j' **aurais placé**
tu aurais placé
il/elle aurait placé
nous aurions placé
vous auriez placé
ils/elles auraient placé

SUBJONCTIF

PRÉSENT

que je **place**
que tu places
qu'il/elle place
que nous placions
que vous placiez
qu'ils/elles placent

PASSÉ

que j' **aie placé**
que tu aies placé
qu'il/elle ait placé
que nous ayons placé
que vous ayez placé
qu'ils/elles aient placé

IMPARFAIT

que je **plaçasse**
que tu plaçasses
qu'il/elle plaçât
que nous plaçassions
que vous plaçassiez
qu'ils/elles plaçassent

PLUS-QUE-PARFAIT

que j' **eusse placé**
que tu eusses placé
qu'il/elle eût placé
que nous eussions placé
que vous eussiez placé
qu'ils/elles eussent placé

IMPÉRATIF

PRÉSENT

place
plaçons
placez

PASSÉ

aie placé
ayons placé
ayez placé

INFINITIF

PRÉSENT

placer

PASSÉ

avoir placé

PARTICIPE

PRÉSENT

plaçant

PASSÉ

ayant placé
placé(e, s, es)

Remarque

• Les verbes en **-cer** prennent une cédille sous le **c** quand la terminaison commence par **a** ou **o**, afin de conserver la même prononciation en [s] à toutes les formes.
On écrit *je place*, mais *nous plaçons*.

13 manger 1er groupe verbes en -ger

INDICATIF

Présent

je **mange**
tu manges
il/elle mange
nous **mangeons**
vous mangez
ils/elles mangent

Imparfait

je **mangeais**
tu mangeais
il/elle mangeait
nous mangions
vous mangiez
ils/elles mangeaient

Passé simple

je **mangeai**
tu mangeas
il/elle mangea
nous mangeâmes
vous mangeâtes
ils/elles mangèrent

Futur simple

je **mangerai**
tu mangeras
il/elle mangera
nous mangerons
vous mangerez
ils/elles mangeront

Passé composé

j' **ai mangé**
tu as mangé
il/elle a mangé
nous avons mangé
vous avez mangé
ils/elles ont mangé

Plus-que-parfait

j' **avais mangé**
tu avais mangé
il/elle avait mangé
nous avions mangé
vous aviez mangé
ils/elles avaient mangé

Passé antérieur

j' **eus mangé**
tu eus mangé
il/elle eut mangé
nous eûmes mangé
vous eûtes mangé
ils/elles eurent mangé

Futur antérieur

j' **aurai mangé**
tu auras mangé
il/elle aura mangé
nous aurons mangé
vous aurez mangé
ils/elles auront mangé

CONDITIONNEL

Présent

je **mangerais**
tu mangerais
il/elle mangerait
nous mangerions
vous mangeriez
ils/elles mangeraient

Passé

j' **aurais mangé**
tu aurais mangé
il/elle aurait mangé
nous aurions mangé
vous auriez mangé
ils/elles auraient mangé

SUBJONCTIF

PRÉSENT

que je **mange**
que tu manges
qu'il/elle mange
que nous mangions
que vous mangiez
qu'ils/elles mangent

PASSÉ

que j' **aie mangé**
que tu aies mangé
qu'il/elle ait mangé
que nous ayons mangé
que vous ayez mangé
qu'ils/elles aient mangé

IMPARFAIT

que je **mangeasse**
que tu mangeasses
qu'il/elle mangeât
que nous mangeassions
que vous mangeassiez
qu'ils/elles mangeassent

PLUS-QUE-PARFAIT

que j' **eusse mangé**
que tu eusses mangé
qu'il/elle eût mangé
que nous eussions mangé
que vous eussiez mangé
qu'ils/elles eussent mangé

IMPÉRATIF

PRÉSENT

mange
mangeons
mangez

PASSÉ

aie mangé
ayons mangé
ayez mangé

INFINITIF

PRÉSENT

manger

PASSÉ

avoir mangé

PARTICIPE

PRÉSENT

mangeant

PASSÉ

ayant mangé
mangé(e, s, es)

Remarques

- Les verbes en **-ger** prennent un **e** après le **g** quand la terminaison commence par **a** ou **o**, afin de conserver la même prononciation en [ʒ] à toutes les formes : *je mang/e, nous mang/eons.*
- Certains verbes en **-ger** ont un participe présent en **-geant** et un adjectif verbal en **-gent**. C'est le cas de *converger, diverger, émerger, négliger. Négligeant le danger, il se lança à sa poursuite.* Mais : *Elle est négligente.*

14 céder 1er groupe verbes en -é_er

INDICATIF

PRÉSENT

je cède
tu cèdes
il/elle cède
nous cédons
vous cédez
ils/elles cèdent

PASSÉ COMPOSÉ

j' ai cédé
tu as cédé
il/elle a cédé
nous avons cédé
vous avez cédé
ils/elles ont cédé

IMPARFAIT

je cédais
tu cédais
il/elle cédait
nous cédions
vous cédiez
ils/elles cédaient

PLUS-QUE-PARFAIT

j' avais cédé
tu avais cédé
il/elle avait cédé
nous avions cédé
vous aviez cédé
ils/elles avaient cédé

PASSÉ SIMPLE

je cédai
tu cédas
il/elle céda
nous cédâmes
vous cédâtes
ils/elles cédèrent

PASSÉ ANTÉRIEUR

j' eus cédé
tu eus cédé
il/elle eut cédé
nous eûmes cédé
vous eûtes cédé
ils/elles eurent cédé

FUTUR SIMPLE

je céderai
tu céderas
il/elle cédera
nous céderons
vous céderez
ils/elles céderont

FUTUR ANTÉRIEUR

j' aurai cédé
tu auras cédé
il/elle aura cédé
nous aurons cédé
vous aurez cédé
ils/elles auront cédé

CONDITIONNEL

PRÉSENT

je céderais
tu céderais
il/elle céderait
nous céderions
vous céderiez
ils/elles céderaient

PASSÉ

j' aurais cédé
tu aurais cédé
il/elle aurait cédé
nous aurions cédé
vous auriez cédé
ils/elles auraient cédé

accélérer · célébrer · compléter · espérer · inquiéter · posséder · régler · sécher...

SUBJONCTIF

PRÉSENT

que je **cède**
que tu cèdes
qu'il/elle cède
que nous cédions
que vous cédiez
qu'ils/elles cèdent

PASSÉ

que j' **aie cédé**
que tu aies cédé
qu'il/elle ait cédé
que nous ayons cédé
que vous ayez cédé
qu'ils/elles aient cédé

IMPARFAIT

que je **cédasse**
que tu cédasses
qu'il/elle cédât
que nous cédassions
que vous cédassiez
qu'ils/elles cédassent

PLUS-QUE-PARFAIT

que j' **eusse cédé**
que tu eusses cédé
qu'il/elle eût cédé
que nous eussions cédé
que vous eussiez cédé
qu'ils/elles eussent cédé

IMPÉRATIF

PRÉSENT

cède
cédons
cédez

PASSÉ

aie cédé
ayons cédé
ayez cédé

INFINITIF

PRÉSENT

céder

PASSÉ

avoir cédé

PARTICIPE

PRÉSENT

cédant

PASSÉ

ayant cédé
cédé(e, s ,es)

Remarques

- Le **é** [e] du radical devient **è** [ɛ] devant une syllabe muette (c'est-à-dire une syllabe ne comportant pas d'autre voyelle qu'un **e** muet) finale. On écrit *nous cédons*, mais *je cède*.
- Au futur simple et au conditionnel présent, l'accent reste aigu : *je céderai*.

N. ORTH. Au futur simple et au conditionnel présent, on prononce le **é** du radical comme un **è** ouvert [ɛ]. Aussi la réforme de 1990 autorise à écrire : *je cèderai*, *je cèderais*.

15 régner

1er groupe verbes en **-égner**

INDICATIF

PRÉSENT

je **règne**
tu règnes
il/elle règne
nous **régnons**
vous régnez
ils/elles règnent

PASSÉ COMPOSÉ

j' **ai régné**
tu as régné
il/elle a régné
nous avons régné
vous avez régné
ils/elles ont régné

IMPARFAIT

je **régnais**
tu régnais
il/elle régnait
nous régnions
vous régniez
ils/elles régnaient

PLUS-QUE-PARFAIT

j' **avais régné**
tu avais régné
il/elle avait régné
nous avions régné
vous aviez régné
ils/elles avaient régné

PASSÉ SIMPLE

je **régnai**
tu régnas
il/elle régna
nous régnâmes
vous régnâtes
ils/elles régnèrent

PASSÉ ANTÉRIEUR

j' **eus régné**
tu eus régné
il/elle eut régné
nous eûmes régné
vous eûtes régné
ils/elles eurent régné

FUTUR SIMPLE

je **régnerai**
tu régneras
il/elle régnera
nous régnerons
vous régnerez
ils/elles régneront

FUTUR ANTÉRIEUR

j' **aurai régné**
tu auras régné
il/elle aura régné
nous aurons régné
vous aurez régné
ils/elles auront régné

CONDITIONNEL

PRÉSENT

je **régnerais**
tu régnerais
il/elle régnerait
nous régnerions
vous régneriez
ils/elles régneraient

PASSÉ

j' **aurais régné**
tu aurais régné
il/elle aurait régné
nous aurions régné
vous auriez régné
ils/elles auraient régné

SUBJONCTIF

PRÉSENT

que je **règne**
que tu règnes
qu'il/elle règne
que nous régnions
que vous régniez
qu'ils/elles règnent

PASSÉ

que j' **aie régné**
que tu aies régné
qu'il/elle ait régné
que nous ayons régné
que vous ayez régné
qu'ils/elles aient régné

IMPARFAIT

que je **régnasse**
que tu régnasses
qu'il/elle régnât
que nous régnassions
que vous régnassiez
qu'ils/elles régnassent

PLUS-QUE-PARFAIT

que j' **eusse régné**
que tu eusses régné
qu'il/elle eût régné
que nous eussions régné
que vous eussiez régné
qu'ils/elles eussent régné

IMPÉRATIF

PRÉSENT

règne
régnons
régnez

PASSÉ

aie régné
ayons régné
ayez régné

INFINITIF

PRÉSENT

régner

PASSÉ

avoir régné

PARTICIPE

PRÉSENT

régnant

PASSÉ

ayant régné
régné

Remarque

Pour les verbes en **-égner**, il faut faire attention :
– à la variation du radical propre aux verbes en **é_er** : on écrit *nous régnons*, *nous régnerons*, mais *je règne* (N. ORTH. *nous règnerons*, *nous règnerions*) → tableau **14** ;
– au **i** de certaines terminaisons, que l'on n'entend pas toujours après la syllabe mouillée **gn-** ; à l'imparfait, par exemple, on écrit *nous régn/ions*, *vous régn/iez* → tableau **9**.

16 léguer

1er groupe verbes en **-éguer** et **-équer**

INDICATIF

PRÉSENT

je **lègue**
tu lègues
il/elle lègue
nous **léguons**
vous léguez
ils/elles lèguent

PASSÉ COMPOSÉ

j' **ai légué**
tu as légué
il/elle a légué
nous avons légué
vous avez légué
ils/elles ont légué

IMPARFAIT

je **léguais**
tu léguais
il/elle léguait
nous léguions
vous léguiez
ils/elles léguaient

PLUS-QUE-PARFAIT

j' **avais légué**
tu avais légué
il/elle avait légué
nous avions légué
vous aviez légué
ils/elles avaient légué

PASSÉ SIMPLE

je **léguai**
tu léguas
il/elle légua
nous léguâmes
vous léguâtes
ils/elles léguèrent

PASSÉ ANTÉRIEUR

j' **eus légué**
tu eus légué
il/elle eut légué
nous eûmes légué
vous eûtes légué
ils/elles eurent légué

FUTUR SIMPLE

je **léguerai**
tu légueras
il/elle léguera
nous léguerons
vous léguerez
ils/elles légueront

FUTUR ANTÉRIEUR

j' **aurai légué**
tu auras légué
il/elle aura légué
nous aurons légué
vous aurez légué
ils/elles auront légué

CONDITIONNEL

PRÉSENT

je **léguerais**
tu léguerais
il/elle léguerait
nous léguerions
vous légueriez
ils/elles légueraient

PASSÉ

j' **aurais légué**
tu aurais légué
il/elle aurait légué
nous aurions légué
vous auriez légué
ils/elles auraient légué

SUBJONCTIF

PRÉSENT

que je **lègue**
que tu lègues
qu'il/elle lègue
que nous léguions
que vous léguiez
qu'ils/elles lèguent

IMPARFAIT

que je **léguasse**
que tu léguasses
qu'il/elle léguât
que nous léguassions
que vous léguassiez
qu'ils/elles léguassent

PASSÉ

que j' **aie légué**
que tu aies légué
qu'il/elle ait légué
que nous ayons légué
que vous ayez légué
qu'ils/elles aient légué

PLUS-QUE-PARFAIT

que j' **eusse légué**
que tu eusses légué
qu'il/elle eût légué
que nous eussions légué
que vous eussiez légué
qu'ils/elles eussent légué

IMPÉRATIF

PRÉSENT

lègue
léguons
léguez

PASSÉ

aie légué
ayons légué
ayez légué

INFINITIF

PRÉSENT

léguer

PASSÉ

avoir légué

PARTICIPE

PRÉSENT

léguant

PASSÉ

ayant légué
légué(e, s, es)

Remarque

Pour les verbes en **-éguer** et en **-équer**, il faut faire attention :
– à la variation du radical propre aux verbes en **é_er** :
on écrit *nous léguons*, *nous léguerons*, mais *je lègue* → tableau **14** ;
– à maintenir le **u** qui termine le radical quelle que soit la voyelle qui le suit. On écrit *je lègu/e* et *nous légu/ons* → tableau **11**.

N. ORTH. La réforme de l'orthographe autorise, au futur simple et au conditionnel présent, *nous lèguerons*, *nous lèguerions*.

17 rapiécer 1er groupe verbes en -écer

INDICATIF

PRÉSENT

je **rapièce**
tu rapièces
il/elle rapièce
nous **rapiéçons**
vous rapiécez
ils/elles rapiècent

PASSÉ COMPOSÉ

j' **ai rapiécé**
tu as rapiécé
il/elle a rapiécé
nous avons rapiécé
vous avez rapiécé
ils/elles ont rapiécé

IMPARFAIT

je **rapiéçais**
tu rapiéçais
il/elle rapiéçait
nous rapiécions
vous rapiéciez
ils/elles rapiéçaient

PLUS-QUE-PARFAIT

j' **avais rapiécé**
tu avais rapiécé
il/elle avait rapiécé
nous avions rapiécé
vous aviez rapiécé
ils/elles avaient rapiécé

PASSÉ SIMPLE

je **rapiéçai**
tu rapiéças
il/elle rapiéça
nous rapiéçâmes
vous rapiéçâtes
ils/elles rapiécèrent

PASSÉ ANTÉRIEUR

j' **eus rapiécé**
tu eus rapiécé
il/elle eut rapiécé
nous eûmes rapiécé
vous eûtes rapiécé
ils/elles eurent rapiécé

FUTUR SIMPLE

je **rapiécerai**
tu rapiéceras
il/elle rapiécera
nous rapiécerons
vous rapiécerez
ils/elles rapiéceront

FUTUR ANTÉRIEUR

j' **aurai rapiécé**
tu auras rapiécé
il/elle aura rapiécé
nous aurons rapiécé
vous aurez rapiécé
ils/elles auront rapiécé

CONDITIONNEL

PRÉSENT

je **rapiécerais**
tu rapiécerais
il/elle rapiécerait
nous rapiécerions
vous rapiéceriez
ils/elles rapiéceraient

PASSÉ

j' **aurais rapiécé**
tu aurais rapiécé
il/elle aurait rapiécé
nous aurions rapiécé
vous auriez rapiécé
ils/elles auraient rapiécé

SUBJONCTIF

PRÉSENT

que je **rapièce**
que tu rapièces
qu'il/elle rapièce
que nous rapiécions
que vous rapiéciez
qu'ils/elles rapiècent

PASSÉ

que j' **aie rapiécé**
que tu aies rapiécé
qu'il/elle ait rapiécé
que nous ayons rapiécé
que vous ayez rapiécé
qu'ils/elles aient rapiécé

IMPARFAIT

que je **rapiéçasse**
que tu rapiéçasses
qu'il/elle rapiéçât
que nous rapiéçassions
que vous rapiéçassiez
qu'ils/elles rapiéçassent

PLUS-QUE-PARFAIT

que j' **eusse rapiécé**
que tu eusses rapiécé
qu'il/elle eût rapiécé
que nous eussions rapiécé
que vous eussiez rapiécé
qu'ils/elles eussent rapiécé

IMPÉRATIF

PRÉSENT

rapièce
rapiéçons
rapiécez

PASSÉ

aie rapiécé
ayons rapiécé
ayez rapiécé

INFINITIF

PRÉSENT

rapiécer

PASSÉ

avoir rapiécé

PARTICIPE

PRÉSENT

rapiéçant

PASSÉ

ayant rapiécé
rapiécé(e, s, es)

Remarque

Le verbe *rapiécer* présente une double variation du radical :
– celle des verbes en **é_er** du type *céder* : on écrit *nous rapiéçons*, *nous rapiécerons*, mais *je rapièce* → tableau **14** ;
– celle des verbes en **-cer** du type *placer* : on écrit *nous rapiéçons* → tableau **12**.

N. ORTH. La réforme de l'orthographe autorise, au futur simple et au conditionnel présent, *nous rapiècerons*, *nous rapiècerions*.

18 protéger 1er groupe verbes en -éger

INDICATIF

PRÉSENT

je **protège**
tu protèges
il/elle protège
nous **protégeons**
vous protégez
ils/elles protègent

IMPARFAIT

je **protégeais**
tu protégeais
il/elle protégeait
nous protégions
vous protégiez
ils/elles protégeaient

PASSÉ SIMPLE

je **protégeai**
tu protégeas
il/elle protégea
nous protégeâmes
vous protégeâtes
ils/elles protégèrent

FUTUR SIMPLE

je **protégerai**
tu protégeras
il/elle protégera
nous protégerons
vous protégerez
ils/elles protégeront

PASSÉ COMPOSÉ

j' **ai protégé**
tu as protégé
il/elle a protégé
nous avons protégé
vous avez protégé
ils/elles ont protégé

PLUS-QUE-PARFAIT

j' **avais protégé**
tu avais protégé
il/elle avait protégé
nous avions protégé
vous aviez protégé
ils/elles avaient protégé

PASSÉ ANTÉRIEUR

j' **eus protégé**
tu eus protégé
il/elle eut protégé
nous eûmes protégé
vous eûtes protégé
ils/elles eurent protégé

FUTUR ANTÉRIEUR

j' **aurai protégé**
tu auras protégé
il/elle aura protégé
nous aurons protégé
vous aurez protégé
ils/elles auront protégé

CONDITIONNEL

PRÉSENT

je **protégerais**
tu protégerais
il/elle protégerait
nous protégerions
vous protégeriez
ils/elles protégeraient

PASSÉ

j' **aurais protégé**
tu aurais protégé
il/elle aurait protégé
nous aurions protégé
vous auriez protégé
ils/elles auraient protégé

abréger · agréger · alléger · assiéger · désagréger · piéger · siéger...

SUBJONCTIF

PRÉSENT

que je **protège**
que tu protèges
qu'il/elle protège
que nous protégions
que vous protégiez
qu'ils/elles protègent

PASSÉ

que j' **aie protégé**
que tu aies protégé
qu'il/elle ait protégé
que nous ayons protégé
que vous ayez protégé
qu'ils/elles aient protégé

IMPARFAIT

que je **protégeasse**
que tu protégeasses
qu'il/elle protégeât
que nous protégeassions
que vous protégeassiez
qu'ils/elles protégeassent

PLUS-QUE-PARFAIT

que j' **eusse protégé**
que tu eusses protégé
qu'il/elle eût protégé
que nous eussions protégé
que vous eussiez protégé
qu'ils/elles eussent protégé

IMPÉRATIF

PRÉSENT

protège
protégeons
protégez

PASSÉ

aie protégé
ayons protégé
ayez protégé

INFINITIF

PRÉSENT

protéger

PASSÉ

avoir protégé

PARTICIPE

PRÉSENT

protégeant

PASSÉ

ayant protégé
protégé(e, s, es)

Remarque

- Les verbes en **-éger** présentent une double variation du radical :
– celle des verbes en **é_er** du type *céder* :
on écrit *nous protégeons*, *nous protégerons*, mais *je protège*
→ tableau **14** ;
– celle des verbes en **-ger** du type *manger* :
on écrit *nous protégeons* → tableau **13**.

N. ORTH. La réforme de l'orthographe autorise, au futur simple et au conditionnel présent, *nous protègerons*, *nous protègerions*.

19 lever

1er groupe verbes en **-ecer**, **-emer**, **-ener**, **-eper**, **-erer**, **-eser**, **-ever**, **-evrer**

INDICATIF

PRÉSENT

je **lève**
tu lèves
il/elle lève
nous **levons**
vous levez
ils/elles lèvent

PASSÉ COMPOSÉ

j' **ai levé**
tu as levé
il/elle a levé
nous avons levé
vous avez levé
ils/elles ont levé

IMPARFAIT

je **levais**
tu levais
il/elle levait
nous levions
vous leviez
ils/elles levaient

PLUS-QUE-PARFAIT

j' **avais levé**
tu avais levé
il/elle avait levé
nous avions levé
vous aviez levé
ils/elles avaient levé

PASSÉ SIMPLE

je **levai**
tu levas
il/elle leva
nous levâmes
vous levâtes
ils/elles levèrent

PASSÉ ANTÉRIEUR

j' **eus levé**
tu eus levé
il/elle eut levé
nous eûmes levé
vous eûtes levé
ils/elles eurent levé

FUTUR SIMPLE

je **lèverai**
tu lèveras
il/elle lèvera
nous lèverons
vous lèverez
ils/elles lèveront

FUTUR ANTÉRIEUR

j' **aurai levé**
tu auras levé
il/elle aura levé
nous aurons levé
vous aurez levé
ils/elles auront levé

CONDITIONNEL

PRÉSENT

je **lèverais**
tu lèverais
il/elle lèverait
nous lèverions
vous lèveriez
ils/elles lèveraient

PASSÉ

j' **aurais levé**
tu aurais levé
il/elle aurait levé
nous aurions levé
vous auriez levé
ils/elles auraient levé

SUBJONCTIF

PRÉSENT

que je **lève**
que tu lèves
qu'il/elle lève
que nous levions
que vous leviez
qu'ils/elles lèvent

PASSÉ

que j' **aie levé**
que tu aies levé
qu'il/elle ait levé
que nous ayons levé
que vous ayez levé
qu'ils/elles aient levé

IMPARFAIT

que je **levasse**
que tu levasses
qu'il/elle levât
que nous levassions
que vous levassiez
qu'ils/elles levassent

PLUS-QUE-PARFAIT

que j' **eusse levé**
que tu eusses levé
qu'il/elle eût levé
que nous eussions levé
que vous eussiez levé
qu'ils/elles eussent levé

IMPÉRATIF

PRÉSENT

lève
levons
levez

PASSÉ

aie levé
ayons levé
ayez levé

INFINITIF

PRÉSENT

lever

PASSÉ

avoir levé

PARTICIPE

PRÉSENT

levant

PASSÉ

ayant levé
levé(e, s, es)

Remarques

- Pour les verbes en **-e_er** (autres que les verbes en **-eler** et en **-eter**), le **e** du radical se transforme en **è** lorsqu'il est suivi d'une syllabe muette, c'est-à-dire d'une syllabe ne comportant pas d'autre voyelle qu'un **e** muet.
On écrit *nous levons*, *vous leviez*, mais *je lève*, *il lèvera*.
- Les verbes en **-ecer** suivent par ailleurs la variation de radical de tous les verbes en **-cer**. On écrit *nous dépeçons* → tableau **12**.

20 modeler

1er groupe — verbes en **-eler** qui transforment **e** en **è**

INDICATIF

PRÉSENT

je **modèle**
tu modèles
il/elle modèle
nous **modelons**
vous modelez
ils/elles modèlent

PASSÉ COMPOSÉ

j' **ai modelé**
tu as modelé
il/elle a modelé
nous avons modelé
vous avez modelé
ils/elles ont modelé

IMPARFAIT

je **modelais**
tu modelais
il/elle modelait
nous modelions
vous modeliez
ils/elles modelaient

PLUS-QUE-PARFAIT

j' **avais modelé**
tu avais modelé
il/elle avait modelé
nous avions modelé
vous aviez modelé
ils/elles avaient modelé

PASSÉ SIMPLE

je **modelai**
tu modelas
il/elle modela
nous modelâmes
vous modelâtes
ils/elles modelèrent

PASSÉ ANTÉRIEUR

j' **eus modelé**
tu eus modelé
il/elle eut modelé
nous eûmes modelé
vous eûtes modelé
ils/elles eurent modelé

FUTUR SIMPLE

je **modèlerai**
tu modèleras
il/elle modèlera
nous modèlerons
vous modèlerez
ils/elles modèleront

FUTUR ANTÉRIEUR

j' **aurai modelé**
tu auras modelé
il/elle aura modelé
nous aurons modelé
vous aurez modelé
ils/elles auront modelé

CONDITIONNEL

PRÉSENT

je **modèlerais**
tu modèlerais
il/elle modèlerait
nous modèlerions
vous modèleriez
ils/elles modèleraient

PASSÉ

j' **aurais modelé**
tu aurais modelé
il/elle aurait modelé
nous aurions modelé
vous auriez modelé
ils/elles auraient modelé

SUBJONCTIF

PRÉSENT

que je **modèle**
que tu modèles
qu'il/elle modèle
que nous modelions
que vous modeliez
qu'ils/elles modèlent

PASSÉ

que j' **aie modelé**
que tu aies modelé
qu'il/elle ait modelé
que nous ayons modelé
que vous ayez modelé
qu'ils/elles aient modelé

IMPARFAIT

que je **modelasse**
que tu modelasses
qu'il/elle modelât
que nous modelassions
que vous modelassiez
qu'ils/elles modelassent

PLUS-QUE-PARFAIT

que j' **eusse modelé**
que tu eusses modelé
qu'il/elle eût modelé
que nous eussions modelé
que vous eussiez modelé
qu'ils/elles eussent modelé

IMPÉRATIF

PRÉSENT

modèle
modelons
modelez

PASSÉ

aie modelé
ayons modelé
ayez modelé

INFINITIF

PRÉSENT

modeler

PASSÉ

avoir modelé

PARTICIPE

PRÉSENT

modelant

PASSÉ

ayant modelé
modelé(e, s, es)

Remarques

- Lorsque le **e** du radical des verbes en **-eler** est suivi d'une syllabe muette (→ tableau **19**), il se prononce [ɛ]. Pour certains de ces verbes, ce son [ɛ] s'écrit **è** : *nous modelons*, mais *je modèle*.
- *Celer*, *geler* et leurs dérivés, ainsi que *ciseler*, *démanteler*, *écarteler*, *s'encasteler*, *harceler*, *marteler*, *peler* suivent cette règle.

21 appeler

1er groupe verbes en **-eler** qui doublent le **l**

INDICATIF

PRÉSENT

j' **appelle**
tu appelles
il/elle appelle
nous **appelons**
vous appelez
ils/elles appellent

PASSÉ COMPOSÉ

j' **ai appelé**
tu as appelé
il/elle a appelé
nous avons appelé
vous avez appelé
ils/elles ont appelé

IMPARFAIT

j' **appelais**
tu appelais
il/elle appelait
nous appelions
vous appeliez
ils/elles appelaient

PLUS-QUE-PARFAIT

j' **avais appelé**
tu avais appelé
il/elle avait appelé
nous avions appelé
vous aviez appelé
ils/elles avaient appelé

PASSÉ SIMPLE

j' **appelai**
tu appelas
il/elle appela
nous appelâmes
vous appelâtes
ils/elles appelèrent

PASSÉ ANTÉRIEUR

j' **eus appelé**
tu eus appelé
il/elle eut appelé
nous eûmes appelé
vous eûtes appelé
ils/elles eurent appelé

FUTUR SIMPLE

j' **appellerai**
tu appelleras
il/elle appellera
nous appellerons
vous appellerez
ils/elles appelleront

FUTUR ANTÉRIEUR

j' **aurai appelé**
tu auras appelé
il/elle aura appelé
nous aurons appelé
vous aurez appelé
ils/elles auront appelé

CONDITIONNEL

PRÉSENT

j' **appellerais**
tu appellerais
il/elle appellerait
nous appellerions
vous appelleriez
ils/elles appelleraient

PASSÉ

j' **aurais appelé**
tu aurais appelé
il/elle aurait appelé
nous aurions appelé
vous auriez appelé
ils/elles auraient appelé

SUBJONCTIF

PRÉSENT

que j' **appelle**
que tu appelles
qu'il/elle appelle
que nous appelions
que vous appeliez
qu'ils/elles appellent

PASSÉ

que j' **aie appelé**
que tu aies appelé
qu'il/elle ait appelé
que nous ayons appelé
que vous ayez appelé
qu'ils/elles aient appelé

IMPARFAIT

que j' **appelasse**
que tu appelasses
qu'il/elle appelât
que nous appelassions
que vous appelassiez
qu'ils/elles appelassent

PLUS-QUE-PARFAIT

que j' **eusse appelé**
que tu eusses appelé
qu'il/elle eût appelé
que nous eussions appelé
que vous eussiez appelé
qu'ils/elles eussent appelé

IMPÉRATIF

PRÉSENT

appelle
appelons
appelez

PASSÉ

aie appelé
ayons appelé
ayez appelé

INFINITIF

PRÉSENT

appeler

PASSÉ

avoir appelé

PARTICIPE

PRÉSENT

appelant

PASSÉ

ayant appelé
appelé(e, s, es)

Remarque

Lorsque le **e** du radical des verbes en **-eler** est suivi d'une syllabe muette (→ tableau **19**), il se prononce [ɛ]. Pour de nombreux verbes, ce son [ɛ] est obtenu en doublant le **l** : *nous appelons*, mais *j'appelle*, *il appellera*.

N. ORTH. La réforme de 1990 autorise à conjuguer tous les verbes en **-eler** sur *modeler* (→ tableau **20**), à l'exception d'*appeler* et de *rappeler*, qui doivent doubler le **l**.

22 interpeller 1er groupe

INDICATIF

● PRÉSENT

j' **interpelle**
tu interpelles
il/elle interpelle
nous interpellons
vous interpellez
ils/elles interpellent

● PASSÉ COMPOSÉ

j' **ai interpellé**
tu as interpellé
il/elle a interpellé
nous avons interpellé
vous avez interpellé
ils/elles ont interpellé

● IMPARFAIT

j' **interpellais**
tu interpellais
il/elle interpellait
nous interpellions
vous interpelliez
ils/elles interpellaient

● PLUS-QUE-PARFAIT

j' **avais interpellé**
tu avais interpellé
il/elle avait interpellé
nous avions interpellé
vous aviez interpellé
ils/elles avaient interpellé

● PASSÉ SIMPLE

j' **interpellai**
tu interpellas
il/elle interpella
nous interpellâmes
vous interpellâtes
ils/elles interpellèrent

● PASSÉ ANTÉRIEUR

j' **eus interpellé**
tu eus interpellé
il/elle eut interpellé
nous eûmes interpellé
vous eûtes interpellé
ils/elles eurent interpellé

● FUTUR SIMPLE

j' **interpellerai**
tu interpelleras
il/elle interpellera
nous interpellerons
vous interpellerez
ils/elles interpelleront

● FUTUR ANTÉRIEUR

j' **aurai interpellé**
tu auras interpellé
il/elle aura interpellé
nous aurons interpellé
vous aurez interpellé
ils/elles auront interpellé

CONDITIONNEL

● PRÉSENT

j' **interpellerais**
tu interpellerais
il/elle interpellerait
nous interpellerions
vous interpelleriez
ils/elles interpelleraient

● PASSÉ

j' **aurais interpellé**
tu aurais interpellé
il/elle aurait interpellé
nous aurions interpellé
vous auriez interpellé
ils/elles auraient interpellé

SUBJONCTIF

PRÉSENT

que j' **interpelle**
que tu interpelles
qu'il/elle interpelle
que nous interpellions
que vous interpelliez
qu'ils/elles interpellent

PASSÉ

que j' **aie interpellé**
que tu aies interpellé
qu'il/elle ait interpellé
que nous ayons interpellé
que vous ayez interpellé
qu'ils/elles aient interpellé

IMPARFAIT

que j' **interpellasse**
que tu interpellasses
qu'il/elle interpellât
que nous interpellassions
que vous interpellassiez
qu'ils/elles interpellassent

PLUS-QUE-PARFAIT

que j' **eusse interpellé**
que tu eusses interpellé
qu'il/elle eût interpellé
que nous eussions interpellé
que vous eussiez interpellé
qu'ils/elles eussent interpellé

IMPÉRATIF

PRÉSENT

interpelle
interpellons
interpellez

PASSÉ

aie interpellé
ayons interpellé
ayez interpellé

INFINITIF

PRÉSENT

interpeller

PASSÉ

avoir interpellé

PARTICIPE

PRÉSENT

interpellant

PASSÉ

ayant interpellé
interpellé(e, s, es)

Remarque

Le radical du verbe *interpeller* conserve ses deux **l** à toutes les formes. On écrit *j'interpelle*, *nous interpellons*. Mais on prononce : *nous interpellons* avec un **e** sourd [ə] ; *j'interpelle* avec un **è** ouvert [ɛ].

N. ORTH. La réforme de 1990 autorise à écrire *interpeler* avec un seul **l** et à le conjuguer sur le modèle d'*appeler* (→ tableau **21**) : *j'interpelle*, mais *nous interpelons*, *j'interpelais*.

23 acheter

1er groupe verbes en **-eter** qui transforment **e** en **è**

INDICATIF

PRÉSENT

j' **achète**
tu achètes
il/elle achète
nous **achetons**
vous achetez
ils/elles achètent

PASSÉ COMPOSÉ

j' **ai acheté**
tu as acheté
il/elle a acheté
nous avons acheté
vous avez acheté
ils/elles ont acheté

IMPARFAIT

j' **achetais**
tu achetais
il/elle achetait
nous achetions
vous achetiez
ils/elles achetaient

PLUS-QUE-PARFAIT

j' **avais acheté**
tu avais acheté
il/elle avait acheté
nous avions acheté
vous aviez acheté
ils/elles avaient acheté

PASSÉ SIMPLE

j' **achetai**
tu achetas
il/elle acheta
nous achetâmes
vous achetâtes
ils/elles achetèrent

PASSÉ ANTÉRIEUR

j' **eus acheté**
tu eus acheté
il/elle eut acheté
nous eûmes acheté
vous eûtes acheté
ils/elles eurent acheté

FUTUR SIMPLE

j' **achèterai**
tu achèteras
il/elle achètera
nous achèterons
vous achèterez
ils/elles achèteront

FUTUR ANTÉRIEUR

j' **aurai acheté**
tu auras acheté
il/elle aura acheté
nous aurons acheté
vous aurez acheté
ils/elles auront acheté

CONDITIONNEL

PRÉSENT

j' **achèterais**
tu achèterais
il/elle achèterait
nous achèterions
vous achèteriez
ils/elles achèteraient

PASSÉ

j' **aurais acheté**
tu aurais acheté
il/elle aurait acheté
nous aurions acheté
vous auriez acheté
ils/elles auraient acheté

SUBJONCTIF

PRÉSENT

que j' achète
que tu achètes
qu'il/elle achète
que nous achetions
que vous achetiez
qu'ils/elles achètent

PASSÉ

que j' aie acheté
que tu aies acheté
qu'il/elle ait acheté
que nous ayons acheté
que vous ayez acheté
qu'ils/elles aient acheté

IMPARFAIT

que j' achetasse
que tu achetasses
qu'il/elle achetât
que nous achetassions
que vous achetassiez
qu'ils/elles achetassent

PLUS-QUE-PARFAIT

que j' eusse acheté
que tu eusses acheté
qu'il/elle eût acheté
que nous eussions acheté
que vous eussiez acheté
qu'ils/elles eussent acheté

IMPÉRATIF

PRÉSENT

achète
achetons
achetez

PASSÉ

aie acheté
ayons acheté
ayez acheté

INFINITIF

PRÉSENT

acheter

PASSÉ

avoir acheté

PARTICIPE

PRÉSENT

achetant

PASSÉ

ayant acheté
acheté(e, s, es)

Remarques

- Lorsque le **e** du radical des verbes en **-eter** est suivi d'une syllabe muette (→ tableau **19**), il se prononce [ɛ]. Pour certains de ces verbes, ce son [ɛ] s'écrit **è** : *nous achetons*, mais *j'achète*.
- *Acheter*, *préacheter*, *racheter*, *bégueter*, *corseter*, *crocheter*, *fileter*, *fureter*, *haleter* suivent cette règle.

24 jeter 1er groupe

verbes en **-eter** qui doublent le **t**

INDICATIF

PRÉSENT

je **jette**
tu jettes
il/elle jette
nous **jetons**
vous jetez
ils/elles jettent

IMPARFAIT

je **jetais**
tu jetais
il/elle jetait
nous jetions
vous jetiez
ils/elles jetaient

PASSÉ SIMPLE

je **jetai**
tu jetas
il/elle jeta
nous jetâmes
vous jetâtes
ils/elles jetèrent

FUTUR SIMPLE

je **jetterai**
tu jetteras
il/elle jettera
nous jetterons
vous jetterez
ils/elles jetteront

PASSÉ COMPOSÉ

j' **ai jeté**
tu as jeté
il/elle a jeté
nous avons jeté
vous avez jeté
ils/elles ont jeté

PLUS-QUE-PARFAIT

j' **avais jeté**
tu avais jeté
il/elle avait jeté
nous avions jeté
vous aviez jeté
ils/elles avaient jeté

PASSÉ ANTÉRIEUR

j' **eus jeté**
tu eus jeté
il/elle eut jeté
nous eûmes jeté
vous eûtes jeté
ils/elles eurent jeté

FUTUR ANTÉRIEUR

j' **aurai jeté**
tu auras jeté
il/elle aura jeté
nous aurons jeté
vous aurez jeté
ils/elles auront jeté

CONDITIONNEL

PRÉSENT

je **jetterais**
tu jetterais
il/elle jetterait
nous jetterions
vous jetteriez
ils/elles jetteraient

PASSÉ

j' **aurais jeté**
tu aurais jeté
il/elle aurait jeté
nous aurions jeté
vous auriez jeté
ils/elles auraient jeté

breveter · cacheter · cliqueter · déchiqueter · époussseter · feuilleter · rejeter · voleter...

SUBJONCTIF

PRÉSENT

que je **jette**
que tu jettes
qu'il/elle jette
que nous jetions
que vous jetiez
qu'ils/elles jettent

PASSÉ

que j' **aie jeté**
que tu aies jeté
qu'il/elle ait jeté
que nous ayons jeté
que vous ayez jeté
qu'ils/elles aient jeté

IMPARFAIT

que je **jetasse**
que tu jetasses
qu'il/elle jetât
que nous jetassions
que vous jetassiez
qu'ils/elles jetassent

PLUS-QUE-PARFAIT

que j' **eusse jeté**
que tu eusses jeté
qu'il/elle eût jeté
que nous eussions jeté
que vous eussiez jeté
qu'ils/elles eussent jeté

IMPÉRATIF

PRÉSENT

jette
jetons
jetez

PASSÉ

aie jeté
ayons jeté
ayez jeté

INFINITIF

PRÉSENT

jeter

PASSÉ

avoir jeté

PARTICIPE

PRÉSENT

jetant

PASSÉ

ayant jeté
jeté(e, s, es)

Remarque

Lorsque le **e** du radical des verbes en **-eter** est suivi d'une syllabe muette (→ tableau **19**), il se prononce [ɛ]. Pour de nombreux verbes, ce son [ɛ] est obtenu en doublant le **t** : *nous jetons*, mais *je jette*, *il jettera*.

N. ORTH. La réforme de 1990 autorise à conjuguer tous les verbes en **-eter** sur *acheter* (→ tableau **23**), à l'exception de *jeter* et ses dérivés, qui doivent doubler le **t**.

25 payer 1er groupe verbes en **-ayer** et **-eyer**

INDICATIF

PRÉSENT

je **paie / paye**
tu paies / payes
il/elle paie / paye
nous **payons**
vous payez
ils/elles paient / payent

IMPARFAIT

je **payais**
tu payais
il/elle payait
nous pa**yi**ons
vous pa**yi**ez
ils/elles payaient

PASSÉ SIMPLE

je **payai**
tu payas
il/elle paya
nous payâmes
vous payâtes
ils/elles payèrent

FUTUR SIMPLE

je **paierai / payerai**
tu paieras / payeras
il/elle paiera / payera
nous paierons / payerons
vous paierez / payerez
ils/elles paieront / payeront

PASSÉ COMPOSÉ

j' **ai payé**
tu as payé
il/elle a payé
nous avons payé
vous avez payé
ils/elles ont payé

PLUS-QUE-PARFAIT

j' **avais payé**
tu avais payé
il/elle avait payé
nous avions payé
vous aviez payé
ils/elles avaient payé

PASSÉ ANTÉRIEUR

j' **eus payé**
tu eus payé
il/elle eut payé
nous eûmes payé
vous eûtes payé
ils/elles eurent payé

FUTUR ANTÉRIEUR

j' **aurai payé**
tu auras payé
il/elle aura payé
nous aurons payé
vous aurez payé
ils/elles auront payé

CONDITIONNEL

PRÉSENT

je **paierais / payerais**
tu paierais / payerais
il/elle paierait / payerait
nous paierions / payerions
vous paieriez / payeriez
ils/elles paieraient / payeraient

PASSÉ

j' **aurais payé**
tu aurais payé
il/elle aurait payé
nous aurions payé
vous auriez payé
ils/elles auraient payé

SUBJONCTIF

PRÉSENT

que je **paie / paye**
que tu paies / payes
qu'il/elle paie / paye
que nous payions
que vous payiez
qu'ils/elles paient / payent

PASSÉ

que j' **aie payé**
que tu aies payé
qu'il/elle ait payé
que nous ayons payé
que vous ayez payé
qu'ils/elles aient payé

IMPARFAIT

que je **payasse**
que tu payasses
qu'il/elle payât
nous nous payassions
que vous payassiez
qu'ils/elles payassent

PLUS-QUE-PARFAIT

que j' **eusse payé**
que tu eusses payé
qu'il/elle eût payé
que nous eussions payé
que vous eussiez payé
qu'ils/elles eussent payé

IMPÉRATIF

PRÉSENT

paie / paye
payons
payez

PASSÉ

aie payé
ayons payé
ayez payé

INFINITIF

PRÉSENT

payer

PASSÉ

avoir payé

PARTICIPE

PRÉSENT

payant

PASSÉ

ayant payé
payé(e, s, es)

Remarques

- Les verbes en **-ayer** peuvent remplacer le **y** par un **i** devant un **e** muet *(je paie, je paierai)* ou conserver le **y** *(je paye, nous payons)*.
- Les rares verbes en **-eyer** conservent le **y** à toutes les formes.
- Aux 1re et 2e personnes du pluriel de l'indicatif imparfait et du subjonctif présent, on n'entend pas toujours le **i** de la terminaison. Il ne faut pas l'oublier à l'écrit : *nous pay/ions*, *que vous pay/iez*.

26 essuyer 1er groupe verbes en -uyer

INDICATIF

PRÉSENT

j' **essuie**
tu essuies
il/elle essuie
nous **essuyons**
vous essuyez
ils/elles essuient

PASSÉ COMPOSÉ

j' **ai essuyé**
tu as essuyé
il/elle a essuyé
nous avons essuyé
vous avez essuyé
ils/elles ont essuyé

IMPARFAIT

j' **essuyais**
tu essuyais
il/elle essuyait
nous essuyions
vous essuyiez
ils/elles essuyaient

PLUS-QUE-PARFAIT

j' **avais essuyé**
tu avais essuyé
il/elle avait essuyé
nous avions essuyé
vous aviez essuyé
ils/elles avaient essuyé

PASSÉ SIMPLE

j' **essuyai**
tu essuyas
il/elle essuya
nous essuyâmes
vous essuyâtes
ils/elles essuyèrent

PASSÉ ANTÉRIEUR

j' **eus essuyé**
tu eus essuyé
il/elle eut essuyé
nous eûmes essuyé
vous eûtes essuyé
ils/elles eurent essuyé

FUTUR SIMPLE

j' **essuierai**
tu essuieras
il/elle essuiera
nous essuierons
vous essuierez
ils/elles essuieront

FUTUR ANTÉRIEUR

j' **aurai essuyé**
tu auras essuyé
il/elle aura essuyé
nous aurons essuyé
vous aurez essuyé
ils/elles auront essuyé

CONDITIONNEL

PRÉSENT

j' **essuierais**
tu essuierais
il/elle essuierait
nous essuierions
vous essuieriez
ils/elles essuieraient

PASSÉ

j' **aurais essuyé**
tu aurais essuyé
il/elle aurait essuyé
nous aurions essuyé
vous auriez essuyé
ils/elles auraient essuyé

SUBJONCTIF

PRÉSENT

que j' **essuie**
que tu essuies
qu'il/elle essuie
que nous essuyions
que vous essuyiez
qu'ils/elles essuient

PASSÉ

que j' **aie essuyé**
que tu aies essuyé
qu'il/elle ait essuyé
que nous ayons essuyé
que vous ayez essuyé
qu'ils/elles aient essuyé

IMPARFAIT

que j' **essuyasse**
que tu essuyasses
qu'il/elle essuyât
que nous essuyassions
que vous essuyassiez
qu'ils/elles essuyassent

PLUS-QUE-PARFAIT

que j' **eusse essuyé**
que tu eusses essuyé
qu'il/elle eût essuyé
que nous eussions essuyé
que vous eussiez essuyé
qu'ils/elles eussent essuyé

IMPÉRATIF

PRÉSENT

essuie
essuyons
essuyez

PASSÉ

aie essuyé
ayons essuyé
ayez essuyé

INFINITIF

PRÉSENT

essuyer

PASSÉ

avoir essuyé

PARTICIPE

PRÉSENT

essuyant

PASSÉ

ayant essuyé
essuyé(e, s, es)

Remarques

- Les verbes en **-uyer** remplacent le **y** par un **i** devant un **e** muet : *nous essuyons*, mais *j'essuie*, *j'essuierai*.
- Aux 1re et 2e personnes du pluriel de l'indicatif imparfait et du subjonctif présent, on n'entend pas toujours le **i** de la terminaison. Il ne faut pas l'oublier à l'écrit : *nous essuy/ions*, *que vous essuy/iez*.

27 employer 1er groupe verbes en -oyer

INDICATIF

PRÉSENT

j' **emploie**
tu emploies
il/elle emploie
nous **employons**
vous employez
ils/elles emploient

PASSÉ COMPOSÉ

j' **ai employé**
tu as employé
il/elle a employé
nous avons employé
vous avez employé
ils/elles ont employé

IMPARFAIT

j' **employais**
tu employais
il/elle employait
nous employions
vous employiez
ils/elles employaient

PLUS-QUE-PARFAIT

j' **avais employé**
tu avais employé
il/elle avait employé
nous avions employé
vous aviez employé
ils/elles avaient employé

PASSÉ SIMPLE

j' **employai**
tu employas
il/elle employa
nous employâmes
vous employâtes
ils/elles employèrent

PASSÉ ANTÉRIEUR

j' **eus employé**
tu eus employé
il/elle eut employé
nous eûmes employé
vous eûtes employé
ils/elles eurent employé

FUTUR SIMPLE

j' **emploierai**
tu emploieras
il/elle emploiera
nous emploierons
vous emploierez
ils/elles emploieront

FUTUR ANTÉRIEUR

j' **aurai employé**
tu auras employé
il/elle aura employé
nous aurons employé
vous aurez employé
ils/elles auront employé

CONDITIONNEL

PRÉSENT

j' **emploierais**
tu emploierais
il/elle emploierait
nous emploierions
vous emploieriez
ils/elles emploieraient

PASSÉ

j' **aurais employé**
tu aurais employé
il/elle aurait employé
nous aurions employé
vous auriez employé
ils/elles auraient employé

SUBJONCTIF

PRÉSENT

que j' **emploie**
que tu emploies
qu'il/elle emploie
que nous employions
que vous employiez
qu'ils/elles emploient

PASSÉ

que j' **aie employé**
que tu aies employé
qu'il/elle ait employé
que nous ayons employé
que vous ayez employé
qu'ils/elles aient employé

IMPARFAIT

que j' **employasse**
que tu employasses
qu'il/elle employât
que nous employassions
que vous employassiez
qu'ils/elles employassent

PLUS-QUE-PARFAIT

que j' **eusse employé**
que tu eusses employé
qu'il/elle eût employé
que nous eussions employé
que vous eussiez employé
qu'ils/elles eussent employé

IMPÉRATIF

PRÉSENT

emploie
employons
employez

PASSÉ

aie employé
ayons employé
ayez employé

INFINITIF

PRÉSENT

employer

PASSÉ

avoir employé

PARTICIPE

PRÉSENT

employant

PASSÉ

ayant employé
employé(e, s, es)

Remarques

- Tous les verbes en **-oyer** suivent le modèle d'*employer*, sauf *envoyer* et *renvoyer* → tableau **28**.
- Les verbes en **-oyer** remplacent le **y** par un **i** devant un **e** muet : *nous employons*, mais *j'emploie*, *j'emploierai*.
- Aux 1re et 2e personnes du pluriel de l'indicatif imparfait et du subjonctif présent, il ne faut pas oublier le **i** de la terminaison à l'écrit : *nous employ/ions*, *que vous employ/iez*.

28 envoyer

1er groupe verbes en **-oyer** : exceptions

INDICATIF

PRÉSENT

j' **envoie**
tu envoies
il/elle envoie
nous **envoyons**
vous envoyez
ils/elles envoient

PASSÉ COMPOSÉ

j' **ai envoyé**
tu as envoyé
il/elle a envoyé
nous avons envoyé
vous avez envoyé
ils/elles ont envoyé

IMPARFAIT

j' **envoyais**
tu envoyais
il/elle envoyait
nous envoyions
vous envoyiez
ils/elles envoyaient

PLUS-QUE-PARFAIT

j' **avais envoyé**
tu avais envoyé
il/elle avait envoyé
nous avions envoyé
vous aviez envoyé
ils/elles avaient envoyé

PASSÉ SIMPLE

j' **envoyai**
tu envoyas
il/elle envoya
nous envoyâmes
vous envoyâtes
ils/elles envoyèrent

PASSÉ ANTÉRIEUR

j' **eus envoyé**
tu eus envoyé
il/elle eut envoyé
nous eûmes envoyé
vous eûtes envoyé
ils/elles eurent envoyé

FUTUR SIMPLE

j' **enverrai**
tu enverras
il/elle enverra
nous enverrons
vous enverrez
ils/elles enverront

FUTUR ANTÉRIEUR

j' **aurai envoyé**
tu auras envoyé
il/elle aura envoyé
nous aurons envoyé
vous aurez envoyé
ils/elles auront envoyé

CONDITIONNEL

PRÉSENT

j' **enverrais**
tu enverrais
il/elle enverrait
nous enverrions
vous enverriez
ils/elles enverraient

PASSÉ

j' **aurais envoyé**
tu aurais envoyé
il/elle aurait envoyé
nous aurions envoyé
vous auriez envoyé
ils/elles auraient envoyé

SUBJONCTIF

PRÉSENT

que j' **envoie**
que tu envoies
qu'il/elle envoie
que nous envoyions
que vous envoyiez
qu'ils/elles envoient

PASSÉ

que j' **aie envoyé**
que tu aies envoyé
qu'il/elle ait envoyé
que nous ayons envoyé
que vous ayez envoyé
qu'ils/elles aient envoyé

IMPARFAIT

que j' **envoyasse**
que tu envoyasses
qu'il/elle envoyât
que nous envoyassions
que vous envoyassiez
qu'ils/elles envoyassent

PLUS-QUE-PARFAIT

que j' **eusse envoyé**
que tu eusses envoyé
qu'il/elle eût envoyé
que nous eussions envoyé
que vous eussiez envoyé
qu'ils/elles eussent envoyé

IMPÉRATIF

PRÉSENT

envoie
envoyons
envoyez

PASSÉ

aie envoyé
ayons envoyé
ayez envoyé

INFINITIF

PRÉSENT

envoyer

PASSÉ

avoir envoyé

PARTICIPE

PRÉSENT

envoyant

PASSÉ

ayant envoyé
envoyé(e, s, es)

Remarque

- *Envoyer* et *renvoyer* suivent le modèle d'*employer* (→ tableau **27**), sauf :
– au futur simple de l'indicatif : *j'enverrai, tu enverras*...
– au conditionnel présent : *j'enverrais, tu enverrais*...

29 haïr 2e groupe exceptions

INDICATIF

PRÉSENT

je **hais**
tu hais
il/elle hait
nous **haïssons**
vous haïssez
ils/elles haïssent

PASSÉ COMPOSÉ

j' **ai haï**
tu as haï
il/elle a haï
nous avons haï
vous avez haï
ils/elles ont haï

IMPARFAIT

je **haïssais**
tu haïssais
il/elle haïssait
nous haïssions
vous haïssiez
ils/elles haïssaient

PLUS-QUE-PARFAIT

j' **avais haï**
tu avais haï
il/elle avait haï
nous avions haï
vous aviez haï
ils/elles avaient haï

PASSÉ SIMPLE

je **haïs**
tu haïs
il/elle haït
nous haïmes
vous haïtes
ils/elles haïrent

PASSÉ ANTÉRIEUR

j' **eus haï**
tu eus haï
il/elle eut haï
nous eûmes haï
vous eûtes haï
ils/elles eurent haï

FUTUR SIMPLE

je **haïrai**
tu haïras
il/elle haïra
nous haïrons
vous haïrez
ils/elles haïront

FUTUR ANTÉRIEUR

j' **aurai haï**
tu auras haï
il/elle aura haï
nous aurons haï
vous aurez haï
ils/elles auront haï

CONDITIONNEL

PRÉSENT

je **haïrais**
tu haïrais
il/elle haïrait
nous haïrions
vous haïriez
ils/elles haïraient

PASSÉ

j' **aurais haï**
tu aurais haï
il/elle aurait haï
nous aurions haï
vous auriez haï
ils/elles auraient haï

SUBJONCTIF

PRÉSENT

que je **haïsse**
que tu haïsses
qu'il/elle haïsse
que nous haïssions
que vous haïssiez
qu'ils/elles haïssent

PASSÉ

que j' **aie haï**
que tu aies haï
qu'il/elle ait haï
que nous ayons haï
que vous ayez haï
qu'ils/elles aient haï

IMPARFAIT

que je **haïsse**
que tu haïsses
qu'il/elle haït
que nous haïssions
que vous haïssiez
qu'ils/elles haïssent

PLUS-QUE-PARFAIT

que j' **eusse haï**
que tu eusses haï
qu'il/elle eût haï
que nous eussions haï
que vous eussiez haï
qu'ils/elles eussent haï

IMPÉRATIF

PRÉSENT

hais
haïssons
haïssez

PASSÉ

aie haï
ayons haï
ayez haï

INFINITIF

PRÉSENT

haïr

PASSÉ

avoir haï

PARTICIPE

PRÉSENT

haïssant

PASSÉ

ayant haï
haï(e, s, es)

Remarques

- *Haïr* est le seul verbe du 2e groupe qui ne se conjugue pas exactement sur le modèle de *finir* → tableau **6**.
- Le tréma ne se maintient pas et la prononciation diffère de celle de *finir* :
1. au singulier de l'indicatif présent *(je hais, tu hais, il hait)* ;
2. à la 2e personne du singulier de l'impératif présent *(hais)*.
- Le tréma l'emporte sur l'accent circonflexe : *nous haïmes, vous haïtes, qu'il haït.*

30 Liste des verbes du 3e groupe

Voici la liste des principaux verbes du troisième groupe du français, classés par modèle de conjugaison, dans l'ordre des tableaux ci-après. Pour savoir comment se conjugue un verbe du 3e groupe, **reportez-vous au tableau du verbe modèle** (surligné en bleu) ; les formes sont identiques (seul l'auxiliaire diffère parfois).

31 aller

32 courir
accourir
concourir
discourir
encourir
parcourir
recourir
secourir

33 mourir

34 dormir
endormir
rendormir

35 servir
desservir
resservir

36 sentir
consentir
démentir
départir
mentir
partir
pressentir
repartir
repentir (se)
ressentir
sortir

37 vêtir
dévêtir
revêtir
survêtir

38 fuir
enfuir (s')

39 tenir
abstenir (s')
advenir
appartenir
circonvenir
contenir
contrevenir
convenir
détenir
devenir
entretenir
intervenir
maintenir
obtenir
parvenir
prévenir
provenir
redevenir
retenir
revenir
soutenir
souvenir (se)
subvenir
survenir
venir

40 acquérir
conquérir
enquérir (s')
quérir
reconquérir
requérir

41 bouillir
débouillir
rebouillir

42 couvrir
découvrir
entrouvrir
offrir
ouvrir
recouvrir
redécouvrir
rouvrir
souffrir

43 cueillir
accueillir
recueillir

44 défaillir
assaillir
tressaillir

45 faillir

46 ouïr

47 gésir

48 recevoir
apercevoir
concevoir
décevoir
percevoir

49 voir
entrevoir
revoir

50 prévoir

51 pourvoir
dépourvoir

52 savoir

53 devoir
redevoir

54 pouvoir

55 valoir
équivaloir
revaloir

56 prévaloir

57 vouloir

58 émouvoir
mouvoir
promouvoir

59 asseoir (1)
rasseoir

60 asseoir (2)
rasseoir

61 pleuvoir
repleuvoir

62 falloir

63 seoir

64 surseoir

65 choir

66 échoir

67 déchoir

68 faire
contrefaire
défaire
malfaire
méfaire
parfaire
redéfaire
refaire
satisfaire
surfaire

69 extraire
abstraire
braire
distraire
soustraire
traire

70 taire

71 plaire
complaire
déplaire

72 croire
mécroire

73 boire
emboire

74 conduire
construire
détruire
instruire
introduire
nuire
produire
réduire

séduire
75 rire
sourire
76 dire
redire
77 médire
contredire
dédire
interdire
prédire
78 maudire
79 lire
élire
réélire
relire
80 écrire
circonscrire
décrire
inscrire
prescrire
proscrire
récrire
réinscrire
retranscrire
souscrire
transcrire
81 suffire
82 confire
circoncire
déconfire
frire
83 rendre
appendre
attendre
confondre
correspondre
défendre
démordre
dépendre
descendre
détendre
détordre
distendre
distordre
entendre
étendre
fendre
fondre
mévendre
mordre
morfondre (se)
pendre
perdre
pondre
pourfendre
prétendre
redescendre
remordre
rependre
reperdre
répondre
retendre
revendre
sous-entendre
sous-tendre
suspendre
tendre
tondre
tordre
vendre
84 prendre
apprendre
comprendre
désapprendre
entreprendre
éprendre (s')
méprendre (se)
réapprendre
reprendre
surprendre
85 répandre
épandre
86 peindre
astreindre
atteindre
ceindre
dépeindre
déteindre
empreindre
enceindre
enfreindre
éteindre
étreindre
feindre
geindre
repeindre
restreindre
reteindre
teindre
87 craindre
contraindre
plaindre
88 joindre
adjoindre
conjoindre
disjoindre
enjoindre
oindre
poindre
rejoindre
89 coudre
découdre
recoudre
90 moudre
émoudre
remoudre
91 résoudre
absoudre
dissoudre
92 rompre
corrompre
interrompre
93 battre
abattre
combattre
contrebattre
contrefoutre (se)
débattre
ébattre (s')
embattre
foutre
rabattre
rebattre
94 mettre
admettre
commettre
compromettre
démettre
émettre
entremettre (s')
omettre
permettre
promettre
réadmettre
retransmettre
soumettre
transmettre
95 vaincre
convaincre
96 connaître
apparaître
comparaître
disparaître
méconnaître
paraître
réapparaître
recomparaître
reconnaître
reparaître
transparaître
97 naître
renaître
98 repaître
paître
99 croître
100 accroître
décroître
recroître
101 conclure
exclure
inclure
occlure
reclure
102 suivre
ensuivre (s')
poursuivre
103 vivre
revivre
survivre
104 clore
déclore
éclore
enclore
forclore

31 aller

3e groupe verbe irrégulier

INDICATIF

PRÉSENT

je	**vais**
tu	vas
il/elle	va
nous	**allons**
vous	allez
ils/elles	vont

PASSÉ COMPOSÉ

je	**suis allé(e)**
tu	es allé(e)
il/elle	est allé(e)
nous	sommes allé(e)s
vous	êtes allé(e)s
ils/elles	sont allé(e)s

IMPARFAIT

j'	**allais**
tu	allais
il/elle	allait
nous	allions
vous	alliez
ils/elles	allaient

PLUS-QUE-PARFAIT

j'	**étais allé(e)**
tu	étais allé(e)
il/elle	était allé(e)
nous	étions allé(e)s
vous	étiez allé(e)s
ils/elles	étaient allé(e)s

PASSÉ SIMPLE

j'	**allai**
tu	allas
il/elle	alla
nous	allâmes
vous	allâtes
ils/elles	allèrent

PASSÉ ANTÉRIEUR

je	**fus allé(e)**
tu	fus allé(e)
il/elle	fut allé(e)
nous	fûmes allé(e)s
vous	fûtes allé(e)s
ils/elles	furent allé(e)s

FUTUR SIMPLE

j'	**irai**
tu	iras
il/elle	ira
nous	irons
vous	irez
ils/elles	iront

FUTUR ANTÉRIEUR

je	**serai allé(e)**
tu	seras allé(e)
il/elle	sera allé(e)
nous	serons allé(e)s
vous	serez allé(e)s
ils/elles	seront allé(e)s

CONDITIONNEL

PRÉSENT

j'	**irais**
tu	irais
il/elle	irait
nous	irions
vous	iriez
ils/elles	iraient

PASSÉ

je	**serais allé(e)**
tu	serais allé(e)
il/elle	serait allé(e)
nous	serions allé(e)s
vous	seriez allé(e)s
ils/elles	seraient allé(e)s

SUBJONCTIF

PRÉSENT		PASSÉ	
que j'	**aille**	que je	**sois allé(e)**
que tu	ailles	que tu	sois allé(e)
qu'il/elle	aille	qu'il/elle	soit allé(e)
que nous	allions	que nous	soyons allé(e)s
que vous	alliez	que vous	soyez allé(e)s
qu'ils/elles	aillent	qu'ils/elles	soient allé(e)s

IMPARFAIT		PLUS-QUE-PARFAIT	
que j'	**allasse**	que je	**fusse allé(e)**
que tu	allasses	que tu	fusses allé(e)
qu'il/elle	allât	qu'il/elle	fût allé(e)
que nous	allassions	que nous	fussions allé(e)s
que vous	allassiez	que vous	fussiez allé(e)s
qu'ils/elles	allassent	qu'ils/elles	fussent allé(e)s

IMPÉRATIF

PRÉSENT	PASSÉ
va	**sois allé(e)**
allons	soyons allé(e)s
allez	soyez allé(e)s

INFINITIF

PRÉSENT	PASSÉ
aller	être allé

PARTICIPE

PRÉSENT	PASSÉ
allant	étant allé
	allé(e, s, es)

Remarques

- *Aller* est le seul verbe en **-er** qui n'appartient pas au 1er groupe. C'est un verbe irrégulier qui présente d'importantes variations du radical : *tu* ***va****/s*, *nous* ***all****/ons*, *j'****ir****/ai*, *que j'****aill****/e*.
- *Vas-y* : par euphonie, on ajoute un **s** à l'impératif *va*.
- *Va-t'en* (impératif présent de *s'en aller*) : on élide le **e** du pronom réfléchi *te*.

32 courir

3e groupe — *courir* et ses dérivés

INDICATIF

PRÉSENT		PASSÉ COMPOSÉ	
je	**cours**	j'	**ai couru**
tu	cours	tu	as couru
il/elle	court	il/elle	a couru
nous	courons	nous	avons couru
vous	courez	vous	avez couru
ils/elles	courent	ils/elles	ont couru

IMPARFAIT		PLUS-QUE-PARFAIT	
je	**courais**	j'	**avais couru**
tu	courais	tu	avais couru
il/elle	courait	il/elle	avait couru
nous	courions	nous	avions couru
vous	couriez	vous	aviez couru
ils/elles	couraient	ils/elles	avaient couru

PASSÉ SIMPLE		PASSÉ ANTÉRIEUR	
je	**courus**	j'	**eus couru**
tu	courus	tu	eus couru
il/elle	courut	il/elle	eut couru
nous	courûmes	nous	eûmes couru
vous	courûtes	vous	eûtes couru
ils/elles	coururent	ils/elles	eurent couru

FUTUR SIMPLE		FUTUR ANTÉRIEUR	
je	**courrai**	j'	**aurai couru**
tu	courras	tu	auras couru
il/elle	courra	il/elle	aura couru
nous	courrons	nous	aurons couru
vous	courrez	vous	aurez couru
ils/elles	courront	ils/elles	auront couru

CONDITIONNEL

PRÉSENT		PASSÉ	
je	**courrais**	j'	**aurais couru**
tu	courrais	tu	aurais couru
il/elle	courrait	il/elle	aurait couru
nous	courrions	nous	aurions couru
vous	courriez	vous	auriez couru
ils/elles	courraient	ils/elles	auraient couru

SUBJONCTIF

PRÉSENT

que je **coure**
que tu coures
qu'il/elle coure
que nous courions
que vous couriez
qu'ils/elles courent

PASSÉ

que j' **aie couru**
que tu aies couru
qu'il/elle ait couru
que nous ayons couru
que vous ayez couru
qu'ils/elles aient couru

IMPARFAIT

que je **courusse**
que tu courusses
qu'il/elle courût
que nous courussions
que vous courussiez
qu'ils/elles courussent

PLUS-QUE-PARFAIT

que j' **eusse couru**
que tu eusses couru
qu'il/elle eût couru
que nous eussions couru
que vous eussiez couru
qu'ils/elles eussent couru

IMPÉRATIF

PRÉSENT

cours
courons
courez

PASSÉ

aie couru
ayons couru
ayez couru

INFINITIF

PRÉSENT

courir

PASSÉ

avoir couru

PARTICIPE

PRÉSENT

courant

PASSÉ

ayant couru
couru(e, s, es)

Remarques

- Le futur simple et le conditionnel présent de *courir* et de ses dérivés présentent deux **r** : le **r** qui termine le radical et le **r** de la terminaison. C'est la présence des deux **r** qui permet de distinguer le futur *(nous cour/rons, vous cour/rez)* du présent *(nous cour/ons, vous cour/ez)*.
- L'ancien infinitif *courre* se retrouve dans la locution *chasse à courre*.

33 mourir 3e groupe

INDICATIF

PRÉSENT

je **meurs**
tu meurs
il/elle meurt
nous **mourons**
vous mourez
ils/elles meurent

PASSÉ COMPOSÉ

je **suis mort(e)**
tu es mort(e)
il/elle est mort(e)
nous sommes mort(e)s
vous êtes mort(e)s
ils/elles sont mort(e)s

IMPARFAIT

je **mourais**
tu mourais
il/elle mourait
nous mourions
vous mouriez
ils/elles mouraient

PLUS-QUE-PARFAIT

j' **étais mort(e)**
tu étais mort(e)
il/elle était mort(e)
nous étions mort(e)s
vous étiez mort(e)s
ils/elles étaient mort(e)s

PASSÉ SIMPLE

je **mourus**
tu mourus
il/elle mourut
nous mourûmes
vous mourûtes
ils/elles moururent

PASSÉ ANTÉRIEUR

je **fus mort(e)**
tu fus mort(e)
il/elle fut mort(e)
nous fûmes mort(e)s
vous fûtes mort(e)s
ils/elles furent mort(e)s

FUTUR SIMPLE

je **mourrai**
tu mourras
il/elle mourra
nous mourrons
vous mourrez
ils/elles mourront

FUTUR ANTÉRIEUR

je **serai mort(e)**
tu seras mort(e)
il/elle sera mort(e)
nous serons mort(e)s
vous serez mort(e)s
ils/elles seront mort(e)s

CONDITIONNEL

PRÉSENT

je **mourrais**
tu mourrais
il/elle mourrait
nous mourrions
vous mourriez
ils/elles mourraient

PASSÉ

je **serais mort(e)**
tu serais mort(e)
il/elle serait mort(e)
nous serions mort(e)s
vous seriez mort(e)s
ils/elles seraient mort(e)s

SUBJONCTIF

PRÉSENT

que je	**meure**
que tu	meures
qu'il/elle	meure
que nous	**mourions**
que vous	mouriez
qu'ils/elles	meurent

PASSÉ

que je	**sois mort(e)**
que tu	sois mort(e)
qu'il/elle	soit mort(e)
que nous	soyons mort(e)s
que vous	soyez mort(e)s
qu'ils/elles	soient mort(e)s

IMPARFAIT

que je	**mourusse**
que tu	mourusses
qu'il/elle	mourût
que nous	mourussions
que vous	mourussiez
qu'ils/elles	mourussent

PLUS-QUE-PARFAIT

que je	**fusse mort(e)**
que tu	fusses mort(e)
qu'il/elle	fût mort(e)
que nous	fussions mort(e)s
que vous	fussiez mort(e)s
qu'ils/elles	fussent mort(e)s

IMPÉRATIF

PRÉSENT

meurs
mourons
mourez

PASSÉ

sois mort(e)
soyons mort(e)s
soyez mort(e)s

INFINITIF

PRÉSENT

mourir

PASSÉ

être mort

PARTICIPE

PRÉSENT

mourant

PASSÉ

étant mort
mort(e, s, es)

Remarques

- Le verbe *mourir* suit la conjugaison de *courir* (→ tableau **32**), sauf :
  – à l'indicatif présent et au subjonctif présent, où son radical connaît une variante *meur-* ;
  – au participe passé, où il prend la forme de *mort*.
- Le verbe *se mourir* ne se conjugue qu'au présent, à l'imparfait de l'indicatif et au participe présent.

34 dormir

3e groupe

dormir et ses dérivés

INDICATIF

PRÉSENT

je **dors**
tu dors
il/elle dort
nous **dormons**
vous dormez
ils/elles dorment

PASSÉ COMPOSÉ

j' **ai dormi**
tu as dormi
il/elle a dormi
nous avons dormi
vous avez dormi
ils/elles ont dormi

IMPARFAIT

je **dormais**
tu dormais
il/elle dormait
nous dormions
vous dormiez
ils/elles dormaient

PLUS-QUE-PARFAIT

j' **avais dormi**
tu avais dormi
il/elle avait dormi
nous avions dormi
vous aviez dormi
ils/elles avaient dormi

PASSÉ SIMPLE

je **dormis**
tu dormis
il/elle dormit
nous dormîmes
vous dormîtes
ils/elles dormirent

PASSÉ ANTÉRIEUR

j' **eus dormi**
tu eus dormi
il/elle eut dormi
nous eûmes dormi
vous eûtes dormi
ils/elles eurent dormi

FUTUR SIMPLE

je **dormirai**
tu dormiras
il/elle dormira
nous dormirons
vous dormirez
ils/elles dormiront

FUTUR ANTÉRIEUR

j' **aurai dormi**
tu auras dormi
il/elle aura dormi
nous aurons dormi
vous aurez dormi
ils/elles auront dormi

CONDITIONNEL

PRÉSENT

je **dormirais**
tu dormirais
il/elle dormirait
nous dormirions
vous dormiriez
ils/elles dormiraient

PASSÉ

j' **aurais dormi**
tu aurais dormi
il/elle aurait dormi
nous aurions dormi
vous auriez dormi
ils/elles auraient dormi

SUBJONCTIF

PRÉSENT

que je **dorme**
que tu dormes
qu'il/elle dorme
que nous dormions
que vous dormiez
qu'ils/elles dorment

PASSÉ

que j' **aie dormi**
que tu aies dormi
qu'il/elle ait dormi
que nous ayons dormi
que vous ayez dormi
qu'ils/elles aient dormi

IMPARFAIT

que je **dormisse**
que tu dormisses
qu'il/elle dormît
que nous dormissions
que vous dormissiez
qu'ils/elles dormissent

PLUS-QUE-PARFAIT

que j' **eusse dormi**
que tu eusses dormi
qu'il/elle eût dormi
que nous eussions dormi
que vous eussiez dormi
qu'ils/elles eussent dormi

IMPÉRATIF

PRÉSENT

dors
dormons
dormez

PASSÉ

aie dormi
ayons dormi
ayez dormi

INFINITIF

PRÉSENT

dormir

PASSÉ

avoir dormi

PARTICIPE

PRÉSENT

dormant

PASSÉ

ayant dormi
dormi

Remarque

Le radical de *dormir* et de ses dérivés se termine par deux consonnes. Au singulier de l'indicatif présent et de l'impératif présent, il faudrait ajouter une 3e consonne, celle des terminaisons **-s**, **-s**, **-t**, ce qui n'est pas possible. C'est pourquoi la consonne de la fin du radical disparaît :
– *nous* ***dorm****/ons, vous* ***dorm****/ez* ; ***dorm****/ons* (radical long) ;
– *je* ***dor****/s, tu* ***dor****/s, il* ***dor****/t* ; ***dor****/s* (radical court).

35 servir 3e groupe *servir* et ses dérivés

INDICATIF

PRÉSENT

je **sers**
tu sers
il/elle sert
nous **servons**
vous servez
ils/elles servent

PASSÉ COMPOSÉ

j' **ai servi**
tu as servi
il/elle a servi
nous avons servi
vous avez servi
ils/elles ont servi

IMPARFAIT

je **servais**
tu servais
il/elle servait
nous servions
vous serviez
ils/elles servaient

PLUS-QUE-PARFAIT

j' **avais servi**
tu avais servi
il/elle avait servi
nous avions servi
vous aviez servi
ils/elles avaient servi

PASSÉ SIMPLE

je **servis**
tu servis
il/elle servit
nous servîmes
vous servîtes
ils/elles servirent

PASSÉ ANTÉRIEUR

j' **eus servi**
tu eus servi
il/elle eut servi
nous eûmes servi
vous eûtes servi
ils/elles eurent servi

FUTUR SIMPLE

je **servirai**
tu serviras
il/elle servira
nous servirons
vous servirez
ils/elles serviront

FUTUR ANTÉRIEUR

j' **aurai servi**
tu auras servi
il/elle aura servi
nous aurons servi
vous aurez servi
ils/elles auront servi

CONDITIONNEL

PRÉSENT

je **servirais**
tu servirais
il/elle servirait
nous servirions
vous serviriez
ils/elles serviraient

PASSÉ

j' **aurais servi**
tu aurais servi
il/elle aurait servi
nous aurions servi
vous auriez servi
ils/elles auraient servi

SUBJONCTIF

PRÉSENT

que je **serve**
que tu serves
qu'il/elle serve
que nous servions
que vous serviez
qu'ils/elles servent

IMPARFAIT

que je **servisse**
que tu servisses
qu'il/elle servît
que nous servissions
que vous servissiez
qu'ils/elles servissent

PASSÉ

que j' **aie servi**
que tu aies servi
qu'il/elle ait servi
que nous ayons servi
que vous ayez servi
qu'ils/elles aient servi

PLUS-QUE-PARFAIT

que j' **eusse servi**
que tu eusses servi
qu'il/elle eût servi
que nous eussions servi
que vous eussiez servi
qu'ils/elles eussent servi

IMPÉRATIF

PRÉSENT

sers
servons
servez

PASSÉ

aie servi
ayons servi
ayez servi

INFINITIF

PRÉSENT

servir

PASSÉ

avoir servi

PARTICIPE

PRÉSENT

servant

PASSÉ

ayant servi
servi(e, s, es)

Remarques

- Le radical de *servir* et de ses dérivés se termine par deux consonnes. Au singulier de l'indicatif présent et de l'impératif, il faudrait ajouter une 3e consonne, celle des terminaisons **-s**, **-s**, **-t**, ce qui n'est pas possible. C'est pourquoi la consonne de la fin du radical disparaît : *nous* ***serv****/ons* (radical long), *je* ***ser****/s* (radical court).
- Le verbe *asservir*, qui est un dérivé du mot *serf* et non de *servir*, est un verbe du 2e groupe et se conjugue comme *finir* → tableau **6**.

36 sentir 3e groupe verbes en -tir

INDICATIF

PRÉSENT

je **sens**
tu sens
il/elle sent
nous **sentons**
vous sentez
ils/elles sentent

IMPARFAIT

je **sentais**
tu sentais
il/elle sentait
nous sentions
vous sentiez
ils/elles sentaient

PASSÉ SIMPLE

je **sentis**
tu sentis
il/elle sentit
nous sentîmes
vous sentîtes
ils/elles sentirent

FUTUR SIMPLE

je **sentirai**
tu sentiras
il/elle sentira
nous sentirons
vous sentirez
ils/elles sentiront

PASSÉ COMPOSÉ

j' **ai senti**
tu as senti
il/elle a senti
nous avons senti
vous avez senti
ils/elles ont senti

PLUS-QUE-PARFAIT

j' **avais senti**
tu avais senti
il/elle avait senti
nous avions senti
vous aviez senti
ils/elles avaient senti

PASSÉ ANTÉRIEUR

j' **eus senti**
tu eus senti
il/elle eut senti
nous eûmes senti
vous eûtes senti
ils/elles eurent senti

FUTUR ANTÉRIEUR

j' **aurai senti**
tu auras senti
il/elle aura senti
nous aurons senti
vous aurez senti
ils/elles auront senti

CONDITIONNEL

PRÉSENT

je **sentirais**
tu sentirais
il/elle sentirait
nous sentirions
vous sentiriez
ils/elles sentiraient

PASSÉ

j' **aurais senti**
tu aurais senti
il/elle aurait senti
nous aurions senti
vous auriez senti
ils/elles auraient senti

SUBJONCTIF

PRÉSENT

que je **sente**
que tu sentes
qu'il/elle sente
que nous sentions
que vous sentiez
qu'ils/elles sentent

PASSÉ

que j' **aie senti**
que tu aies senti
qu'il/elle ait senti
que nous ayons senti
que vous ayez senti
qu'ils/elles aient senti

IMPARFAIT

que je **sentisse**
que tu sentisses
qu'il/elle sentît
que nous sentissions
que vous sentissiez
qu'ils/elles sentissent

PLUS-QUE-PARFAIT

que j' **eusse senti**
que tu eusses senti
qu'il/elle eût senti
que nous eussions senti
que vous eussiez senti
qu'ils/elles eussent senti

IMPÉRATIF

PRÉSENT

sens
sentons
sentez

PASSÉ

aie senti
ayons senti
ayez senti

INFINITIF

PRÉSENT

sentir

PASSÉ

avoir senti

PARTICIPE

PRÉSENT

sentant

PASSÉ

ayant senti
senti(e, s, es)

Remarques

- Les verbes du 3e groupe en **-tir** (sauf *vêtir* et ses dérivés) perdent le **t** du radical aux personnes du singulier de l'indicatif et de l'impératif présent : *je* ***sen****/s*, *tu* ***sen****/s* ; ***sen****/s*.
- *Répartir*, *impartir*, *assortir*, *ressortir à* (au sens de « être du ressort de ») sont des verbes du 2e groupe : ils se conjuguent donc comme *finir* → tableau **6**.
- Se *départir* se conjugue comme *partir*.

37 vêtir

3e groupe — verbes en **-tir** : exceptions

INDICATIF

PRÉSENT

je **vêts**
tu vêts
il/elle vêt
nous vêtons
vous vêtez
ils/elles vêtent

PASSÉ COMPOSÉ

j' **ai vêtu**
tu as vêtu
il/elle a vêtu
nous avons vêtu
vous avez vêtu
ils/elles ont vêtu

IMPARFAIT

je **vêtais**
tu vêtais
il/elle vêtait
nous vêtions
vous vêtiez
ils/elles vêtaient

PLUS-QUE-PARFAIT

j' **avais vêtu**
tu avais vêtu
il/elle avait vêtu
nous avions vêtu
vous aviez vêtu
ils/elles avaient vêtu

PASSÉ SIMPLE

je **vêtis**
tu vêtis
il/elle vêtit
nous vêtîmes
vous vêtîtes
ils/elles vêtirent

PASSÉ ANTÉRIEUR

j' **eus vêtu**
tu eus vêtu
il/elle eut vêtu
nous eûmes vêtu
vous eûtes vêtu
ils/elles eurent vêtu

FUTUR SIMPLE

je **vêtirai**
tu vêtiras
il/elle vêtira
nous vêtirons
vous vêtirez
ils/elles vêtiront

FUTUR ANTÉRIEUR

j' **aurai vêtu**
tu auras vêtu
il/elle aura vêtu
nous aurons vêtu
vous aurez vêtu
ils/elles auront vêtu

CONDITIONNEL

PRÉSENT

je **vêtirais**
tu vêtirais
il/elle vêtirait
nous vêtirions
vous vêtiriez
ils/elles vêtiraient

PASSÉ

j' **aurais vêtu**
tu aurais vêtu
il/elle aurait vêtu
nous aurions vêtu
vous auriez vêtu
ils/elles auraient vêtu

SUBJONCTIF

PRÉSENT

que je **vête**
que tu vêtes
qu'il/elle vête
que nous vêtions
que vous vêtiez
qu'ils/elles vêtent

PASSÉ

que j' **aie vêtu**
que tu aies vêtu
qu'il/elle ait vêtu
que nous ayons vêtu
que vous ayez vêtu
qu'ils/elles aient vêtu

IMPARFAIT

que je **vêtisse**
que tu vêtisses
qu'il/elle vêtît
que nous vêtissions
que vous vêtissiez
qu'ils/elles vêtissent

PLUS-QUE-PARFAIT

que j' **eusse vêtu**
que tu eusses vêtu
qu'il/elle eût vêtu
que nous eussions vêtu
que vous eussiez vêtu
qu'ils/elles eussent vêtu

IMPÉRATIF

PRÉSENT

vêts
vêtons
vêtez

PASSÉ

aie vêtu
ayons vêtu
ayez vêtu

INFINITIF

PRÉSENT

vêtir

PASSÉ

avoir vêtu

PARTICIPE

PRÉSENT

vêtant

PASSÉ

ayant vêtu
vêtu(e, s, es)

Remarques

- Contrairement aux autres verbes du 3e groupe en **-tir** (→ tableau **36**), *vêtir* et ses dérivés conservent le **t** final du radical à toutes les formes : *je vêt/s, tu vêt/s ; vêt/s.*
- Des formes comme ⊖ *ils se vêtissent*, ⊖ *vêtissant*, empruntées au 2e groupe, sont fautives. On dit : *ils se vêtent, vêtant.*
- *Travestir*, qui est également un dérivé de *vêtir*, est un verbe du 2e groupe et se conjugue comme *finir* → tableau **6**.

38 fuir 3e groupe *fuir* et son dérivé

INDICATIF

PRÉSENT

je **fuis**
tu fuis
il/elle fuit
nous **fuyons**
vous fuyez
ils/elles fuient

IMPARFAIT

je **fuyais**
tu fuyais
il/elle fuyait
nous fu**y**ions
vous fu**y**iez
ils/elles fuyaient

PASSÉ SIMPLE

je **fuis**
tu fuis
il/elle fuit
nous fuîmes
vous fuîtes
ils/elles fuirent

FUTUR SIMPLE

je **fuirai**
tu fuiras
il/elle fuira
nous fuirons
vous fuirez
ils/elles fuiront

PASSÉ COMPOSÉ

j' **ai fui**
tu as fui
il/elle a fui
nous avons fui
vous avez fui
ils/elles ont fui

PLUS-QUE-PARFAIT

j' **avais fui**
tu avais fui
il/elle avait fui
nous avions fui
vous aviez fui
ils/elles avaient fui

PASSÉ ANTÉRIEUR

j' **eus fui**
tu eus fui
il/elle eut fui
nous eûmes fui
vous eûtes fui
ils/elles eurent fui

FUTUR ANTÉRIEUR

j' **aurai fui**
tu auras fui
il/elle aura fui
nous aurons fui
vous aurez fui
ils/elles auront fui

CONDITIONNEL

PRÉSENT

je **fuirais**
tu fuirais
il/elle fuirait
nous fuirions
vous fuiriez
ils/elles fuiraient

PASSÉ

j' **aurais fui**
tu aurais fui
il/elle aurait fui
nous aurions fui
vous auriez fui
ils/elles auraient fui

SUBJONCTIF

PRÉSENT

que je fuie
que tu fuies
qu'il/elle fuie
que nous fuyions
que vous fuyiez
qu'ils/elles fuient

IMPARFAIT

que je fuisse
que tu fuisses
qu'il/elle fuît
que nous fuissions
que vous fuissiez
qu'ils/elles fuissent

PASSÉ

que j' aie fui
que tu aies fui
qu'il/elle ait fui
que nous ayons fui
que vous ayez fui
qu'ils/elles aient fui

PLUS-QUE-PARFAIT

que j' eusse fui
que tu eusses fui
qu'il/elle eût fui
que nous eussions fui
que vous eussiez fui
qu'ils/elles eussent fui

IMPÉRATIF

PRÉSENT

fuis
fuyons
fuyez

PASSÉ

aie fui
ayons fui
ayez fui

INFINITIF

PRÉSENT

fuir

PASSÉ

avoir fui

PARTICIPE

PRÉSENT

fuyant

PASSÉ

ayant fui
fui(e, s, es)

Remarques

- *Fuir* et *s'enfuir* changent le **i** en **y** devant une terminaison qui commence par une voyelle autre que **e** muet.
On écrit *qu'il fui/e*, mais *nous fuy/ons*, *vous fuy/ez*, *je fuy/ais*.
- Aux 1re et 2e personnes du pluriel de l'indicatif imparfait et du subjonctif présent, il ne faut pas oublier le **i** de la terminaison à l'écrit : *nous fuy/ions*, *vous fuy/iez*, *que nous fuy/ions*, *que vous fuy/iez*.

39 tenir 3e groupe verbes en **-enir**

INDICATIF

PRÉSENT

je **tiens**
tu tiens
il/elle tient
nous **tenons**
vous tenez
ils/elles tiennent

PASSÉ COMPOSÉ

j' **ai tenu**
tu as tenu
il/elle a tenu
nous avons tenu
vous avez tenu
ils/elles ont tenu

IMPARFAIT

je **tenais**
tu tenais
il/elle tenait
nous tenions
vous teniez
ils/elles tenaient

PLUS-QUE-PARFAIT

j' **avais tenu**
tu avais tenu
il/elle avait tenu
nous avions tenu
vous aviez tenu
ils/elles avaient tenu

PASSÉ SIMPLE

je **tins**
tu tins
il/elle tint
nous tînmes
vous tîntes
ils/elles tinrent

PASSÉ ANTÉRIEUR

j' **eus tenu**
tu eus tenu
il/elle eut tenu
nous eûmes tenu
vous eûtes tenu
ils/elles eurent tenu

FUTUR SIMPLE

je **tiendrai**
tu tiendras
il/elle tiendra
nous tiendrons
vous tiendrez
ils/elles tiendront

FUTUR ANTÉRIEUR

j' **aurai tenu**
tu auras tenu
il/elle aura tenu
nous aurons tenu
vous aurez tenu
ils/elles auront tenu

CONDITIONNEL

PRÉSENT

je **tiendrais**
tu tiendrais
il/elle tiendrait
nous tiendrions
vous tiendriez
ils/elles tiendraient

PASSÉ

j' **aurais tenu**
tu aurais tenu
il/elle aurait tenu
nous aurions tenu
vous auriez tenu
ils/elles auraient tenu

SUBJONCTIF

PRÉSENT

que je **tienne**
que tu tiennes
qu'il/elle tienne
que nous **tenions**
que vous teniez
qu'ils/elles tiennent

PASSÉ

que j' **aie tenu**
que tu aies tenu
qu'il/elle ait tenu
que nous ayons tenu
que vous ayez tenu
qu'ils/elles aient tenu

IMPARFAIT

que je **tinsse**
que tu tinsses
qu'il/elle tînt
que nous tinssions
que vous tinssiez
qu'ils/elles tinssent

PLUS-QUE-PARFAIT

que j' **eusse tenu**
que tu eusses tenu
qu'il/elle eût tenu
que nous eussions tenu
que vous eussiez tenu
qu'ils/elles eussent tenu

IMPÉRATIF

PRÉSENT

tiens
tenons
tenez

PASSÉ

aie tenu
ayons tenu
ayez tenu

INFINITIF

PRÉSENT

tenir

PASSÉ

avoir tenu

PARTICIPE

PRÉSENT

tenant

PASSÉ

ayant tenu
tenu(e, s, es)

Remarques

- Le radical de *venir*, *tenir* et de leurs dérivés connaît des formes variées : *tien-*, *tienn-*, *ten-*, *tin-*, *tiend-*.
- *Venir* et ses dérivés se conjuguent avec l'auxiliaire *être*, sauf *circonvenir*, *contrevenir*, *prévenir*, *subvenir*.
- *Attenir* est un dérivé défectif de *tenir*, utilisé essentiellement au participe présent : *le jardin attenant*.

40 acquérir

3e groupe *quérir* et ses dérivés

INDICATIF

PRÉSENT

j' **acquiers**
tu acquiers
il/elle acquiert
nous **acquérons**
vous acquérez
ils/elles acquièrent

IMPARFAIT

j' **acquérais**
tu acquérais
il/elle acquérait
nous acquérions
vous acquériez
ils/elles acquéraient

PASSÉ SIMPLE

j' **acquis**
tu acquis
il/elle acquit
nous acquîmes
vous acquîtes
ils/elles acquirent

FUTUR SIMPLE

j' **acquerrai**
tu acquerras
il/elle acquerra
nous acquerrons
vous acquerrez
ils/elles acquerront

PASSÉ COMPOSÉ

j' **ai acquis**
tu as acquis
il/elle a acquis
nous avons acquis
vous avez acquis
ils/elles ont acquis

PLUS-QUE-PARFAIT

j' **avais acquis**
tu avais acquis
il/elle avait acquis
nous avions acquis
vous aviez acquis
ils/elles avaient acquis

PASSÉ ANTÉRIEUR

j' **eus acquis**
tu eus acquis
il/elle eut acquis
nous eûmes acquis
vous eûtes acquis
ils/elles eurent acquis

FUTUR ANTÉRIEUR

j' **aurai acquis**
tu auras acquis
il/elle aura acquis
nous aurons acquis
vous aurez acquis
ils/elles auront acquis

CONDITIONNEL

PRÉSENT

j' **acquerrais**
tu acquerrais
il/elle acquerrait
nous acquerrions
vous acquerriez
ils/elles acquerraient

PASSÉ

j' **aurais acquis**
tu aurais acquis
il/elle aurait acquis
nous aurions acquis
vous auriez acquis
ils/elles auraient acquis

SUBJONCTIF

PRÉSENT

que j' **acquière**
que tu acquières
qu'il/elle acquière
que nous **acquérions**
que vous acquériez
qu'ils/elles acquièrent

PASSÉ

que j' **aie acquis**
que tu aies acquis
qu'il/elle ait acquis
que nous ayons acquis
que vous ayez acquis
qu'ils/elles aient acquis

IMPARFAIT

que j' **acquisse**
que tu acquisses
qu'il/elle acquît
que nous acquissions
que vous acquissiez
qu'ils/elles acquissent

PLUS-QUE-PARFAIT

que j' **eusse acquis**
que tu eusses acquis
qu'il/elle eût acquis
que nous eussions acquis
que vous eussiez acquis
qu'ils/elles eussent acquis

IMPÉRATIF

PRÉSENT

acquiers
acquérons
acquérez

PASSÉ

aie acquis
ayons acquis
ayez acquis

INFINITIF

PRÉSENT

acquérir

PASSÉ

avoir acquis

PARTICIPE

PRÉSENT

acquérant

PASSÉ

ayant acquis
acquis(e, es)

Remarques

- Le radical de quérir et de ses dérivés présente les formes *acquier-*, *acquér-*, *acqui-*.
- Le **e** de la fin du radical ne prend aucun accent s'il est suivi de deux consonnes : *j'acquier/s* ; il prend un accent aigu si la terminaison commence par une voyelle autre qu'un **e** muet *(nous acquér/ons)* et un accent grave si la terminaison commence par un **e** muet *(ils acquièr/ent)*.
- Le futur simple et le conditionnel présent s'écrivent avec deux **r**.

41 bouillir

3e groupe *bouillir* et ses dérivés

INDICATIF

PRÉSENT

je **bous**
tu bous
il/elle bout
nous **bouillons**
vous bouillez
ils/elles bouillent

PASSÉ COMPOSÉ

j' **ai bouilli**
tu as bouilli
il/elle a bouilli
nous avons bouilli
vous avez bouilli
ils/elles ont bouilli

IMPARFAIT

je **bouillais**
tu bouillais
il/elle bouillait
nous bouillions
vous bouilliez
ils/elles bouillaient

PLUS-QUE-PARFAIT

j' **avais bouilli**
tu avais bouilli
il/elle avait bouilli
nous avions bouilli
vous aviez bouilli
ils/elles avaient bouilli

PASSÉ SIMPLE

je **bouillis**
tu bouillis
il/elle bouillit
nous bouillîmes
vous bouillîtes
ils/elles bouillirent

PASSÉ ANTÉRIEUR

j' **eus bouilli**
tu eus bouilli
il/elle eut bouilli
nous eûmes bouilli
vous eûtes bouilli
ils/elles eurent bouilli

FUTUR SIMPLE

je **bouillirai**
tu bouilliras
il/elle bouillira
nous bouillirons
vous bouillirez
ils/elles bouilliront

FUTUR ANTÉRIEUR

j' **aurai bouilli**
tu auras bouilli
il/elle aura bouilli
nous aurons bouilli
vous aurez bouilli
ils/elles auront bouilli

CONDITIONNEL

PRÉSENT

je **bouillirais**
tu bouillirais
il/elle bouillirait
nous bouillirions
vous bouilliriez
ils/elles bouilliraient

PASSÉ

j' **aurais bouilli**
tu aurais bouilli
il/elle aurait bouilli
nous aurions bouilli
vous auriez bouilli
ils/elles auraient bouilli

SUBJONCTIF

PRÉSENT

que je **bouille**
que tu bouilles
qu'il/elle bouille
que nous bouillions
que vous bouilliez
qu'ils/elles bouillent

PASSÉ

que j' **aie bouilli**
que tu aies bouilli
qu'il/elle ait bouilli
que nous ayons bouilli
que vous ayez bouilli
qu'ils/elles aient bouilli

IMPARFAIT

que je **bouillisse**
que tu bouillisses
qu'il/elle bouillît
que nous bouillissions
que vous bouillissiez
qu'ils/elles bouillissent

PLUS-QUE-PARFAIT

que j' **eusse bouilli**
que tu eusses bouilli
qu'il/elle eût bouilli
que nous eussions bouilli
que vous eussiez bouilli
qu'ils/elles eussent bouilli

IMPÉRATIF

PRÉSENT

bous
bouillons
bouillez

PASSÉ

aie bouilli
ayons bouilli
ayez bouilli

INFINITIF

PRÉSENT

bouillir

PASSÉ

avoir bouilli

PARTICIPE

PRÉSENT

bouillant

PASSÉ

ayant bouilli
bouilli(e, s, es)

Remarques

- Le radical de *bouillir* et de ses dérivés présente les formes *bou-*, *bouill-*, *bouilli-*.
- La forme courte en *bou-* n'apparaît qu'au singulier de l'indicatif présent et de l'impératif : *je **bou**/s, tu **bou**/s, il **bou**/t ; **bou**/s*. À toutes les autres formes, le radical comporte une syllabe mouillée.
- Des formes comme ⊖ *ils bouent*, ⊖ *ils boueront*, empruntées au 1er groupe, sont fautives. On dit : *ils bouillent, ils bouilliront*.

42 couvrir 3e groupe verbes en -vrir et -frir

INDICATIF

PRÉSENT

je **couvre**
tu couvres
il/elle couvre
nous couvrons
vous couvrez
ils/elles couvrent

PASSÉ COMPOSÉ

j' **ai couvert**
tu as couvert
il/elle a couvert
nous avons couvert
vous avez couvert
ils/elles ont couvert

IMPARFAIT

je **couvrais**
tu couvrais
il/elle couvrait
nous couvrions
vous couvriez
ils/elles couvraient

PLUS-QUE-PARFAIT

j' **avais couvert**
tu avais couvert
il/elle avait couvert
nous avions couvert
vous aviez couvert
ils/elles avaient couvert

PASSÉ SIMPLE

je **couvris**
tu couvris
il/elle couvrit
nous couvrîmes
vous couvrîtes
ils/elles couvrirent

PASSÉ ANTÉRIEUR

j' **eus couvert**
tu eus couvert
il/elle eut couvert
nous eûmes couvert
vous eûtes couvert
ils/elles eurent couvert

FUTUR SIMPLE

je **couvrirai**
tu couvriras
il/elle couvrira
nous couvrirons
vous couvrirez
ils/elles couvriront

FUTUR ANTÉRIEUR

j' **aurai couvert**
tu auras couvert
il/elle aura couvert
nous aurons couvert
vous aurez couvert
ils/elles auront couvert

CONDITIONNEL

PRÉSENT

je **couvrirais**
tu couvrirais
il/elle couvrirait
nous couvririons
vous couvririez
ils/elles couvriraient

PASSÉ

j' **aurais couvert**
tu aurais couvert
il/elle aurait couvert
nous aurions couvert
vous auriez couvert
ils/elles auraient couvert

SUBJONCTIF

PRÉSENT

que je **couvre**
que tu couvres
qu'il/elle couvre
que nous couvrions
que vous couvriez
qu'ils/elles couvrent

PASSÉ

que j' **aie couvert**
que tu aies couvert
qu'il/elle ait couvert
que nous ayons couvert
que vous ayez couvert
qu'ils/elles aient couvert

IMPARFAIT

que je **couvrisse**
que tu couvrisses
qu'il/elle couvrît
que nous couvrissions
que vous couvrissiez
qu'ils/elles couvrissent

PLUS-QUE-PARFAIT

que j' **eusse couvert**
que tu eusses couvert
qu'il/elle eût couvert
que nous eussions couvert
que vous eussiez couvert
qu'ils/elles eussent couvert

IMPÉRATIF

PRÉSENT

couvre
couvrons
couvrez

PASSÉ

aie couvert
ayons couvert
ayez couvert

INFINITIF

PRÉSENT

couvrir

PASSÉ

avoir couvert

PARTICIPE

PRÉSENT

couvrant

PASSÉ

ayant couvert
couvert(e, s, es)

Remarques

- Au singulier de l'indicatif et de l'impératif présent, les verbes en **-vrir** et en **-frir** ne se terminent pas par **-s**, **-s**, **-t** comme les autres verbes du 3e groupe, mais par **-e**, **-es**, **-e** comme les verbes du 1er groupe. On écrit : *je couvr/***e**, *tu couvr/***es**, *il couvr/***e** ; *couvr/***e**.
- Seuls *cueillir* et ses dérivés (→ tableau **43**) et les verbes en **-aillir** (→ tableau **44**) sont dans le même cas.

43 cueillir

3e groupe *cueillir* et ses dérivés

INDICATIF

PRÉSENT

je	**cueille**
tu	cueilles
il/elle	cueille
nous	cueillons
vous	cueillez
ils/elles	cueillent

PASSÉ COMPOSÉ

j'	**ai cueilli**
tu	as cueilli
il/elle	a cueilli
nous	avons cueilli
vous	avez cueilli
ils/elles	ont cueilli

IMPARFAIT

je	**cueillais**
tu	cueillais
il/elle	cueillait
nous	cueillions
vous	cueilliez
ils/elles	cueillaient

PLUS-QUE-PARFAIT

j'	**avais cueilli**
tu	avais cueilli
il/elle	avait cueilli
nous	avions cueilli
vous	aviez cueilli
ils/elles	avaient cueilli

PASSÉ SIMPLE

je	**cueillis**
tu	cueillis
il/elle	cueillit
nous	cueillîmes
vous	cueillîtes
ils/elles	cueillirent

PASSÉ ANTÉRIEUR

j'	**eus cueilli**
tu	eus cueilli
il/elle	eut cueilli
nous	eûmes cueilli
vous	eûtes cueilli
ils/elles	eurent cueilli

FUTUR SIMPLE

je	**cueillerai**
tu	cueilleras
il/elle	cueillera
nous	cueillerons
vous	cueillerez
ils/elles	cueilleront

FUTUR ANTÉRIEUR

j'	**aurai cueilli**
tu	auras cueilli
il/elle	aura cueilli
nous	aurons cueilli
vous	aurez cueilli
ils/elles	auront cueilli

CONDITIONNEL

PRÉSENT

je	**cueillerais**
tu	cueillerais
il/elle	cueillerait
nous	cueillerions
vous	cueilleriez
ils/elles	cueilleraient

PASSÉ

j'	**aurais cueilli**
tu	aurais cueilli
il/elle	aurait cueilli
nous	aurions cueilli
vous	auriez cueilli
ils/elles	auraient cueilli

SUBJONCTIF

PRÉSENT		PASSÉ	
que je	**cueille**	que j'	**aie cueilli**
que tu	cueilles	que tu	aies cueilli
qu'il/elle	cueille	qu'il/elle	ait cueilli
que nous	cueill**i**ons	que nous	ayons cueilli
que vous	cueill**i**ez	que vous	ayez cueilli
qu'ils/elles	cueillent	qu'ils/elles	aient cueilli

IMPARFAIT		PLUS-QUE-PARFAIT	
que je	**cueillisse**	que j'	**eusse cueilli**
que tu	cueillisses	que tu	eusses cueilli
qu'il/elle	cueillît	qu'il/elle	eût cueilli
que nous	cueillissions	que nous	eussions cueilli
que vous	cueillissiez	que vous	eussiez cueilli
qu'ils/elles	cueillissent	qu'ils/elles	eussent cueilli

IMPÉRATIF

PRÉSENT	PASSÉ
cueille	**aie cueilli**
cueillons	ayons cueilli
cueillez	ayez cueilli

INFINITIF

PRÉSENT	PASSÉ
cueillir	avoir cueilli

PARTICIPE

PRÉSENT	PASSÉ
cueillant	ayant cueilli
	cueilli(e, s, es)

Remarques

- Comme les verbes en **-vrir** et en **-frir** (→ tableau **42**), au singulier de l'indicatif et de l'impératif présent, *cueillir* et ses dérivés ne se terminent pas par **-s**, **-s**, **-t**, mais par **-e**, **-es**, **-e** : *je cueill/**e**, tu cueill/**es**, il cueill/**e*** ; *cueill/**e***.
- Au futur simple et au conditionnel présent, le radical prend la forme de *cueille-* et non celle de *cueilli-*. On écrit : *je **cueille**/rai, tu **cueille**/ras* et *je **cueille**/rais, tu **cueiller**/ais*, comme *j'aime/rai* et *j'aime/rais*.

44 défaillir 3e groupe verbes en -aillir

INDICATIF

PRÉSENT

je **défaille**
tu défailles
il/elle défaille
nous défaillons
vous défaillez
ils/elles défaillent

PASSÉ COMPOSÉ

j' **ai défailli**
tu as défailli
il/elle a défailli
nous avons défailli
vous avez défailli
ils/elles ont défailli

IMPARFAIT

je **défaillais**
tu défaillais
il/elle défaillait
nous défaillions
vous défailliez
ils/elles défaillaient

PLUS-QUE-PARFAIT

j' **avais défailli**
tu avais défailli
il/elle avait défailli
nous avions défailli
vous aviez défailli
ils/elles avaient défailli

PASSÉ SIMPLE

je **défaillis**
tu défaillis
il/elle défaillit
nous défaillîmes
vous défaillîtes
ils/elles défaillirent

PASSÉ ANTÉRIEUR

j' **eus défailli**
tu eus défailli
il/elle eut défailli
nous eûmes défailli
vous eûtes défailli
ils/elles eurent défailli

FUTUR SIMPLE

je **défaillirai**
tu défailliras
il/elle défaillira
nous défaillirons
vous défaillirez
ils/elles défailliront

FUTUR ANTÉRIEUR

j' **aurai défailli**
tu auras défailli
il/elle aura défailli
nous aurons défailli
vous aurez défailli
ils/elles auront défailli

CONDITIONNEL

PRÉSENT

je **défaillirais**
tu défaillirais
il/elle défaillirait
nous défaillirions
vous défailliriez
ils/elles défailliraient

PASSÉ

j' **aurais défailli**
tu aurais défailli
il/elle aurait défailli
nous aurions défailli
vous auriez défailli
ils/elles auraient défailli

SUBJONCTIF

PRÉSENT

que je **défaille**
que tu défailles
qu'il/elle défaille
que nous défaillions
que vous défailliez
qu'ils/elles défaillent

PASSÉ

que j' **aie défailli**
que tu aies défailli
qu'il/elle ait défailli
que nous ayons défailli
que vous ayez défailli
qu'ils/elles aient défailli

IMPARFAIT

que je **défaillisse**
que tu défaillisses
qu'il/elle défaillît
que nous défaillissions
que vous défaillissiez
qu'ils/elles défaillissent

PLUS-QUE-PARFAIT

que j' **eusse défailli**
que tu eusses défailli
qu'il/elle eût défailli
que nous eussions défailli
que vous eussiez défailli
qu'ils/elles eussent défailli

IMPÉRATIF

PRÉSENT

défaille
défaillons
défaillez

PASSÉ

aie défailli
ayons défailli
ayez défailli

INFINITIF

PRÉSENT

défaillir

PASSÉ

avoir défailli

PARTICIPE

PRÉSENT

défaillant

PASSÉ

ayant défailli
défailli

Remarques

- Les verbes en **-aillir**, sauf *faillir*, suivent la conjugaison de *défaillir*.
- *Saillir* au sens de « surplomber, avancer » se conjugue comme *défaillir*. *Saillir* au sens de « s'accoupler » est un verbe du 2e groupe → tableau **6**.
- Comme les verbes en **-vrir** et en **-frir** (→ tableau **42**), au singulier de l'indicatif et de l'impératif présent, les verbes qui se conjuguent sur le modèle de *défaillir* se terminent par **-e**, **-es**, **-e**.

45 faillir

3e groupe verbe défectif en **-aillir**

INDICATIF

PRÉSENT

je *faux*
tu *faux*
il/elle *faut*
nous *faillons*
vous *faillez*
ils/elles *faillent*

PASSÉ COMPOSÉ

j' **ai failli**
tu as failli
il/elle a failli
nous avons failli
vous avez failli
ils/elles ont failli

IMPARFAIT

je *faillais*
tu *faillais*
il/elle *faillait*
nous *faillions*
vous *failliez*
ils/elles *faillaient*

PLUS-QUE-PARFAIT

j' **avais failli**
tu avais failli
il/elle avait failli
nous avions failli
vous aviez failli
ils/elles avaient failli

PASSÉ SIMPLE

je **faillis**
tu faillis
il/elle faillit
nous faillîmes
vous faillîtes
ils/elles faillirent

PASSÉ ANTÉRIEUR

j' **eus failli**
tu eus failli
il/elle eut failli
nous eûmes failli
vous eûtes failli
ils/elles eurent failli

FUTUR SIMPLE

je **faillirai** / *faudrai*
tu failliras / *faudras*
il/elle faillira / *faudra*
nous faillirons / *faudrons*
vous faillirez / *faudrez*
ils/elles failliront / *faudront*

FUTUR ANTÉRIEUR

j' **aurai failli**
tu auras failli
il/elle aura failli
nous aurons failli
vous aurez failli
ils/elles auront failli

CONDITIONNEL

PRÉSENT

je **faillirais** / *faudrais*
tu faillirais / *faudrais*
il/elle faillirait / *faudrait*
nous faillirions / *faudrions*
vous failliriez / *faudriez*
ils/elles failliraient / *faudraient*

PASSÉ

j' **aurais failli**
tu aurais failli
il/elle aurait failli
nous aurions failli
vous auriez failli
ils/elles auraient failli

SUBJONCTIF

PRÉSENT

que je **faillisse** / *faille*
que tu faillisses / *failles*
qu'il/elle faillisse / *faille*
que nous faillissions / *faillions*
que vous faillissiez / *failliez*
qu'ils/elles faillissent / *faillent*

PASSÉ

que j' **aie failli**
que tu aies failli
qu'il/elle ait failli
que nous ayons failli
que vous ayez failli
qu'ils/elles aient failli

IMPARFAIT

que je faillisse
que tu faillisses
qu'il/elle faillît
que nous faillissions
que vous faillissiez
qu'ils/elles faillissent

PLUS-QUE-PARFAIT

que j' **eusse failli**
que tu eusses failli
qu'il/elle eût failli
que nous eussions failli
que vous eussiez failli
qu'ils/elles eussent failli

IMPÉRATIF

PRÉSENT

PASSÉ

INFINITIF

PRÉSENT

faillir

PASSÉ

avoir failli

PARTICIPE

PRÉSENT

faillant

PASSÉ

ayant failli
failli

Remarques

- *Faillir* comporte d'anciennes formes, désormais inusitées (en italique dans le tableau). La tendance générale est de conjuguer *faillir* comme un verbe du 2e groupe, sur le modèle de *finir* → tableau **6**.
- *Faillir* est essentiellement employé à l'infinitif *(faillir)*, au passé simple *(je faillis)* et aux temps composés.

46 ouïr

3e groupe verbe défectif

INDICATIF

PRÉSENT

j'	ois
tu	ois
il/elle	oit
nous	oyons
vous	oyez
ils/elles	oient

PASSÉ COMPOSÉ

j'	ai ouï
tu	as ouï
il/elle	a ouï
nous	avons ouï
vous	avez ouï
ils/elles	ont ouï

IMPARFAIT

j'	oyais
tu	oyais
il/elle	oyait
nous	oyions
vous	oyiez
ils/elles	oyaient

PLUS-QUE-PARFAIT

j'	avais ouï
tu	avais ouï
il/elle	avait ouï
nous	avions ouï
vous	aviez ouï
ils/elles	avaient ouï

PASSÉ SIMPLE

j'	ouïs
tu	ouïs
il/elle	ouït
nous	ouïmes
vous	ouïtes
ils/elles	ouïrent

PASSÉ ANTÉRIEUR

j'	eus ouï
tu	eus ouï
il/elle	eut ouï
nous	eûmes ouï
vous	eûtes ouï
ils/elles	eurent ouï

FUTUR SIMPLE

j'	ouïrai / orrai / oirai
tu	ouïras / orras
il/elle	ouïra / orra
nous	ouïrons / orrons
vous	ouïrez / orrez
ils/elles	ouïront / orront

FUTUR ANTÉRIEUR

j'	aurai ouï
tu	auras ouï
il/elle	aura ouï
nous	aurons ouï
vous	aurez ouï
ils/elles	auront ouï

CONDITIONNEL

PRÉSENT

j'	ouïrais / orrais / oirais
tu	ouïrais / orrais
il/elle	ouïrait / orrait
nous	ouïrions / orrions
vous	ouïriez / orriez
ils/elles	ouïraient / orraient

PASSÉ

j'	aurais ouï
tu	aurais ouï
il/elle	aurait ouï
nous	aurions ouï
vous	auriez ouï
ils/elles	auraient ouï

SUBJONCTIF

PRÉSENT

que j' *oie*
que tu *oies*
qu'il/elle *oie*
que nous *oyions*
que vous *oyiez*
qu'ils/elles *oient*

PASSÉ

que j' *aie ouï*
que tu *aies ouï*
qu'il *ait ouï*
que nous *ayons ouï*
que vous *ayez ouï*
qu'ils/elles *aient ouï*

IMPARFAIT

que j' *ouïsse*
que tu *ouïsses*
qu'il/elle *ouït*
que nous *ouïssions*
que vous *ouïssiez*
qu'ils/elles *ouïssent*

PLUS-QUE-PARFAIT

que j' *eusse ouï*
que tu *eusses ouï*
qu'il *eût ouï*
que nous *eussions ouï*
que vous *eussiez ouï*
qu'ils/elles *eussent ouï*

IMPÉRATIF

PRÉSENT

ois
oyons
oyez

PASSÉ

aie ouï
ayons ouï
ayez ouï

INFINITIF

PRÉSENT

ouïr

PASSÉ

avoir ouï

PARTICIPE

PRÉSENT

oyant

PASSÉ

ayant ouï
ouï

Remarques

- Le verbe *ouïr* n'est plus guère employé qu'à l'infinitif *(ouïr)*, au participe passé (*ouï*, notamment dans l'expression *par ouï-dire*) et au passé composé *(j'ai ouï dire que)*.
- On peut classer *ouïr* parmi les verbes défectifs. Les formes en italique sont tout à fait inusitées.

47 gésir 3e groupe verbe défectif

INDICATIF

PRÉSENT

je **gis**
tu gis
il/elle gît
nous **gisons**
vous gisez
ils/elles gisent

PASSÉ COMPOSÉ

IMPARFAIT

je **gisais**
tu gisais
il/elle gisait
nous gisions
vous gisiez
ils/elles gisaient

PLUS-QUE-PARFAIT

PASSÉ SIMPLE

PASSÉ ANTÉRIEUR

FUTUR SIMPLE

FUTUR ANTÉRIEUR

CONDITIONNEL

PRÉSENT

PASSÉ

SUBJONCTIF

- PRÉSENT
- PASSÉ
- IMPARFAIT
- PLUS-QUE-PARFAIT

IMPÉRATIF

- PRÉSENT
- PASSÉ

INFINITIF

- PRÉSENT

gésir

- PASSÉ

PARTICIPE

- PRÉSENT

gisant

- PASSÉ

Remarque

- Le verbe *gésir* est défectif. Il ne se conjugue qu'à l'indicatif présent et imparfait, ainsi qu'au participe présent et à l'infinitif.

N. ORTH. La 3e personne du singulier de l'indicatif présent porte un accent circonflexe sur le **i** : *il gît*, *ci-gît*.
Toutefois la réforme de 1990 autorise à écrire : *il git*, *ci-git*.

48 recevoir

3e groupe — verbes en **-cevoir**

INDICATIF

PRÉSENT

je **reçois**
tu reçois
il/elle reçoit
nous **recevons**
vous recevez
ils/elles reçoivent

IMPARFAIT

je **recevais**
tu recevais
il/elle recevait
nous recevions
vous receviez
ils/elles recevaient

PASSÉ SIMPLE

je **reçus**
tu reçus
il/elle reçut
nous reçûmes
vous reçûtes
ils/elles reçurent

FUTUR SIMPLE

je **recevrai**
tu recevras
il/elle recevra
nous recevrons
vous recevrez
ils/elles recevront

PASSÉ COMPOSÉ

j' **ai reçu**
tu as reçu
il/elle a reçu
nous avons reçu
vous avez reçu
ils/elles ont reçu

PLUS-QUE-PARFAIT

j' **avais reçu**
tu avais reçu
il/elle avait reçu
nous avions reçu
vous aviez reçu
ils/elles avaient reçu

PASSÉ ANTÉRIEUR

j' **eus reçu**
tu eus reçu
il/elle eut reçu
nous eûmes reçu
vous eûtes reçu
ils/elles eurent reçu

FUTUR ANTÉRIEUR

j' **aurai reçu**
tu auras reçu
il/elle aura reçu
nous aurons reçu
vous aurez reçu
ils/elles auront reçu

CONDITIONNEL

PRÉSENT

je **recevrais**
tu recevrais
il/elle recevrait
nous recevrions
vous recevriez
ils/elles recevraient

PASSÉ

j' **aurais reçu**
tu aurais reçu
il/elle aurait reçu
nous aurions reçu
vous auriez reçu
ils/elles auraient reçu

SUBJONCTIF

PRÉSENT

que je **reçoive**
que tu reçoives
qu'il/elle reçoive
que nous recevions
que vous receviez
qu'ils/elles reçoivent

PASSÉ

que j' **aie reçu**
que tu aies reçu
qu'il/elle ait reçu
que nous ayons reçu
que vous ayez reçu
qu'ils/elles aient reçu

IMPARFAIT

que je **reçusse**
que tu reçusses
qu'il/elle reçût
que nous reçussions
que vous reçussiez
qu'ils/elles reçussent

PLUS-QUE-PARFAIT

que j' **eusse reçu**
que tu eusses reçu
qu'il/elle eût reçu
que nous eussions reçu
que vous eussiez reçu
qu'ils/elles eussent reçu

IMPÉRATIF

PRÉSENT

reçois
recevons
recevez

PASSÉ

aie reçu
ayons reçu
ayez reçu

INFINITIF

PRÉSENT

recevoir

PASSÉ

avoir reçu

PARTICIPE

PRÉSENT

recevant

PASSÉ

ayant reçu
reçu(e, s, es)

Remarque

Les verbes en **-cevoir** prennent une cédille sous le **c** quand la terminaison commence par **o** ou **u**, afin de conserver la même prononciation en [s] à toutes les formes.
On écrit *nous recevons*, mais *je reçois*.

49 voir

3e groupe *voir* et ses dérivés

INDICATIF

PRÉSENT	PASSÉ COMPOSÉ
je **vois**	j' **ai vu**
tu vois	tu as vu
il/elle voit	il/elle a vu
nous **voyons**	nous avons vu
vous voyez	vous avez vu
ils/elles voient	ils/elles ont vu

IMPARFAIT	PLUS-QUE-PARFAIT
je **voyais**	j' **avais vu**
tu voyais	tu avais vu
il/elle voyait	il/elle avait vu
nous voyions	nous avions vu
vous voyiez	vous aviez vu
ils/elles voyaient	ils/elles avaient vu

PASSÉ SIMPLE	PASSÉ ANTÉRIEUR
je **vis**	j' **eus vu**
tu vis	tu eus vu
il/elle vit	il/elle eut vu
nous vîmes	nous eûmes vu
vous vîtes	vous eûtes vu
ils/elles virent	ils/elles eurent vu

FUTUR SIMPLE	FUTUR ANTÉRIEUR
je **verrai**	j' **aurai vu**
tu verras	tu auras vu
il/elle verra	il/elle aura vu
nous verrons	nous aurons vu
vous verrez	vous aurez vu
ils/elles verront	ils/elles auront vu

CONDITIONNEL

PRÉSENT	PASSÉ
je **verrais**	j' **aurais vu**
tu verrais	tu aurais vu
il/elle verrait	il/elle aurait vu
nous verrions	nous aurions vu
vous verriez	vous auriez vu
ils/elles verraient	ils/elles auraient vu

SUBJONCTIF

PRÉSENT		PASSÉ	
que je	**voie**	que j'	**aie vu**
que tu	voies	que tu	aies vu
qu'il/elle	voie	qu'il/elle	ait vu
que nous	voyions	que nous	ayons vu
que vous	voyiez	que vous	ayez vu
qu'ils/elles	voient	qu'ils/elles	aient vu

IMPARFAIT		PLUS-QUE-PARFAIT	
que je	**visse**	que j'	**eusse vu**
que tu	visses	que tu	eusses vu
qu'il/elle	vît	qu'il/elle	eût vu
que nous	vissions	que nous	eussions vu
que vous	vissiez	que vous	eussiez vu
qu'ils/elles	vissent	qu'ils/elles	eussent vu

IMPÉRATIF

PRÉSENT	PASSÉ
vois	**aie vu**
voyons	ayons vu
voyez	ayez vu

INFINITIF

PRÉSENT	PASSÉ
voir	avoir vu

PARTICIPE

PRÉSENT	PASSÉ
voyant	ayant vu vu(e, s, es)

Remarques

- Les dérivés de *voir*, à l'exception de *prévoir* (→ tableau **50**) et *pourvoir* (→ tableau **51**), suivent la même conjugaison que lui.
- À l'indicatif imparfait et au subjonctif présent, il ne faut pas oublier le **i** de **-ions** et **-iez**, même si on ne l'entend pas toujours après le **y** du radical.
- Le futur simple et le conditionnel présent présentent deux **r** : le **r** qui termine le radical et le **r** de la terminaison : *je ver/rai*, *je ver/rais*.

50 prévoir

3e groupe — dérivé de *voir* : exception

INDICATIF

PRÉSENT

je **prévois**
tu prévois
il/elle prévoit
nous **prévoyons**
vous prévoyez
ils/elles prévoient

PASSÉ COMPOSÉ

j' **ai prévu**
tu as prévu
il/elle a prévu
nous avons prévu
vous avez prévu
ils/elles ont prévu

IMPARFAIT

je **prévoyais**
tu prévoyais
il/elle prévoyait
nous prévo**y**ions
vous prévo**y**iez
ils/elles prévoyaient

PLUS-QUE-PARFAIT

j' **avais prévu**
tu avais prévu
il/elle avait prévu
nous avions prévu
vous aviez prévu
ils/elles avaient prévu

PASSÉ SIMPLE

je **prévis**
tu prévis
il/elle prévit
nous prévîmes
vous prévîtes
ils/elles prévirent

PASSÉ ANTÉRIEUR

j' **eus prévu**
tu eus prévu
il/elle eut prévu
nous eûmes prévu
vous eûtes prévu
ils/elles eurent prévu

FUTUR SIMPLE

Je **prévoirai**
tu prévoiras
il/elle prévoira
nous prévoirons
vous prévoirez
ils/elles prévoiront

FUTUR ANTÉRIEUR

j' **aurai prévu**
tu auras prévu
il/elle aura prévu
nous aurons prévu
vous aurez prévu
ils/elles auront prévu

CONDITIONNEL

PRÉSENT

je **prévoirais**
tu prévoirais
il/elle prévoirait
nous prévoirions
vous prévoiriez
ils/elles prévoiraient

PASSÉ

j' **aurais prévu**
tu aurais prévu
il/elle aurait prévu
nous aurions prévu
vous auriez prévu
ils/elles auraient prévu

SUBJONCTIF

PRÉSENT

que je **prévoie**
que tu prévoies
qu'il/elle prévoie
que nous prévo**yi**ons
que vous prévo**yi**ez
qu'ils/elles prévoient

PASSÉ

que j' **aie prévu**
que tu aies prévu
qu'il/elle ait prévu
que nous ayons prévu
que vous ayez prévu
qu'ils/elles aient prévu

IMPARFAIT

que je **prévisse**
que tu prévisses
qu'il/elle prévît
que nous prévissions
que vous prévissiez
qu'ils/elles prévissent

PLUS-QUE-PARFAIT

que j' **eusse prévu**
que tu eusses prévu
qu'il/elle eût prévu
que nous eussions prévu
que vous eussiez prévu
qu'ils/elles eussent prévu

IMPÉRATIF

PRÉSENT

prévois
prévoyons
prévoyez

PASSÉ

aie prévu
ayons prévu
ayez prévu

INFINITIF

PRÉSENT

prévoir

PASSÉ

avoir prévu

PARTICIPE

PRÉSENT

prévoyant

PASSÉ

ayant prévu
prévu(e, s, es)

Remarques

- *Prévoir* se conjugue comme *voir* (→ tableau **49**), sauf au futur simple et au conditionnel présent, où il est formé de manière plus régulière : *je* ***prévoi****/rai, je* ***prévoi****/rais.*
- Noter que l'infinitif se trouve ainsi à la base des formes de futur et de conditionnel présent, comme dans les conjugaisons les plus régulières.

51 pourvoir

3e groupe — dérivés de *voir* : exceptions

INDICATIF

PRÉSENT

je **pourvois**
tu pourvois
il/elle pourvoit
nous **pourvoyons**
vous pourvoyez
ils/elles pourvoient

PASSÉ COMPOSÉ

j' **ai pourvu**
tu as pourvu
il/elle a pourvu
nous avons pourvu
vous avez pourvu
ils/elles ont pourvu

IMPARFAIT

je **pourvoyais**
tu pourvoyais
il/elle pourvoyait
nous pourvo**y**ions
vous pourvo**y**iez
ils/elles pourvoyaient

PLUS-QUE-PARFAIT

j' **avais pourvu**
tu avais pourvu
il/elle avait pourvu
nous avions pourvu
vous aviez pourvu
ils/elles avaient pourvu

PASSÉ SIMPLE

je **pourvus**
tu pourvus
il/elle pourvut
nous pourvûmes
vous pourvûtes
ils/elles pourvurent

PASSÉ ANTÉRIEUR

j' **eus pourvu**
tu eus pourvu
il/elle eut pourvu
nous eûmes pourvu
vous eûtes pourvu
ils/elles eurent pourvu

FUTUR SIMPLE

je **pourvoirai**
tu pourvoiras
il/elle pourvoira
nous pourvoirons
vous pourvoirez
ils/elles pourvoiront

FUTUR ANTÉRIEUR

j' **aurai pourvu**
tu auras pourvu
il/elle aura pourvu
nous aurons pourvu
vous aurez pourvu
ils/elles auront pourvu

CONDITIONNEL

PRÉSENT

je **pourvoirais**
tu pourvoirais
il/elle pourvoirait
nous pourvoirions
vous pourvoiriez
ils/elles pourvoiraient

PASSÉ

j' **aurais pourvu**
tu aurais pourvu
il/elle aurait pourvu
nous aurions pourvu
vous auriez pourvu
ils/elles auraient pourvu

SUBJONCTIF

PRÉSENT

que je **pourvoie**
que tu pourvoies
qu'il/elle pourvoie
que nous pourvo**y**ions
que vous pourvo**y**iez
qu'ils/elles pourvoient

PASSÉ

que j' **aie pourvu**
que tu aies pourvu
qu'il/elle ait pourvu
que nous ayons pourvu
que vous ayez pourvu
qu'ils/elles aient pourvu

IMPARFAIT

que je **pourvusse**
que tu pourvusses
qu'il/elle pourvût
que nous pourvussions
que vous pourvussiez
qu'ils/elles pourvussent

PLUS-QUE-PARFAIT

que j' **eusse pourvu**
que tu eusses pourvu
qu'il/elle eût pourvu
que nous eussions pourvu
que vous eussiez pourvu
qu'ils/elles eussent pourvu

IMPÉRATIF

PRÉSENT

pourvois
pourvoyons
pourvoyez

PASSÉ

aie pourvu
ayons pourvu
ayez pourvu

INFINITIF

PRÉSENT

pourvoir

PASSÉ

avoir pourvu

PARTICIPE

PRÉSENT

pourvoyant

PASSÉ

ayant pourvu
pourvu(e, s, es)

Remarques

- *Pourvoir* se conjugue comme *voir* (→ tableau **49**) sauf :
– au futur simple et au conditionnel présent où, comme *prévoir* (→ tableau **50**), il est formé de manière plus régulière : *je **pourvoi**/rai, je **pourvoi**/rais* ;
– au passé simple et au subjonctif imparfait, où son radical est en **-u** et non en **-i** : *je pourv**u**/s, que je pourv**u**/sse.*
- *Dépourvoir* s'utilise surtout en construction pronominale : *je me suis dépourvu.*

52 # savoir 3e groupe

INDICATIF

PRÉSENT

je **sais**
tu sais
il/elle sait
nous **savons**
vous savez
ils/elles savent

IMPARFAIT

je **savais**
tu savais
il/elle savait
nous savions
vous saviez
ils/elles savaient

PASSÉ SIMPLE

je **sus**
tu sus
il/elle sut
nous sûmes
vous sûtes
ils/elles surent

FUTUR SIMPLE

je **saurai**
tu sauras
il/elle saura
nous saurons
vous saurez
ils/elles sauront

PASSÉ COMPOSÉ

j' **ai su**
tu as su
il/elle a su
nous avons su
vous avez su
ils/elles ont su

PLUS-QUE-PARFAIT

j' **avais su**
tu avais su
il/elle avait su
nous avions su
vous aviez su
ils/elles avaient su

PASSÉ ANTÉRIEUR

j' **eus su**
tu eus su
il/elle eut su
nous eûmes su
vous eûtes su
ils/elles eurent su

FUTUR ANTÉRIEUR

j' **aurai su**
tu auras su
il/elle aura su
nous aurons su
vous aurez su
ils/elles auront su

CONDITIONNEL

PRÉSENT

je **saurais**
tu saurais
il/elle saurait
nous saurions
vous sauriez
ils/elles sauraient

PASSÉ

j' **aurais su**
tu aurais su
il/elle aurait su
nous aurions su
vous auriez su
ils/elles auraient su

SUBJONCTIF

PRÉSENT

que je **sache**
que tu saches
qu'il/elle sache
que nous **sachions**
que vous sachiez
qu'ils/elles sachent

PASSÉ

que j' **aie su**
que tu aies su
qu'il/elle ait su
que nous ayons su
que vous ayez su
qu'ils/elles aient su

IMPARFAIT

que je **susse**
que tu susses
qu'il/elle sût
que nous sussions
que vous sussiez
qu'ils/elles sussent

PLUS-QUE-PARFAIT

que j' **eusse su**
que tu eusses su
qu'il/elle eût su
que nous eussions su
que vous eussiez su
qu'ils/elles eussent su

IMPÉRATIF

PRÉSENT

sache
sachons
sachez

PASSÉ

aie su
ayons su
ayez su

INFINITIF

PRÉSENT

savoir

PASSÉ

avoir su

PARTICIPE

PRÉSENT

sachant

PASSÉ

ayant su
su(e, s, es)

Remarques

- Le verbe *savoir* présente un impératif de 1re et 2e personnes du pluriel *(sachons, sachez)* différent à la fois du présent de l'indicatif *(savons, savez)* et du subjonctif *(sachions, sachiez)*.
- Noter l'emploi du subjonctif dans le tour archaïsant ou littéraire : *je ne sache pas que ce soit défendu* ou *ce n'est pas défendu, que je sache*.

53 devoir 3e groupe *devoir* et son dérivé

INDICATIF

PRÉSENT

je **dois**
tu dois
il/elle doit
nous **devons**
vous devez
ils/elles doivent

IMPARFAIT

je **devais**
tu devais
il/elle devait
nous devions
vous deviez
ils/elles devaient

PASSÉ SIMPLE

je **dus**
tu dus
il/elle dut
nous dûmes
vous dûtes
ils/elles durent

FUTUR SIMPLE

je **devrai**
tu devras
il/elle devra
nous devrons
vous devrez
ils/elles devront

PASSÉ COMPOSÉ

j' **ai dû**
tu as dû
il/elle a dû
nous avons dû
vous avez dû
ils/elles ont dû

PLUS-QUE-PARFAIT

j' **avais dû**
tu avais dû
il/elle avait dû
nous avions dû
vous aviez dû
ils/elles avaient dû

PASSÉ ANTÉRIEUR

j' **eus dû**
tu eus dû
il/elle eut dû
nous eûmes dû
vous eûtes dû
ils/elles eurent dû

FUTUR ANTÉRIEUR

j' **aurai dû**
tu auras dû
il/elle aura dû
nous aurons dû
vous aurez dû
ils/elles auront dû

CONDITIONNEL

PRÉSENT

je **devrais**
tu devrais
il/elle devrait
nous devrions
vous devriez
ils/elles devraient

PASSÉ

j' **aurais dû**
tu aurais dû
il/elle aurait dû
nous aurions dû
vous auriez dû
ils/elles auraient dû

SUBJONCTIF

PRÉSENT

que je **doive**
que tu doives
qu'il/elle doive
que nous **devions**
que vous deviez
qu'ils/elles doivent

IMPARFAIT

que je **dusse**
que tu dusses
qu'il/elle dût
que nous dussions
que vous dussiez
qu'ils/elles dussent

PASSÉ

que j' **aie dû**
que tu aies dû
qu'il/elle ait dû
que nous ayons dû
que vous ayez dû
qu'ils/elles aient dû

PLUS-QUE-PARFAIT

que j' **eusse dû**
que tu eusses dû
qu'il/elle eût dû
que nous eussions dû
que vous eussiez dû
qu'ils/elles eussent dû

IMPÉRATIF

PRÉSENT

dois
devons
devez

PASSÉ

aie dû
ayons dû
ayez dû

INFINITIF

PRÉSENT

devoir

PASSÉ

avoir dû

PARTICIPE

PRÉSENT

devant

PASSÉ

ayant dû
dû(due, dus, dues)

Remarque

- Le participe passé s'écrit avec un accent circonflexe au masculin singulier : *dû*.
Cet accent permet de différencier la forme verbale de l'article contracté *(Elle vient du Sud)* et de l'article partitif *(Elle boit du café noir)*. Il apparaît aussi sur *redû* (p. p. de *redevoir*).

N. ORTH. La réforme de 1990 autorise à supprimer l'accent sur le participe passé du verbe *redevoir (redu)* car, à la différence de *dû*, *redu* n'est pas homonyme d'un autre mot.

54 pouvoir 3e groupe

INDICATIF

PRÉSENT

je peux / puis
tu peux
il/elle peut
nous pouvons
vous pouvez
ils/elles peuvent

IMPARFAIT

je pouvais
tu pouvais
il/elle pouvait
nous pouvions
vous pouviez
ils/elles pouvaient

PASSÉ SIMPLE

je pus
tu pus
il/elle put
nous pûmes
vous pûtes
ils/elles purent

FUTUR SIMPLE

je pourrai
tu pourras
il/elle pourra
nous pourrons
vous pourrez
ils/elles pourront

PASSÉ COMPOSÉ

j' ai pu
tu as pu
il/elle a pu
nous avons pu
vous avez pu
ils/elles ont pu

PLUS-QUE-PARFAIT

j' avais pu
tu avais pu
il/elle avait pu
nous avions pu
vous aviez pu
ils/elles avaient pu

PASSÉ ANTÉRIEUR

j' eus pu
tu eus pu
il/elle eut pu
nous eûmes pu
vous eûtes pu
ils/elles eurent pu

FUTUR ANTÉRIEUR

j' aurai pu
tu auras pu
il/elle aura pu
nous aurons pu
vous aurez pu
ils/elles auront pu

CONDITIONNEL

PRÉSENT

je pourrais
tu pourrais
il/elle pourrait
nous pourrions
vous pourriez
ils/elles pourraient

PASSÉ

j' aurais pu
tu aurais pu
il/elle aurait pu
nous aurions pu
vous auriez pu
ils/elles auraient pu

SUBJONCTIF

PRÉSENT		PASSÉ	
que je	**puisse**	que j'	**aie pu**
que tu	puisses	que tu	aies pu
qu'il/elle	puisse	qu'il/elle	ait pu
que nous	puissions	que nous	ayons pu
que vous	puissiez	que vous	ayez pu
qu'ils/elles	puissent	qu'ils/elles	aient pu

IMPARFAIT		PLUS-QUE-PARFAIT	
que je	**pusse**	que j'	**eusse pu**
que tu	pusses	que tu	eusses pu
qu'il/elle	pût	qu'il/elle	eût pu
que nous	pussions	que nous	eussions pu
que vous	pussiez	que vous	eussiez pu
qu'ils/elles	pussent	qu'ils/elles	eussent pu

IMPÉRATIF

- PRÉSENT

- PASSÉ

INFINITIF

- PRÉSENT

pouvoir

- PASSÉ

avoir pu

PARTICIPE

- PRÉSENT

pouvant

- PASSÉ

ayant pu
pu

Remarques

- Les terminaisons des deux premières personnes du singulier de l'indicatif présent sont en **-x** : *je peux*, *tu peux*.
- La forme courante *je peux* possède, dans l'usage soigné, une variante *je puis*. Cette forme est obligatoire quand le sujet est inversé : *puis-je ?*
- Les formes du futur simple et du conditionnel présent comportent deux **r**, bien qu'un seul **r** soit effectivement prononcé.

55 valoir 3e groupe

INDICATIF

PRÉSENT

je **vaux**
tu vaux
il/elle vaut
nous **valons**
vous valez
ils/elles valent

PASSÉ COMPOSÉ

j' **ai valu**
tu as valu
il/elle a valu
nous avons valu
vous avez valu
ils/elles ont valu

IMPARFAIT

je **valais**
tu valais
il/elle valait
nous valions
vous valiez
ils/elles valaient

PLUS-QUE-PARFAIT

j' **avais valu**
tu avais valu
il/elle avait valu
nous avions valu
vous aviez valu
ils/elles avaient valu

PASSÉ SIMPLE

je **valus**
tu valus
il/elle valut
nous valûmes
vous valûtes
ils/elles valurent

PASSÉ ANTÉRIEUR

j' **eus valu**
tu eus valu
il/elle eut valu
nous eûmes valu
vous eûtes valu
ils/elles eurent valu

FUTUR SIMPLE

je **vaudrai**
tu vaudras
il/elle vaudra
nous vaudrons
vous vaudrez
ils/elles vaudront

FUTUR ANTÉRIEUR

j' **aurai valu**
tu auras valu
il/elle aura valu
nous aurons valu
vous aurez valu
ils/elles auront valu

CONDITIONNEL

PRÉSENT

je **vaudrais**
tu vaudrais
il/elle vaudrait
nous vaudrions
vous vaudriez
ils/elles vaudraient

PASSÉ

j' **aurais valu**
tu aurais valu
il/elle aurait valu
nous aurions valu
vous auriez valu
ils/elles auraient valu

SUBJONCTIF

PRÉSENT

que je **vaille**
que tu vailles
qu'il/elle vaille
que nous **valions**
que vous valiez
qu'ils/elles vaillent

PASSÉ

que j' **aie valu**
que tu aies valu
qu'il/elle ait valu
que nous ayons valu
que vous ayez valu
qu'ils/elles aient valu

IMPARFAIT

que je **valusse**
que tu valusses
qu'il/elle valût
que nous valussions
que vous valussiez
qu'ils/elles valussent

PLUS-QUE-PARFAIT

que j' **eusse valu**
que tu eusses valu
qu'il/elle eût valu
que nous eussions valu
que vous eussiez valu
qu'ils/elles eussent valu

IMPÉRATIF

PRÉSENT

vaux
valons
valez

PASSÉ

aie valu
ayons valu
ayez valu

INFINITIF

PRÉSENT

valoir

PASSÉ

avoir valu

PARTICIPE

PRÉSENT

valant

PASSÉ

ayant valu
valu

Remarques

- Les terminaisons des deux premières personnes du singulier de l'indicatif présent sont en **-x** : *je vau**x**, tu vau**x***.
- Les formes à l'impératif sont rares.

56 prévaloir 3e groupe

INDICATIF

PRÉSENT

je **prévaux**
tu prévaux
il/elle prévaut
nous **prévalons**
vous prévalez
ils/elles prévalent

PASSÉ COMPOSÉ

j' **ai prévalu**
tu as prévalu
il/elle a prévalu
nous avons prévalu
vous avez prévalu
ils/elles ont prévalu

IMPARFAIT

je **prévalais**
tu prévalais
il/elle prévalait
nous prévalions
vous prévaliez
ils/elles prévalaient

PLUS-QUE-PARFAIT

j' **avais prévalu**
tu avais prévalu
il/elle avait prévalu
nous avions prévalu
vous aviez prévalu
ils/elles avaient prévalu

PASSÉ SIMPLE

je **prévalus**
tu prévalus
il/elle prévalut
nous prévalûmes
vous prévalûtes
ils/elles prévalurent

PASSÉ ANTÉRIEUR

j' **eus prévalu**
tu eus prévalu
il/elle eut prévalu
nous eûmes prévalu
vous eûtes prévalu
ils/elles eurent prévalu

FUTUR SIMPLE

je **prévaudrai**
tu prévaudras
il/elle prévaudra
nous prévaudrons
vous prévaudrez
ils/elles prévaudront

FUTUR ANTÉRIEUR

j' **aurai prévalu**
tu auras prévalu
il/elle aura prévalu
nous aurons prévalu
vous aurez prévalu
ils/elles auront prévalu

CONDITIONNEL

PRÉSENT

je **prévaudrais**
tu prévaudrais
il/elle prévaudrait
nous prévaudrions
vous prévaudriez
ils/elles prévaudraient

PASSÉ

j' **aurais prévalu**
tu aurais prévalu
il/elle aurait prévalu
nous aurions prévalu
vous auriez prévalu
ils/elles auraient prévalu

SUBJONCTIF

PRÉSENT

que je **prévale**
que tu prévales
qu'il/elle prévale
que nous prévalions
que vous prévaliez
qu'ils/elles prévalent

PASSÉ

que j' **aie prévalu**
que tu aies prévalu
qu'il/elle ait prévalu
que nous ayons prévalu
que vous ayez prévalu
qu'ils/elles aient prévalu

IMPARFAIT

que je **prévalusse**
que tu prévalusses
qu'il/elle prévalût
que nous prévalussions
que vous prévalussiez
qu'ils/elles prévalussent

PLUS-QUE-PARFAIT

que j' **eusse prévalu**
que tu eusses prévalu
qu'il/elle eût prévalu
que nous eussions prévalu
que vous eussiez prévalu
qu'ils/elles eussent prévalu

IMPÉRATIF

PRÉSENT

prévaux
prévalons
prévalez

PASSÉ

aie prévalu
ayons prévalu
ayez prévalu

INFINITIF

PRÉSENT

prévaloir

PASSÉ

avoir prévalu

PARTICIPE

PRÉSENT

prévalant

PASSÉ

ayant prévalu
prévalu

Remarques

- Le verbe *prévaloir* se conjugue sur le modèle de *valoir* (→ tableau **55**), sauf au subjonctif présent : *que je prévale*.
- Les formes à l'impératif sont rares.

57 vouloir

3e groupe *vouloir* et son dérivé

INDICATIF

PRÉSENT

je **veux**
tu veux
il/elle veut
nous **voulons**
vous voulez
ils/elles veulent

PASSÉ COMPOSÉ

j' **ai voulu**
tu as voulu
il/elle a voulu
nous avons voulu
vous avez voulu
ils/elles ont voulu

IMPARFAIT

je **voulais**
tu voulais
il/elle voulait
nous voulions
vous vouliez
ils/elles voulaient

PLUS-QUE-PARFAIT

j' **avais voulu**
tu avais voulu
il/elle avait voulu
nous avions voulu
vous aviez voulu
ils/elles avaient voulu

PASSÉ SIMPLE

je **voulus**
tu voulus
il/elle voulut
nous voulûmes
vous voulûtes
ils/elles voulurent

PASSÉ ANTÉRIEUR

j' **eus voulu**
tu eus voulu
il/elle eut voulu
nous eûmes voulu
vous eûtes voulu
ils/elles eurent voulu

FUTUR SIMPLE

je **voudrai**
tu voudras
il/elle voudra
nous voudrons
vous voudrez
ils/elles voudront

FUTUR ANTÉRIEUR

j' **aurai voulu**
tu auras voulu
il/elle aura voulu
nous aurons voulu
vous aurez voulu
ils/elles auront voulu

CONDITIONNEL

PRÉSENT

je **voudrais**
tu voudrais
il/elle voudrait
nous voudrions
vous voudriez
ils/elles voudraient

PASSÉ

j' **aurais voulu**
tu aurais voulu
il/elle aurait voulu
nous aurions voulu
vous auriez voulu
ils/elles auraient voulu

SUBJONCTIF

PRÉSENT

que je **veuille**
que tu veuilles
qu'il/elle veuille
que nous **voulions**
que vous vouliez
qu'ils/elles veuillent

IMPARFAIT

que je **voulusse**
que tu voulusses
qu'il/elle voulût
que nous voulussions
que vous voulussiez
qu'ils/elles voulussent

PASSÉ

que j' **aie voulu**
que tu aies voulu
qu'il/elle ait voulu
que nous ayons voulu
que vous ayez voulu
qu'ils/elles aient voulu

PLUS-QUE-PARFAIT

que j' **eusse voulu**
que tu eusses voulu
qu'il/elle eût voulu
que nous eussions voulu
que vous eussiez voulu
qu'ils/elles eussent voulu

IMPÉRATIF

PRÉSENT

veux / **veuille**
voulons
voulez / veuillez

PASSÉ

aie voulu
ayons voulu
ayez voulu

INFINITIF

PRÉSENT

vouloir

PASSÉ

avoir voulu

PARTICIPE

PRÉSENT

voulant

PASSÉ

ayant voulu
voulu(e, s, es)

Remarques

- Les terminaisons des deux premières personnes du singulier de l'indicatif présent sont en **-x** : *je veux*, *tu veux*.
- Les formes ordinaires de l'impératif correspondent à l'indicatif présent. Mais il existe un impératif modelé sur le subjonctif : *veuille*, *veuillez*, utilisé dans les formules de politesse : *Veuillez agréer, Madame, l'expression de mes salutations distinguées*.

58 émouvoir 3e groupe

INDICATIF

PRÉSENT

j' **émeus**
tu émeus
il/elle émeut
nous **émouvons**
vous émouvez
ils/elles émeuvent

PASSÉ COMPOSÉ

j' **ai ému**
tu as ému
il/elle a ému
nous avons ému
vous avez ému
ils/elles ont ému

IMPARFAIT

j' **émouvais**
tu émouvais
il/elle émouvait
nous émouvions
vous émouviez
ils/elles émouvaient

PLUS-QUE-PARFAIT

j' **avais ému**
tu avais ému
il/elle avait ému
nous avions ému
vous aviez ému
ils/elles avaient ému

PASSÉ SIMPLE

j' **émus**
tu émus
il/elle émut
nous émûmes
vous émûtes
ils/elles émurent

PASSÉ ANTÉRIEUR

j' **eus ému**
tu eus ému
il/elle eut ému
nous eûmes ému
vous eûtes ému
ils/elles eurent ému

FUTUR SIMPLE

j' **émouvrai**
tu émouvras
il/elle émouvra
nous émouvrons
vous émouvrez
ils/elles émouvront

FUTUR ANTÉRIEUR

j' **aurai ému**
tu auras ému
il/elle aura ému
nous aurons ému
vous aurez ému
ils/elles auront ému

CONDITIONNEL

PRÉSENT

j' **émouvrais**
tu émouvrais
il/elle émouvrait
nous émouvrions
vous émouvriez
ils/elles émouvraient

PASSÉ

j' **aurais ému**
tu aurais ému
il/elle aurait ému
nous aurions ému
vous auriez ému
ils/elles auraient ému

SUBJONCTIF

PRÉSENT

que j' **émeuve**
que tu émeuves
qu'il/elle émeuve
que nous **émouvions**
que vous émouviez
qu'ils/elles émeuvent

PASSÉ

que j' **aie ému**
que tu aies ému
qu'il/elle ait ému
que nous ayons ému
que vous ayez ému
qu'ils/elles aient ému

IMPARFAIT

que j' **émusse**
que tu émusses
qu'il/elle émût
que nous émussions
que vous émussiez
qu'ils/elles émussent

PLUS-QUE-PARFAIT

que j' **eusse ému**
que tu eusses ému
qu'il/elle eût ému
que nous eussions ému
que vous eussiez ému
qu'ils/elles eussent ému

IMPÉRATIF

PRÉSENT

émeus
émouvons
émouvez

PASSÉ

aie ému
ayons ému
ayez ému

INFINITIF

PRÉSENT

émouvoir

PASSÉ

avoir ému

PARTICIPE

PRÉSENT

émouvant

PASSÉ

ayant ému
ému(e, s, es)

Remarque

Le verbe *mouvoir* se conjugue comme *émouvoir*, excepté le participe passé qui présente un accent circonflexe au masculin singulier : *mû*. Le féminin et le pluriel s'écrivent sans accent : *mue*, *mus*, *mues*.

N. ORTH. La réforme de 1990 autorise à supprimer l'accent sur le participe passé de *mouvoir* et à écrire *mu*, comme *ému* ou *promu*.

59 asseoir 3e groupe formes en **ie** et **ey**

INDICATIF

PRÉSENT		PASSÉ COMPOSÉ	
j'	assieds	j'	ai assis
tu	assieds	tu	as assis
il/elle	assied	il/elle	a assis
nous	asseyons	nous	avons assis
vous	asseyez	vous	avez assis
ils/elles	asseyent	ils/elles	ont assis

IMPARFAIT		PLUS-QUE-PARFAIT	
j'	asseyais	j'	avais assis
tu	asseyais	tu	avais assis
il/elle	asseyait	il/elle	avait assis
nous	asseyions	nous	avions assis
vous	asseyiez	vous	aviez assis
ils/elles	asseyaient	ils/elles	avaient assis

PASSÉ SIMPLE		PASSÉ ANTÉRIEUR	
j'	assis	j'	eus assis
tu	assis	tu	eus assis
il/elle	assit	il/elle	eut assis
nous	assîmes	nous	eûmes assis
vous	assîtes	vous	eûtes assis
ils/elles	assirent	ils/elles	eurent assis

FUTUR SIMPLE		FUTUR ANTÉRIEUR	
j'	assiérai	j'	aurai assis
tu	assiéras	tu	auras assis
il/elle	assiéra	il/elle	aura assis
nous	assiérons	nous	aurons assis
vous	assiérez	vous	aurez assis
ils/elles	assiéront	ils/elles	auront assis

CONDITIONNEL

PRÉSENT		PASSÉ	
j'	assiérais	j'	aurais assis
tu	assiérais	tu	aurais assis
il/elle	assiérait	il/elle	aurait assis
nous	assiérions	nous	aurions assis
vous	assiériez	vous	auriez assis
ils/elles	assiéraient	ils/elles	auraient assis

SUBJONCTIF

PRÉSENT

que j' **asseye**
que tu asseyes
qu'il/elle asseye
que nous asseyions
que vous asseyiez
qu'ils/elles asseyent

PASSÉ

que j' **aie assis**
que tu aies assis
qu'il/elle ait assis
que nous ayons assis
que vous ayez assis
qu'ils/elles aient assis

IMPARFAIT

que j' **assisse**
que tu assisses
qu'il/elle assît
que nous assissions
que vous assissiez
qu'ils/elles assissent

PLUS-QUE-PARFAIT

que j' **eusse assis**
que tu eusses assis
qu'il/elle eût assis
que nous eussions assis
que vous eussiez assis
qu'ils/elles eussent assis

IMPÉRATIF

PRÉSENT

assieds
asseyons
asseyez

PASSÉ

aie assis
ayons assis
ayez assis

INFINITIF

PRÉSENT

asseoir

PASSÉ

avoir assis

PARTICIPE

PRÉSENT

asseyant

PASSÉ

ayant assis
assis(e, es)

Remarques

- Dans un usage soigné, les formes en **ie** et en **ey** sont préférables aux formes en **oi** → tableau **60**. Mais, au figuré, ces formes en **oi** s'imposent : *Ces élections assoiraient son pouvoir*.
- Noter le **d** aux personnes du singulier de l'indicatif présent ainsi qu'à la 2e personne de l'impératif présent : *je m'assieds*.

N. ORTH. La réforme de 1990 autorise à supprimer le **e** d'*asseoir* et de *rasseoir*.

60 asseoir 3e groupe forme en oi

INDICATIF

PRÉSENT

j' assois
tu assois
il/elle assoit
nous assoyons
vous assoyez
ils/elles assoient

PASSÉ COMPOSÉ

j' ai assis
tu as assis
il/elle a assis
nous avons assis
vous avez assis
ils/elles ont assis

IMPARFAIT

j' assoyais
tu assoyais
il/elle assoyait
nous assoyions
vous assoyiez
ils/elles assoyaient

PLUS-QUE-PARFAIT

j' avais assis
tu avais assis
il/elle avait assis
nous avions assis
vous aviez assis
ils/elles avaient assis

PASSÉ SIMPLE

j' assis
tu assis
il/elle assit
nous assîmes
vous assîtes
ils/elles assirent

PASSÉ ANTÉRIEUR

j' eus assis
tu eus assis
il/elle eut assis
nous eûmes assis
vous eûtes assis
ils/elles eurent assis

FUTUR SIMPLE

j' assoirai
tu assoiras
il/elle assoira
nous assoirons
vous assoirez
ils/elles assoiront

FUTUR ANTÉRIEUR

j' aurai assis
tu auras assis
il/elle aura assis
nous aurons assis
vous aurez assis
ils/elles auront assis

CONDITIONNEL

PRÉSENT

j' assoirais
tu assoirais
il/elle assoirait
nous assoirions
vous assoiriez
ils/elles assoiraient

PASSÉ

j' aurais assis
tu aurais assis
il/elle aurait assis
nous aurions assis
vous auriez assis
ils/elles auraient assis

SUBJONCTIF

PRÉSENT

que j' **assoie**
que tu assoies
qu'il/elle assoie
que nous assoyions
que vous assoyiez
qu'ils/elles assoient

PASSÉ

que j' **aie assis**
que tu aies assis
qu'il/elle ait assis
que nous ayons assis
que vous ayez assis
qu'ils/elles aient assis

IMPARFAIT

que j' **assisse**
que tu assisses
qu'il/elle assît
que nous assissions
que vous assissiez
qu'ils/elles assissent

PLUS-QUE-PARFAIT

que j' **eusse assis**
que tu eusses assis
qu'il/elle eût assis
que nous eussions assis
que vous eussiez assis
qu'ils/elles eussent assis

IMPÉRATIF

PRÉSENT

assois
assoyons
assoyez

PASSÉ

aie assis
ayons assis
ayez assis

INFINITIF

PRÉSENT

asseoir

PASSÉ

avoir assis

PARTICIPE

PRÉSENT

assoyant

PASSÉ

ayant assis
assis(e, es)

Remarque

• Le verbe *asseoir* présente aussi une 3e série de formes pour le futur simple et le conditionnel présent *(je m'asseyerais)*, mais ces formes sont considérées comme vieillies ou populaires.

61 pleuvoir 3e groupe verbe impersonnel

INDICATIF

PRÉSENT	PASSÉ COMPOSÉ
il **pleut**	il **a plu**

IMPARFAIT	PLUS-QUE-PARFAIT
il **pleuvait**	il **avait plu**

PASSÉ SIMPLE	PASSÉ ANTÉRIEUR
il **plut**	il **eut plu**

FUTUR SIMPLE	FUTUR ANTÉRIEUR
il **pleuvra**	il **aura plu**

CONDITIONNEL

PRÉSENT	PASSÉ
il **pleuvrait**	il **aurait plu**

SUBJONCTIF

PRÉSENT	PASSÉ
qu'il **pleuve**	qu'il **ait plu**

IMPARFAIT	PLUS-QUE-PARFAIT
qu'il **plût**	qu'il **eût plu**

IMPÉRATIF

PRÉSENT	PASSÉ

INFINITIF

PRÉSENT	PASSÉ
pleuvoir	avoir plu

PARTICIPE

PRÉSENT	PASSÉ
pleuvant	ayant plu plu

Remarques

- En tant que verbe impersonnel, *pleuvoir* ne peut avoir pour sujet que le pronom *il*.
- Cependant, il peut apparaître dans une construction personnelle et être doté d'un sujet d'une autre personne, en particulier d'une 3e personne du pluriel : *Les coups pleuvent sur lui*. Le verbe a alors un sens figuré.

62 falloir 3e groupe verbe impersonnel

INDICATIF

● PRÉSENT

il **faut**

● PASSÉ COMPOSÉ

il **a fallu**

● IMPARFAIT

il **fallait**

● PLUS-QUE-PARFAIT

il **avait fallu**

● PASSÉ SIMPLE

il **fallut**

● PASSÉ ANTÉRIEUR

il **eut fallu**

● FUTUR SIMPLE

il **faudra**

● FUTUR ANTÉRIEUR

il **aura fallu**

CONDITIONNEL

● PRÉSENT

il **faudrait**

● PASSÉ

il **aurait fallu**

SUBJONCTIF

PRÉSENT

qu'il **faille**

PASSÉ

qu'il **ait fallu**

IMPARFAIT

qu'il **fallût**

PLUS-QUE-PARFAIT

qu'il **eût fallu**

IMPÉRATIF

PRÉSENT

PASSÉ

INFINITIF

PRÉSENT

falloir

PASSÉ

PARTICIPE

PRÉSENT

PASSÉ

ayant fallu
fallu

Remarque

- Historiquement, le même verbe latin *(fallere)* a donné un ensemble de formes qui ont été attribuées à deux verbes différents bien que proches, *falloir* et *faillir* → tableau **45**.

63 seoir 3e groupe (convenir)

INDICATIF

PRÉSENT

il/elle **sied**

ils/elles siéent

PASSÉ COMPOSÉ

IMPARFAIT

il/elle **seyait**

ils/elles seyaient

PLUS-QUE-PARFAIT

PASSÉ SIMPLE

PASSÉ ANTÉRIEUR

FUTUR SIMPLE

il/elle **siéra**

ils/elles siéront

FUTUR ANTÉRIEUR

CONDITIONNEL

PRÉSENT

il/elle **siérait**

ils/elles siéraient

PASSÉ

SUBJONCTIF

● PRÉSENT

qu'il/elle **siée**

qu'ils/elles siéent

● PASSÉ

● IMPARFAIT

● PLUS-QUE-PARFAIT

IMPÉRATIF

● PRÉSENT

● PASSÉ

INFINITIF

● PRÉSENT

seoir

● PASSÉ

PARTICIPE

● PRÉSENT

séant (seyant)

● PASSÉ

sis(e, es)

Remarques

● *Seoir* et *messeoir* n'ont pas de temps composés.
Ces verbes rares s'emploient surtout dans des expressions figées :
Il vous sied mal de lui reprocher ses colères.
Il ne messied pas de lui reprocher ses colères.

● On rencontre encore régulièrement les participes du verbe *seoir* :
séant (le collège électoral séant à Clermont-Ferrand),
et *sis*, en particulier dans le langage juridique
(le collège, sis 13, rue Jules-Ferry).

64 surseoir 3e groupe

INDICATIF

PRÉSENT

je **sursois**
tu sursois
il/elle sursoit
nous **sursoyons**
vous sursoyez
ils/elles sursoient

PASSÉ COMPOSÉ

j' **ai sursis**
tu as sursis
il/elle a sursis
nous avons sursis
vous avez sursis
ils/elles ont sursis

IMPARFAIT

je **sursoyais**
tu sursoyais
il/elle sursoyait
nous sursoyions
vous sursoyiez
ils/elles sursoyaient

PLUS-QUE-PARFAIT

j' **avais sursis**
tu avais sursis
il/elle avait sursis
nous avions sursis
vous aviez sursis
ils/elles avaient sursis

PASSÉ SIMPLE

je **sursis**
tu sursis
il/elle sursit
nous sursîmes
vous sursîtes
ils/elles sursirent

PASSÉ ANTÉRIEUR

j' **eus sursis**
tu eus sursis
il/elle eut sursis
nous eûmes sursis
vous eûtes sursis
ils/elles eurent sursis

FUTUR SIMPLE

je **surseoirai**
tu surseoiras
il/elle surseoira
nous surseoirons
vous surseoirez
ils/elles surseoiront

FUTUR ANTÉRIEUR

j' **aurai sursis**
tu auras sursis
il/elle aura sursis
nous aurons sursis
vous aurez sursis
ils/elles auront sursis

CONDITIONNEL

PRÉSENT

je **surseoirais**
tu surseoirais
il/elle surseoirait
nous surseoirions
vous surseoiriez
ils/elles surseoiraient

PASSÉ

j' **aurais sursis**
tu aurais sursis
il/elle aurait sursis
nous aurions sursis
vous auriez sursis
ils/elles auraient sursis

SUBJONCTIF

PRÉSENT

que je **sursoie**
que tu sursoies
qu'il/elle sursoie
que nous sursoyions
que vous sursoyiez
qu'ils/elles sursoient

PASSÉ

que j' **aie sursis**
que tu aies sursis
qu'il/elle ait sursis
que nous ayons sursis
que vous ayez sursis
qu'ils/elles aient sursis

IMPARFAIT

que je **sursisse**
que tu sursisses
qu'il/elle sursît
que nous sursissions
que vous sursissiez
qu'ils/elles sursissent

PLUS-QUE-PARFAIT

que j' **eusse sursis**
que tu eusses sursis
qu'il/elle eût sursis
que nous eussions sursis
que vous eussiez sursis
qu'ils/elles eussent sursis

IMPÉRATIF

PRÉSENT

sursois
sursoyons
sursoyez

PASSÉ

aie sursis
ayons sursis
ayez sursis

INFINITIF

PRÉSENT

surseoir

PASSÉ

avoir sursis

PARTICIPE

PRÉSENT

sursoyant

PASSÉ

ayant sursis
sursis

Remarque

La conjugaison de *surseoir* repose sur les formes en **oi** de *asseoir* → tableau **60**.
Toutefois, le **e** de l'infinitif est maintenu au futur simple et au conditionnel présent : *je surseoirai*, *je surseoirais*.

N. ORTH. La réforme de 1990 autorise à supprimer le **e** de l'infinitif *surseoir*, comme dans *asseoir* et *rasseoir*, ainsi que dans les formes du futur simple et du conditionnel présent : *je sursoirai(s)*.

65 choir 3e groupe

INDICATIF

PRÉSENT

je chois
tu chois
il/elle choit
nous choyons
vous choyez
ils/elles choient

PASSÉ COMPOSÉ

j' **ai chu**
tu as chu
il/elle a chu
nous avons chu
vous avez chu
ils/elles ont chu

IMPARFAIT

PLUS-QUE-PARFAIT

j' **avais chu**
tu avais chu
il/elle avait chu
nous avions chu
vous aviez chu
ils/elles avaient chu

PASSÉ SIMPLE

je chus
tu chus
il/elle chut
nous chûmes
vous chûtes
ils/elles churent

PASSÉ ANTÉRIEUR

j' **eus chu**
tu eus chu
il/elle eut chu
nous eûmes chu
vous eûtes chu
ils/elles eurent chu

FUTUR SIMPLE

je choirai / cherrai
tu choiras / cherras
il/elle choira / cherra
nous choirons / cherrons
vous choirez / cherrez
ils/elles choiront / cherront

FUTUR ANTÉRIEUR

j' **aurai chu**
tu auras chu
il/elle aura chu
nous aurons chu
vous aurez chu
ils/elles auront chu

CONDITIONNEL

PRÉSENT

je choirais / cherrais
tu choirais / cherrais
il/elle choirait / cherrait
nous choirions / cherrions
vous choiriez / cherriez
ils/elles choiraient / cherraient

PASSÉ

j' **aurais chu**
tu aurais chu
il/elle aurait chu
nous aurions chu
vous auriez chu
ils/elles auraient chu

SUBJONCTIF

PRÉSENT

PASSÉ

que j' aie chu
que tu aies chu
qu'il/elle ait chu
que nous ayons chu
que vous ayez chu
qu'ils/elles aient chu

IMPARFAIT

qu'il/elle chût

PLUS-QUE-PARFAIT

que j' eusse chu
que tu eusses chu
qu'il/elle eût chu
que nous eussions chu
que vous eussiez chu
qu'ils/elles eussent chu

IMPÉRATIF

PRÉSENT

PASSÉ

aie chu
ayons chu
ayez chu

INFINITIF

PRÉSENT

choir

PASSÉ

avoir chu

PARTICIPE

PRÉSENT

PASSÉ

ayant chu
chu(e, s, es)

Remarques

- Les formes en italique sont rares.
Le futur simple et le conditionnel présent, peu utilisés, présentent deux séries de formes : l'une modelée sur l'infinitif *(je choirai)*, l'autre en **err** (« *Tire la chevillette et la bobinette cherra* », Charles Perrault) → tableaux **66**, **67**.
- Les temps composés ont recours à l'auxiliaire *avoir*, mais le verbe est parfois utilisé avec *être* : *elle était chue*.

66 échoir 3e groupe

INDICATIF

PRÉSENT

il/elle échoit / *échet*

ils/elles échoient / *échéent*

IMPARFAIT

il/elle **échoyait**

ils/elles échoyaient

PASSÉ SIMPLE

il/elle **échut**

ils/elles échurent

FUTUR SIMPLE

il/elle **échoira** / *écherra*

ils/elles échoiront / *écherront*

PASSÉ COMPOSÉ

il/elle est échu(e)

ils/elles sont échu(e)s

PLUS-QUE-PARFAIT

il/elle était échu(e)

ils/elles étaient échu(e)s

PASSÉ ANTÉRIEUR

il/elle fut échu(e)

ils/elles furent échu(e)s

FUTUR ANTÉRIEUR

il/elle sera échu(e)

ils/elles seront échu(e)s

CONDITIONNEL

PRÉSENT

il/elle **échoirait** / *écherrait*

ils/elles échoiraient / *écherraient*

PASSÉ

il/elle serait échu(e)

ils/elles seraient échu(e)s

SUBJONCTIF

PRÉSENT	PASSÉ
qu'il/elle **échoie**	qu'il/elle soit échu(e)
qu'ils/elles échoient	qu'ils/elles soient échu(e)s

IMPARFAIT	PLUS-QUE-PARFAIT
qu'il/elle **échût**	qu'il/elle fût échu(e)
qu'ils/elles échussent	qu'ils/elles fussent échu(e)s

IMPÉRATIF

PRÉSENT	PASSÉ

INFINITIF

PRÉSENT	PASSÉ
échoir	être échu

PARTICIPE

PRÉSENT	PASSÉ
échéant	étant échu échu(e, s, es)

Remarques

- Le verbe *échoir* n'est aujourd'hui conjugué qu'à la 3e personne.
- Les formes d'imparfait sont rares, de même que les variantes de l'indicatif présent, du futur simple et du conditionnel présent signalées en italique → tableaux **65**, **67**.
- On retrouve le participe présent dans la locution *le cas échéant*.

67 déchoir 3e groupe

INDICATIF

PRÉSENT

je **déchois**
tu déchois
il/elle déchoit / *déchet*
nous **déchoyons**
vous déchoyez
ils/elles déchoient

PASSÉ COMPOSÉ

j' **ai déchu**
tu as déchu
il/elle a déchu
nous avons déchu
vous avez déchu
ils/elles ont déchu

IMPARFAIT

PLUS-QUE-PARFAIT

j' **avais déchu**
tu avais déchu
il/elle avait déchu
nous avions déchu
vous aviez déchu
ils/elles avaient déchu

PASSÉ SIMPLE

je **déchus**
tu déchus
il/elle déchut
nous déchûmes
vous déchûtes
ils/elles déchurent

PASSÉ ANTÉRIEUR

j' **eus déchu**
tu eus déchu
il/elle eut déchu
nous eûmes déchu
vous eûtes déchu
ils/elles eurent déchu

FUTUR SIMPLE

je **déchoirai** / *décherrai*
tu déchoiras / *décherras*
il/elle déchoira / *décherra*
nous déchoirons / *décherrons*
vous déchoirez / *décherrez*
ils/elles déchoiront / *décherront*

FUTUR ANTÉRIEUR

j' **aurai déchu**
tu auras déchu
il/elle aura déchu
nous aurons déchu
vous aurez déchu
ils/elles auront déchu

CONDITIONNEL

PRÉSENT

je **déchoirais** / *décherrais*
tu déchoirais / *décherrais*
il/elle déchoirait / *décherrait*
nous déchoirions / *décherrions*
vous déchoiriez / *décherriez*
ils/elles déchoiraient / *décherraient*

PASSÉ

j' **aurais déchu**
tu aurais déchu
il/elle aurait déchu
nous aurions déchu
vous auriez déchu
ils/elles auraient déchu

SUBJONCTIF

PRÉSENT

que je **déchoie**
que tu déchoies
qu'il/elle déchoie
que nous déchoyions
que vous déchoyiez
qu'ils/elles déchoient

PASSÉ

que j' **aie déchu**
que tu aies déchu
qu'il/elle ait déchu
que nous ayons déchu
que vous ayez déchu
qu'ils/elles aient déchu

IMPARFAIT

que je **déchusse**
que tu déchusses
qu'il/elle déchût
que nous déchussions
que vous déchussiez
qu'ils/elles déchussent

PLUS-QUE-PARFAIT

que j' **eusse déchu**
que tu eusses déchu
qu'il/elle eût déchu
que nous eussions déchu
que vous eussiez déchu
qu'ils/elles eussent déchu

IMPÉRATIF

PRÉSENT

PASSÉ

INFINITIF

PRÉSENT

déchoir

PASSÉ

avoir déchu

PARTICIPE

PRÉSENT

PASSÉ

ayant déchu
déchu(e, s, es)

Remarques

- Le verbe *déchoir* est un peu plus fréquent que *choir* (→ tableau **65**) et que *échoir* (→ tableau **66**). Il n'a pas d'imparfait et la variante de l'indicatif présent *il déchet*, ainsi que les formes en **err** du futur simple et du conditionnel présent *(je décherrai, je décherrais)* en italique, restent très rares.
- Selon le sens, *déchoir* reçoit l'auxiliaire *avoir* ou *être* : *il a déchu* (déchéance présentée comme un fait passé) ; *il est déchu* (accent mis sur le résultat présent).

68 faire

3e groupe *faire* et les verbes associés

INDICATIF

PRÉSENT

je **fais**
tu fais
il/elle fait
nous **faisons**
vous **faites**
ils/elles font

PASSÉ COMPOSÉ

j' **ai fait**
tu as fait
il/elle a fait
nous avons fait
vous avez fait
ils/elles ont fait

IMPARFAIT

je **faisais**
tu faisais
il/elle faisait
nous faisions
vous faisiez
ils/elles faisaient

PLUS-QUE-PARFAIT

j' **avais fait**
tu avais fait
il/elle avait fait
nous avions fait
vous aviez fait
ils/elles avaient fait

PASSÉ SIMPLE

je **fis**
tu fis
il/elle fit
nous fîmes
vous fîtes
ils/elles firent

PASSÉ ANTÉRIEUR

j' **eus fait**
tu eus fait
il/elle eut fait
nous eûmes fait
vous eûtes fait
ils/elles eurent fait

FUTUR SIMPLE

je **ferai**
tu feras
il/elle fera
nous ferons
vous ferez
ils/elles feront

FUTUR ANTÉRIEUR

j' **aurai fait**
tu auras fait
il/elle aura fait
nous aurons fait
vous aurez fait
ils/elles auront fait

CONDITIONNEL

PRÉSENT

je **ferais**
tu ferais
il/elle ferait
nous ferions
vous feriez
ils/elles feraient

PASSÉ

j' **aurais fait**
tu aurais fait
il/elle aurait fait
nous aurions fait
vous auriez fait
ils/elles auraient fait

SUBJONCTIF

PRÉSENT

que je **fasse**
que tu fasses
qu'il/elle fasse
que nous fassions
que vous fassiez
qu'ils/elles fassent

IMPARFAIT

que je **fisse**
que tu fisses
qu'il/elle fît
que nous fissions
que vous fissiez
qu'ils/elles fissent

PASSÉ

que j' **aie fait**
que tu aies fait
qu'il/elle ait fait
que nous ayons fait
que vous ayez fait
qu'ils/elles aient fait

PLUS-QUE-PARFAIT

que j' **eusse fait**
que tu eusses fait
qu'il/elle eût fait
que nous eussions fait
que vous eussiez fait
qu'ils/elles eussent fait

IMPÉRATIF

PRÉSENT

fais
faisons
faites

PASSÉ

aie fait
ayons fait
ayez fait

INFINITIF

PRÉSENT

faire

PASSÉ

avoir fait

PARTICIPE

PRÉSENT

faisant

PASSÉ

ayant fait
fait(e, s, es)

Remarques

- Noter la forme *vous faites* à la 2e personne du pluriel de l'indicatif présent.
- La graphie ne correspond pas à la prononciation pour des formes en **ai** : *nous faisons* (prononcé [fəzɔ̃]), *je faisais*... Le futur simple et le conditionnel présent ont en revanche un **e** : *nous fer(i)ons*.
- Les verbes associés à *faire* se conjuguent sur ce modèle : *vous défaites*... Certains sont défectifs (*forfaire*, *méfaire*, *parfaire*, *surfaire* : voir le répertoire).

69 extraire 3e groupe

INDICATIF

PRÉSENT

j' **extrais**
tu extrais
il/elle extrait
nous **extrayons**
vous extrayez
ils/elles extraient

PASSÉ COMPOSÉ

j' **ai extrait**
tu as extrait
il/elle a extrait
nous avons extrait
vous avez extrait
ils/elles ont extrait

IMPARFAIT

j' **extrayais**
tu extrayais
il/elle extrayait
nous extra**yi**ons
vous extra**yi**ez
ils/elles extrayaient

PLUS-QUE-PARFAIT

j' **avais extrait**
tu avais extrait
il/elle avait extrait
nous avions extrait
vous aviez extrait
ils/elles avaient extrait

PASSÉ SIMPLE

PASSÉ ANTÉRIEUR

j' **eus extrait**
tu eus extrait
il/elle eut extrait
nous eûmes extrait
vous eûtes extrait
ils/elles eurent extrait

FUTUR SIMPLE

j' **extrairai**
tu extrairas
il/elle extraira
nous extrairons
vous extrairez
ils/elles extrairont

FUTUR ANTÉRIEUR

j' **aurai extrait**
tu auras extrait
il/elle aura extrait
nous aurons extrait
vous aurez extrait
ils/elles auront extrait

CONDITIONNEL

PRÉSENT

j' **extrairais**
tu extrairais
il/elle extrairait
nous extrairions
vous extrairiez
ils/elles extrairaient

PASSÉ

j' **aurais extrait**
tu aurais extrait
il/elle aurait extrait
nous aurions extrait
vous auriez extrait
ils/elles auraient extrait

SUBJONCTIF

PRÉSENT

que j' **extraie**
que tu extraies
qu'il/elle extraie
que nous extra**yi**ons
que vous extra**yi**ez
qu'ils/elles extraient

IMPARFAIT

PASSÉ

que j' **aie extrait**
que tu aies extrait
qu'il/elle ait extrait
que nous ayons extrait
que vous ayez extrait
qu'ils/elles aient extrait

PLUS-QUE-PARFAIT

que j' **eusse extrait**
que tu eusses extrait
qu'il/elle eût extrait
que nous eussions extrait
que vous eussiez extrait
qu'ils/elles eussent extrait

IMPÉRATIF

PRÉSENT

extrais
extrayons
extrayez

PASSÉ

aie extrait
ayons extrait
ayez extrait

INFINITIF

PRÉSENT

extraire

PASSÉ

avoir extrait

PARTICIPE

PRÉSENT

extrayant

PASSÉ

ayant extrait
extrait(e, s, es)

Remarque

Les verbes qui se conjuguent sur ce modèle n'ont ni passé simple ni subjonctif imparfait. On rencontre parfois des formes modelées sur le 1er groupe (⊖ *j'extrayai*), mais elles ne sont pas correctes.

70 taire 3e groupe

INDICATIF

PRÉSENT

je **tais**
tu tais
il/elle tait
nous **taisons**
vous taisez
ils/elles taisent

PASSÉ COMPOSÉ

j' **ai tu**
tu as tu
il/elle a tu
nous avons tu
vous avez tu
ils/elles ont tu

IMPARFAIT

je **taisais**
tu taisais
il/elle taisait
nous taisions
vous taisiez
ils/elles taisaient

PLUS-QUE-PARFAIT

j' **avais tu**
tu avais tu
il/elle avait tu
nous avions tu
vous aviez tu
ils/elles avaient tu

PASSÉ SIMPLE

je **tus**
tu tus
il/elle tut
nous tûmes
vous tûtes
ils/elles turent

PASSÉ ANTÉRIEUR

j' **eus tu**
tu eus tu
il/elle eut tu
nous eûmes tu
vous eûtes tu
ils/elles eurent tu

FUTUR SIMPLE

je **tairai**
tu tairas
il/elle taira
nous tairons
vous tairez
ils/elles tairont

FUTUR ANTÉRIEUR

j' **aurai tu**
tu auras tu
il/elle aura tu
nous aurons tu
vous aurez tu
ils/elles auront tu

CONDITIONNEL

PRÉSENT

je **tairais**
tu tairais
il/elle tairait
nous tairions
vous tairiez
ils/elles tairaient

PASSÉ

j' **aurais tu**
tu aurais tu
il/elle aurait tu
nous aurions tu
vous auriez tu
ils/elles auraient tu

SUBJONCTIF

PRÉSENT

que je **taise**
que tu taises
qu'il/elle taise
que nous taisions
que vous taisiez
qu'ils/elles taisent

PASSÉ

que j' **aie tu**
que tu aies tu
qu'il/elle ait tu
que nous ayons tu
que vous ayez tu
qu'ils/elles aient tu

IMPARFAIT

que je **tusse**
que tu tusses
qu'il/elle tût
que nous tussions
que vous tussiez
qu'ils/elles tussent

PLUS-QUE-PARFAIT

que j' **eusse tu**
que tu eusses tu
qu'il/elle eût tu
que nous eussions tu
que vous eussiez tu
qu'ils/elles eussent tu

IMPÉRATIF

PRÉSENT

tais
taisons
taisez

PASSÉ

aie tu
ayons tu
ayez tu

INFINITIF

PRÉSENT

taire

PASSÉ

avoir tu

PARTICIPE

PRÉSENT

taisant

PASSÉ

ayant tu
tu(e, s, es)

Remarque

- Le radical de *taire* ne reçoit pas d'accent circonflexe à la 3e personne du singulier de l'indicatif présent *(il tait)*, à la différence de celui de *plaire (il plaît)* → tableau **71**.

71 plaire 3e groupe

INDICATIF

PRÉSENT

je **plais**
tu plais
il/elle plaît
nous **plaisons**
vous plaisez
ils/elles plaisent

IMPARFAIT

je **plaisais**
tu plaisais
il/elle plaisait
nous plaisions
vous plaisiez
ils/elles plaisaient

PASSÉ SIMPLE

je **plus**
tu plus
il/elle plut
nous plûmes
vous plûtes
ils/elles plurent

FUTUR SIMPLE

je **plairai**
tu plairas
il/elle plaira
nous plairons
vous plairez
ils/elles plairont

PASSÉ COMPOSÉ

j' **ai plu**
tu as plu
il/elle a plu
nous avons plu
vous avez plu
ils/elles ont plu

PLUS-QUE-PARFAIT

j' **avais plu**
tu avais plu
il/elle avait plu
nous avions plu
vous aviez plu
ils/elles avaient plu

PASSÉ ANTÉRIEUR

j' **eus plu**
tu eus plu
il/elle eut plu
nous eûmes plu
vous eûtes plu
ils/elles eurent plu

FUTUR ANTÉRIEUR

j' **aurai plu**
tu auras plu
il/elle aura plu
nous aurons plu
vous aurez plu
ils/elles auront plu

CONDITIONNEL

PRÉSENT

je **plairais**
tu plairais
il/elle plairait
nous plairions
vous plairiez
ils/elles plairaient

PASSÉ

j' **aurais plu**
tu aurais plu
il/elle aurait plu
nous aurions plu
vous auriez plu
ils/elles auraient plu

SUBJONCTIF

PRÉSENT

que je **plaise**
que tu plaises
qu'il/elle plaise
que nous plaisions
que vous plaisiez
qu'ils/elles plaisent

PASSÉ

que j' **aie plu**
que tu aies plu
qu'il/elle ait plu
que nous ayons plu
que vous ayez plu
qu'ils/elles aient plu

IMPARFAIT

que je **plusse**
que tu plusses
qu'il/elle plût
que nous plussions
que vous plussiez
qu'ils/elles plussent

PLUS-QUE-PARFAIT

que j' **eusse plu**
que tu eusses plu
qu'il/elle eût plu
que nous eussions plu
que vous eussiez plu
qu'ils/elles eussent plu

IMPÉRATIF

PRÉSENT

plais
plaisons
plaisez

PASSÉ

aie plu
ayons plu
ayez plu

INFINITIF

PRÉSENT

plaire

PASSÉ

avoir plu

PARTICIPE

PRÉSENT

plaisant

PASSÉ

ayant plu
plu

Remarque

- La 3e personne de l'indicatif présent reçoit un accent circonflexe : *il plaît*.

N. ORTH. La réforme de 1990 autorise *il plait (déplait, complait)* sans accent circonflexe.

72 croire

3e groupe *croire* et son dérivé

INDICATIF

PRÉSENT

je **crois**
tu crois
il/elle croit
nous **croyons**
vous croyez
ils/elles croient

PASSÉ COMPOSÉ

j' **ai cru**
tu as cru
il/elle a cru
nous avons cru
vous avez cru
ils/elles ont cru

IMPARFAIT

je **croyais**
tu croyais
il/elle croyait
nous croy**i**ons
vous croy**i**ez
ils/elles croyaient

PLUS-QUE-PARFAIT

j' **avais cru**
tu avais cru
il/elle avait cru
nous avions cru
vous aviez cru
ils/elles avaient cru

PASSÉ SIMPLE

je **crus**
tu crus
il/elle crut
nous crûmes
vous crûtes
ils/elles crurent

PASSÉ ANTÉRIEUR

j' **eus cru**
tu eus cru
il/elle eut cru
nous eûmes cru
vous eûtes cru
ils/elles eurent cru

FUTUR SIMPLE

je **croirai**
tu croiras
il/elle croira
nous croirons
vous croirez
ils/elles croiront

FUTUR ANTÉRIEUR

j' **aurai cru**
tu auras cru
il/elle aura cru
nous aurons cru
vous aurez cru
ils/elles auront cru

CONDITIONNEL

PRÉSENT

je **croirais**
tu croirais
il/elle croirait
nous croirions
vous croiriez
ils/elles croiraient

PASSÉ

j' **aurais cru**
tu aurais cru
il/elle aurait cru
nous aurions cru
vous auriez cru
ils/elles auraient cru

SUBJONCTIF

PRÉSENT

que je **croie**
que tu croies
qu'il/elle croie
que nous croyions
que vous croyiez
qu'ils/elles croient

PASSÉ

que j' **aie cru**
que tu aies cru
qu'il/elle ait cru
que nous ayons cru
que vous ayez cru
qu'ils/elles aient cru

IMPARFAIT

que je **crusse**
que tu crusses
qu'il/elle crût
que nous crussions
que vous crussiez
qu'ils/elles crussent

PLUS-QUE-PARFAIT

que j' **eusse cru**
que tu eusses cru
qu'il/elle eût cru
que nous eussions cru
que vous eussiez cru
qu'ils/elles eussent cru

IMPÉRATIF

PRÉSENT

crois
croyons
croyez

PASSÉ

aie cru
ayons cru
ayez cru

INFINITIF

PRÉSENT

croire

PASSÉ

avoir cru

PARTICIPE

PRÉSENT

croyant

PASSÉ

ayant cru
cru(e, s, es)

Remarque

Les 1re et 2e personnes du pluriel de l'indicatif imparfait et du subjonctif présent font se succéder le **y**, qui appartient au radical, et le **i** de la terminaison **-ions**, **-iez** : *nous croyions, que vous croyiez*.

73 boire

3e groupe *boire* et ses dérivés

INDICATIF

PRÉSENT		**PASSÉ COMPOSÉ**	
je	**bois**	j'	**ai bu**
tu	bois	tu	as bu
il/elle	boit	il/elle	a bu
nous	**buvons**	nous	avons bu
vous	buvez	vous	avez bu
ils/elles	boivent	ils/elles	ont bu

IMPARFAIT		**PLUS-QUE-PARFAIT**	
je	**buvais**	j'	**avais bu**
tu	buvais	tu	avais bu
il/elle	buvait	il/elle	avait bu
nous	buvions	nous	avions bu
vous	buviez	vous	aviez bu
ils/elles	buvaient	ils/elles	avaient bu

PASSÉ SIMPLE		**PASSÉ ANTÉRIEUR**	
je	**bus**	j'	**eus bu**
tu	bus	tu	eus bu
il/elle	but	il/elle	eut bu
nous	bûmes	nous	eûmes bu
vous	bûtes	vous	eûtes bu
ils/elles	burent	ils/elles	eurent bu

FUTUR SIMPLE		**FUTUR ANTÉRIEUR**	
je	**boirai**	j'	**aurai bu**
tu	boiras	tu	auras bu
il/elle	boira	il/elle	aura bu
nous	boirons	nous	aurons bu
vous	boirez	vous	aurez bu
ils/elles	boiront	ils/elles	auront bu

CONDITIONNEL

PRÉSENT		**PASSÉ**	
je	**boirais**	j'	**aurais bu**
tu	boirais	tu	aurais bu
il/elle	boirait	il/elle	aurait bu
nous	boirions	nous	aurions bu
vous	boiriez	vous	auriez bu
ils/elles	boiraient	ils/elles	auraient bu

SUBJONCTIF

PRÉSENT

que je **boive**
que tu boives
qu'il/elle boive
que nous **buvions**
que vous buviez
qu'ils/elles boivent

PASSÉ

que j' **aie bu**
que tu aies bu
qu'il/elle ait bu
que nous ayons bu
que vous ayez bu
qu'ils/elles aient bu

IMPARFAIT

que je **busse**
que tu busses
qu'il/elle bût
que nous bussions
que vous bussiez
qu'ils/elles bussent

PLUS-QUE-PARFAIT

que j' **eusse bu**
que tu eusses bu
qu'il/elle eût bu
que nous eussions bu
que vous eussiez bu
qu'ils/elles eussent bu

IMPÉRATIF

PRÉSENT

bois
buvons
buvez

PASSÉ

aie bu
ayons bu
ayez bu

INFINITIF

PRÉSENT

boire

PASSÉ

avoir bu

PARTICIPE

PRÉSENT

buvant

PASSÉ

ayant bu
bu(e, s, es)

Remarques

- Le verbe *imboire* n'existe guère qu'à travers le participe passé *imbu*, lequel est devenu un adjectif *(être imbu de soi-même)*.
- Le mot *fourbu* est le participe passé adjectivé de l'ancien verbe *fourboire*, qui ne se conjugue plus.

74 conduire 3e groupe verbes en -uire

INDICATIF

PRÉSENT

je **conduis**
tu conduis
il/elle conduit
nous **conduisons**
vous conduisez
ils/elles conduisent

PASSÉ COMPOSÉ

j' **ai conduit**
tu as conduit
il/elle a conduit
nous avons conduit
vous avez conduit
ils/elles ont conduit

IMPARFAIT

je **conduisais**
tu conduisais
il/elle conduisait
nous conduisions
vous conduisiez
ils/elles conduisaient

PLUS-QUE-PARFAIT

j' **avais conduit**
tu avais conduit
il/elle avait conduit
nous avions conduit
vous aviez conduit
ils/elles avaient conduit

PASSÉ SIMPLE

je **conduisis**
tu conduisis
il/elle conduisit
nous conduisîmes
vous conduisîtes
ils/elles conduisirent

PASSÉ ANTÉRIEUR

j' **eus conduit**
tu eus conduit
il/elle eut conduit
nous eûmes conduit
vous eûtes conduit
ils/elles eurent conduit

FUTUR SIMPLE

je **conduirai**
tu conduiras
il/elle conduira
nous conduirons
vous conduirez
ils/elles conduiront

FUTUR ANTÉRIEUR

j' **aurai conduit**
tu auras conduit
il/elle aura conduit
nous aurons conduit
vous aurez conduit
ils/elles auront conduit

CONDITIONNEL

PRÉSENT

je **conduirais**
tu conduirais
il/elle conduirait
nous conduirions
vous conduiriez
ils/elles conduiraient

PASSÉ

j' **aurais conduit**
tu aurais conduit
il/elle aurait conduit
nous aurions conduit
vous auriez conduit
ils/elles auraient conduit

SUBJONCTIF

PRÉSENT		PASSÉ	
que je	**conduise**	que j'	**aie conduit**
que tu	conduises	que tu	aies conduit
qu'il/elle	conduise	qu'il/elle	ait conduit
que nous	conduisions	que nous	ayons conduit
que vous	conduisiez	que vous	ayez conduit
qu'ils/elles	conduisent	qu'ils/elles	aient conduit

IMPARFAIT		PLUS-QUE-PARFAIT	
que je	**conduisisse**	que j'	**eusse conduit**
que tu	conduisisses	que tu	eusses conduit
qu'il/elle	conduisît	qu'il/elle	eût conduit
que nous	conduisissions	que nous	eussions conduit
que vous	conduisissiez	que vous	eussiez conduit
qu'ils/elles	conduisissent	qu'ils/elles	eussent conduit

IMPÉRATIF

PRÉSENT	PASSÉ
conduis	**aie conduit**
conduisons	ayons conduit
conduisez	ayez conduit

INFINITIF

PRÉSENT	PASSÉ
conduire	avoir conduit

PARTICIPE

PRÉSENT	PASSÉ
conduisant	ayant conduit
	conduit(e, s, es)

Remarques

- Tous les verbes en **-uire** se conjuguent sur ce modèle.
- Le participe passé des verbes *luire*, *reluire* et *nuire* n'a pas de **-t** final *(ils ont lui, relui, nui)* et n'a ni féminin ni pluriel.
- Les passés simples réguliers de *luire* et de *reluire (je luisis, ils luisirent)* sont rares et sont souvent remplacés par les formes inexactes : ⊖ *je luis*, ⊖ *ils luirent*.

75 rire 3e groupe

INDICATIF

PRÉSENT

je **ris**
tu ris
il/elle rit
nous **rions**
vous riez
ils/elles rient

PASSÉ COMPOSÉ

j' **ai ri**
tu as ri
il/elle a ri
nous avons ri
vous avez ri
ils/elles ont ri

IMPARFAIT

je **riais**
tu riais
il/elle riait
nous r**ii**ons
vous r**ii**ez
ils/elles riaient

PLUS-QUE-PARFAIT

j' **avais ri**
tu avais ri
il/elle avait ri
nous avions ri
vous aviez ri
ils/elles avaient ri

PASSÉ SIMPLE

je **ris**
tu ris
il/elle rit
nous rîmes
vous rîtes
ils/elles rirent

PASSÉ ANTÉRIEUR

j' **eus ri**
tu eus ri
il/elle eut ri
nous eûmes ri
vous eûtes ri
ils/elles eurent ri

FUTUR SIMPLE

je **rirai**
tu riras
il/elle rira
nous rirons
vous rirez
ils/elles riront

FUTUR ANTÉRIEUR

j' **aurai ri**
tu auras ri
il/elle aura ri
nous aurons ri
vous aurez ri
ils/elles auront ri

CONDITIONNEL

PRÉSENT

je **rirais**
tu rirais
il/elle rirait
nous ririons
vous ririez
ils/elles riraient

PASSÉ

j' **aurais ri**
tu aurais ri
il/elle aurait ri
nous aurions ri
vous auriez ri
ils/elles auraient ri

SUBJONCTIF

PRÉSENT

que je **rie**
que tu ries
qu'il/elle rie
que nous riions
que vous riiez
qu'ils/elles rient

PASSÉ

que j' **aie ri**
que tu aies ri
qu'il/elle ait ri
que nous ayons ri
que vous ayez ri
qu'ils/elles aient ri

IMPARFAIT

que je **risse**
que tu risses
qu'il/elle rît
que nous rissions
que vous rissiez
qu'ils/elles rissent

PLUS-QUE-PARFAIT

que j' **eusse ri**
que tu eusses ri
qu'il/elle eût ri
que nous eussions ri
que vous eussiez ri
qu'ils/elles eussent ri

IMPÉRATIF

PRÉSENT

ris
rions
riez

PASSÉ

aie ri
ayons ri
ayez ri

INFINITIF

PRÉSENT

rire

PASSÉ

avoir ri

PARTICIPE

PRÉSENT

riant

PASSÉ

ayant ri
ri

Remarque

Les 1re et 2e personnes du pluriel de l'indicatif imparfait et du subjonctif présent font se succéder un premier **i**, qui appartient au radical, et un second **i**, qui appartient à la terminaison **-ions**, **-iez** : *nous riions*, *que vous riiez*.

76 dire 3e groupe

INDICATIF

PRÉSENT

je	**dis**
tu	dis
il/elle	dit
nous	**disons**
vous	**dites**
ils/elles	disent

PASSÉ COMPOSÉ

j'	**ai dit**
tu	as dit
il/elle	a dit
nous	avons dit
vous	avez dit
ils/elles	ont dit

IMPARFAIT

je	**disais**
tu	disais
il/elle	disait
nous	disions
vous	disiez
ils/elles	disaient

PLUS-QUE-PARFAIT

j'	**avais dit**
tu	avais dit
il/elle	avait dit
nous	avions dit
vous	aviez dit
ils/elles	avaient dit

PASSÉ SIMPLE

je	**dis**
tu	dis
il/elle	dit
nous	dîmes
vous	dîtes
ils/elles	dirent

PASSÉ ANTÉRIEUR

j'	**eus dit**
tu	eus dit
il/elle	eut dit
nous	eûmes dit
vous	eûtes dit
ils/elles	eurent dit

FUTUR SIMPLE

je	**dirai**
tu	diras
il/elle	dira
nous	dirons
vous	direz
ils/elles	diront

FUTUR ANTÉRIEUR

j'	**aurai dit**
tu	auras dit
il/elle	aura dit
nous	aurons dit
vous	aurez dit
ils/elles	auront dit

CONDITIONNEL

PRÉSENT

je	**dirais**
tu	dirais
il/elle	dirait
nous	dirions
vous	diriez
ils/elles	diraient

PASSÉ

j'	**aurais dit**
tu	aurais dit
il/elle	aurait dit
nous	aurions dit
vous	auriez dit
ils/elles	auraient dit

SUBJONCTIF

PRÉSENT

que je **dise**
que tu dises
qu'il/elle dise
que nous disions
que vous disiez
qu'ils/elles disent

PASSÉ

que j' **aie dit**
que tu aies dit
qu'il/elle ait dit
que nous ayons dit
que vous ayez dit
qu'ils/elles aient dit

IMPARFAIT

que je **disse**
que tu disses
qu'il/elle dît
que nous dissions
que vous dissiez
qu'ils/elles dissent

PLUS-QUE-PARFAIT

que j' **eusse dit**
que tu eusses dit
qu'il/elle eût dit
que nous eussions dit
que vous eussiez dit
qu'ils/elles eussent dit

IMPÉRATIF

PRÉSENT

dis
disons
dites

PASSÉ

aie dit
ayons dit
ayez dit

INFINITIF

PRÉSENT

dire

PASSÉ

avoir dit

PARTICIPE

PRÉSENT

disant

PASSÉ

ayant dit
dit(e, s, es)

Remarques

- Noter la forme *vous dites* à la 2e personne du pluriel de l'indicatif présent.
- Le verbe *redire* se conjugue comme *dire (vous redites)*, mais les autres verbes formés à partir de *dire* ont une forme en **-disez** → tableau **77**.
- *Maudire* a une conjugaison à part → tableau **78**.

77 médire 3e groupe

INDICATIF

PRÉSENT

je **médis**
tu médis
il/elle médit
nous **médisons**
vous médisez
ils/elles médisent

PASSÉ COMPOSÉ

j' **ai médit**
tu as médit
il/elle a médit
nous avons médit
vous avez médit
ils/elles ont médit

IMPARFAIT

je **médisais**
tu médisais
il/elle médisait
nous médisions
vous médisiez
ils/elles médisaient

PLUS-QUE-PARFAIT

j' **avais médit**
tu avais médit
il/elle avait médit
nous avions médit
vous aviez médit
ils/elles avaient médit

PASSÉ SIMPLE

je **médis**
tu médis
il/elle médit
nous médîmes
vous médîtes
ils/elles médirent

PASSÉ ANTÉRIEUR

j' **eus médit**
tu eus médit
il/elle eut médit
nous eûmes médit
vous eûtes médit
ils/elles eurent médit

FUTUR SIMPLE

je **médirai**
tu médiras
il/elle médira
nous médirons
vous médirez
ils/elles médiront

FUTUR ANTÉRIEUR

j' **aurai médit**
tu auras médit
il/elle aura médit
nous aurons médit
vous aurez médit
ils/elles auront médit

CONDITIONNEL

PRÉSENT

je **médirais**
tu médirais
il/elle médirait
nous médirions
vous médiriez
ils/elles médiraient

PASSÉ

j' **aurais médit**
tu aurais médit
il/elle aurait médit
nous aurions médit
vous auriez médit
ils/elles auraient médit

SUBJONCTIF

• PRÉSENT

que je **médise**
que tu médises
qu'il/elle médise
que nous médisions
que vous médisiez
qu'ils/elles médisent

• PASSÉ

que j' **aie médit**
que tu aies médit
qu'il/elle ait médit
que nous ayons médit
que vous ayez médit
qu'ils/elles aient médit

• IMPARFAIT

que je **médisse**
que tu médisses
qu'il/elle médît
que nous médissions
que vous médissiez
qu'ils/elles médissent

• PLUS-QUE-PARFAIT

que j' **eusse médit**
que tu eusses médit
qu'il/elle eût médit
que nous eussions médit
que vous eussiez médit
qu'ils/elles eussent médit

IMPÉRATIF

• PRÉSENT

médis
médisons
médisez

• PASSÉ

aie médit
ayons médit
ayez médit

INFINITIF

• PRÉSENT

médire

• PASSÉ

avoir médit

PARTICIPE

• PRÉSENT

médisant

• PASSÉ

ayant médit
médit

Remarques

- La conjugaison de *médire* est identique à celle de *dire* et de *redire* (→ tableau **76**), mais la 2e personne du pluriel de l'indicatif présent est en **-disez**.
- *Maudire* a une conjugaison à part → tableau **78**.

78 maudire 2e ou 3e groupe

INDICATIF

PRÉSENT

je **maudis**
tu maudis
il/elle maudit
nous **maudissons**
vous maudissez
ils/elles maudissent

PASSÉ COMPOSÉ

j' **ai maudit**
tu as maudit
il/elle a maudit
nous avons maudit
vous avez maudit
ils/elles ont maudit

IMPARFAIT

je **maudissais**
tu maudissais
il/elle maudissait
nous maudissions
vous maudissiez
ils/elles maudissaient

PLUS-QUE-PARFAIT

j' **avais maudit**
tu avais maudit
il/elle avait maudit
nous avions maudit
vous aviez maudit
ils/elles avaient maudit

PASSÉ SIMPLE

je **maudis**
tu maudis
il/elle maudit
nous maudîmes
vous maudîtes
ils/elles maudirent

PASSÉ ANTÉRIEUR

j' **eus maudit**
tu eus maudit
il/elle eut maudit
nous eûmes maudit
vous eûtes maudit
ils/elles eurent maudit

FUTUR SIMPLE

je **maudirai**
tu maudiras
il/elle maudira
nous maudirons
vous maudirez
ils/elles maudiront

FUTUR ANTÉRIEUR

j' **aurai maudit**
tu auras maudit
il/elle aura maudit
nous aurons maudit
vous aurez maudit
ils/elles auront maudit

CONDITIONNEL

PRÉSENT

je **maudirais**
tu maudirais
il/elle maudirait
nous maudirions
vous maudiriez
ils/elles maudiraient

PASSÉ

j' **aurais maudit**
tu aurais maudit
il/elle aurait maudit
nous aurions maudit
vous auriez maudit
ils/elles auraient maudit

SUBJONCTIF

PRÉSENT

que je **maudisse**
que tu maudisses
qu'il/elle maudisse
que nous maudissions
que vous maudissiez
qu'ils/elles maudissent

PASSÉ

que j' **aie maudit**
que tu aies maudit
qu'il/elle ait maudit
que nous ayons maudit
que vous ayez maudit
qu'ils/elles aient maudit

IMPARFAIT

que je **maudisse**
que tu maudisses
qu'il/elle maudît
que nous maudissions
que vous maudissiez
qu'ils/elles maudissent

PLUS-QUE-PARFAIT

que j' **eusse maudit**
que tu eusses maudit
qu'il/elle eût maudit
que nous eussions maudit
que vous eussiez maudit
qu'ils/elles eussent maudit

IMPÉRATIF

PRÉSENT

maudis
maudissons
maudissez

PASSÉ

aie maudit
ayons maudit
ayez maudit

INFINITIF

PRÉSENT

maudire

PASSÉ

avoir maudit

PARTICIPE

PRÉSENT

maudissant

PASSÉ

ayant maudit
maudit(e, s, es)

Remarque

Le verbe *maudire* relève du 3e groupe par son infinitif en **-ire** et par son participe passé *maudit* avec **t** final, comme pour *dit* → tableau **76**. Mais toutes les autres formes du verbe le rattachent au modèle *finir* du 2e groupe → tableau **6**.

79 lire 3e groupe

INDICATIF

PRÉSENT

je **lis**
tu lis
il/elle lit
nous **lisons**
vous lisez
ils/elles lisent

PASSÉ COMPOSÉ

j' **ai lu**
tu as lu
il/elle a lu
nous avons lu
vous avez lu
ils/elles ont lu

IMPARFAIT

je **lisais**
tu lisais
il/elle lisait
nous lisions
vous lisiez
ils/elles lisaient

PLUS-QUE-PARFAIT

j' **avais lu**
tu avais lu
il/elle avait lu
nous avions lu
vous aviez lu
ils/elles avaient lu

PASSÉ SIMPLE

je **lus**
tu lus
il/elle lut
nous lûmes
vous lûtes
ils/elles lurent

PASSÉ ANTÉRIEUR

j' **eus lu**
tu eus lu
il/elle eut lu
nous eûmes lu
vous eûtes lu
ils/elles eurent lu

FUTUR SIMPLE

je **lirai**
tu liras
il/elle lira
nous lirons
vous lirez
ils/elles liront

FUTUR ANTÉRIEUR

j' **aurai lu**
tu auras lu
il/elle aura lu
nous aurons lu
vous aurez lu
ils/elles auront lu

CONDITIONNEL

PRÉSENT

je **lirais**
tu lirais
il/elle lirait
nous lirions
vous liriez
ils/elles liraient

PASSÉ

j' **aurais lu**
tu aurais lu
il/elle aurait lu
nous aurions lu
vous auriez lu
ils/elles auraient lu

SUBJONCTIF

PRÉSENT

que je	**lise**
que tu	lises
qu'il/elle	lise
que nous	lisions
que vous	lisiez
qu'ils/elles	lisent

PASSÉ

que j'	**aie lu**
que tu	aies lu
qu'il/elle	ait lu
que nous	ayons lu
que vous	ayez lu
qu'ils/elles	aient lu

IMPARFAIT

que je	**lusse**
que tu	lusses
qu'il/elle	lût
que nous	lussions
que vous	lussiez
qu'ils/elles	lussent

PLUS-QUE-PARFAIT

que j'	**eusse lu**
que tu	eusses lu
qu'il/elle	eût lu
que nous	eussions lu
que vous	eussiez lu
qu'ils/elles	eussent lu

IMPÉRATIF

PRÉSENT

lis
lisons
lisez

PASSÉ

aie lu
ayons lu
ayez lu

INFINITIF

PRÉSENT

lire

PASSÉ

avoir lu

PARTICIPE

PRÉSENT

lisant

PASSÉ

ayant lu
lu(e, s, es)

Remarque

- Attention au passé simple d'*élire*, qui est bien en **u** (comme *ils lurent*) : *ils élurent*, et non en **i** (⊖ *ils élirent*).

80 écrire 3e groupe

INDICATIF

PRÉSENT

j' **écris**
tu écris
il/elle écrit
nous **écrivons**
vous écrivez
ils/elles écrivent

PASSÉ COMPOSÉ

j' **ai écrit**
tu as écrit
il/elle a écrit
nous avons écrit
vous avez écrit
ils/elles ont écrit

IMPARFAIT

j' **écrivais**
tu écrivais
il/elle écrivait
nous écrivions
vous écriviez
ils/elles écrivaient

PLUS-QUE-PARFAIT

j' **avais écrit**
tu avais écrit
il/elle avait écrit
nous avions écrit
vous aviez écrit
ils/elles avaient écrit

PASSÉ SIMPLE

j' **écrivis**
tu écrivis
il/elle écrivit
nous écrivîmes
vous écrivîtes
ils/elles écrivirent

PASSÉ ANTÉRIEUR

j' **eus écrit**
tu eus écrit
il/elle eut écrit
nous eûmes écrit
vous eûtes écrit
ils/elles eurent écrit

FUTUR SIMPLE

j' **écrirai**
tu écriras
il/elle écrira
nous écrirons
vous écrirez
ils/elles écriront

FUTUR ANTÉRIEUR

j' **aurai écrit**
tu auras écrit
il/elle aura écrit
nous aurons écrit
vous aurez écrit
ils/elles auront écrit

CONDITIONNEL

PRÉSENT

j' **écrirais**
tu écrirais
il/elle écrirait
nous écririons
vous écririez
ils/elles écriraient

PASSÉ

j' **aurais écrit**
tu aurais écrit
il/elle aurait écrit
nous aurions écrit
vous auriez écrit
ils/elles auraient écrit

circonscrire · décrire · inscrire · prescrire · proscrire · souscrire · transcrire...

SUBJONCTIF

PRÉSENT

que j' **écrive**
que tu écrives
qu'il/elle écrive
que nous écrivions
que vous écriviez
qu'ils/elles écrivent

PASSÉ

que j' **aie écrit**
que tu aies écrit
qu'il/elle ait écrit
que nous ayons écrit
que vous ayez écrit
qu'ils/elles aient écrit

IMPARFAIT

que j' **écrivisse**
que tu écrivisses
qu'il/elle écrivît
que nous écrivissions
que vous écrivissiez
qu'ils/elles écrivissent

PLUS-QUE-PARFAIT

que j' **eusse écrit**
que tu eusses écrit
qu'il/elle eût écrit
que nous eussions écrit
que vous eussiez écrit
qu'ils/elles eussent écrit

IMPÉRATIF

PRÉSENT

écris
écrivons
écrivez

PASSÉ

aie écrit
ayons écrit
ayez écrit

INFINITIF

PRÉSENT

écrire

PASSÉ

avoir écrit

PARTICIPE

PRÉSENT

écrivant

PASSÉ

ayant écrit
écrit(e, s, es)

Remarque

- Les dérivés d'*écrire*, ainsi que les verbes en **-scrire**, se conjuguent sur ce modèle.

81 suffire 3e groupe

INDICATIF

PRÉSENT

je **suffis**
tu suffis
il/elle suffit
nous **suffisons**
vous suffisez
ils/elles suffisent

PASSÉ COMPOSÉ

j' **ai suffi**
tu as suffi
il/elle a suffi
nous avons suffi
vous avez suffi
ils/elles ont suffi

IMPARFAIT

je **suffisais**
tu suffisais
il/elle suffisait
nous suffisions
vous suffisiez
ils/elles suffisaient

PLUS-QUE-PARFAIT

j' **avais suffi**
tu avais suffi
il/elle avait suffi
nous avions suffi
vous aviez suffi
ils/elles avaient suffi

PASSÉ SIMPLE

je **suffis**
tu suffis
il/elle suffit
nous suffîmes
vous suffîtes
ils/elles suffirent

PASSÉ ANTÉRIEUR

j' **eus suffi**
tu eus suffi
il/elle eut suffi
nous eûmes suffi
vous eûtes suffi
ils/elles eurent suffi

FUTUR SIMPLE

je **suffirai**
tu suffiras
il/elle suffira
nous suffirons
vous suffirez
ils/elles suffiront

FUTUR ANTÉRIEUR

j' **aurai suffi**
tu auras suffi
il/elle aura suffi
nous aurons suffi
vous aurez suffi
ils/elles auront suffi

CONDITIONNEL

PRÉSENT

je **suffirais**
tu suffirais
il/elle suffirait
nous suffirions
vous suffiriez
ils/elles suffiraient

PASSÉ

j' **aurais suffi**
tu aurais suffi
il/elle aurait suffi
nous aurions suffi
vous auriez suffi
ils/elles auraient suffi

SUBJONCTIF

PRÉSENT

que je **suffise**
que tu suffises
qu'il/elle suffise
que nous suffisions
que vous suffisiez
qu'ils/elles suffisent

PASSÉ

que j' **aie suffi**
que tu aies suffi
qu'il/elle ait suffi
que nous ayons suffi
que vous ayez suffi
qu'ils/elles aient suffi

IMPARFAIT

que je **suffisse**
que tu suffisses
qu'il/elle suffît
que nous suffissions
que vous suffissiez
qu'ils/elles suffissent

PLUS-QUE-PARFAIT

que j' **eusse suffi**
que tu eusses suffi
qu'il/elle eût suffi
que nous eussions suffi
que vous eussiez suffi
qu'ils/elles eussent suffi

IMPÉRATIF

PRÉSENT

suffis
suffisons
suffisez

PASSÉ

aie suffi
ayons suffi
ayez suffi

INFINITIF

PRÉSENT

suffire

PASSÉ

avoir suffi

PARTICIPE

PRÉSENT

suffisant

PASSÉ

ayant suffi
suffi

Remarque

Les constructions dans lesquelles le verbe *suffire* est utilisé expliquent que le participe passé *suffi* soit toujours invariable. Dans la construction pronominale *elle s'est suffi à elle-même*, par exemple, **s'** est un COI *(elle a suffi à elle-même)* et le participe passé ne s'accorde pas.

82 confire 3e groupe

INDICATIF

PRÉSENT

je **confis**
tu confis
il/elle confit
nous **confisons**
vous confisez
ils/elles confisent

PASSÉ COMPOSÉ

j' **ai confit**
tu as confit
il/elle a confit
nous avons confit
vous avez confit
ils/elles ont confit

IMPARFAIT

je **confisais**
tu confisais
il/elle confisait
nous confisions
vous confisiez
ils/elles confisaient

PLUS-QUE-PARFAIT

j' **avais confit**
tu avais confit
il/elle avait confit
nous avions confit
vous aviez confit
ils/elles avaient confit

PASSÉ SIMPLE

je **confis**
tu confis
il/elle confit
nous confîmes
vous confîtes
ils/elles confirent

PASSÉ ANTÉRIEUR

j' **eus confit**
tu eus confit
il/elle eut confit
nous eûmes confit
vous eûtes confit
ils/elles eurent confit

FUTUR SIMPLE

je **confirai**
tu confiras
il/elle confira
nous confirons
vous confirez
ils/elles confiront

FUTUR ANTÉRIEUR

j' **aurai confit**
tu auras confit
il/elle aura confit
nous aurons confit
vous aurez confit
ils/elles auront confit

CONDITIONNEL

PRÉSENT

je **confirais**
tu confirais
il/elle confirait
nous confirions
vous confiriez
ils/elles confiraient

PASSÉ

j' **aurais confit**
tu aurais confit
il/elle aurait confit
nous aurions confit
vous auriez confit
ils/elles auraient confit

SUBJONCTIF

PRÉSENT

que je **confise**
que tu confises
qu'il/elle confise
que nous confisions
que vous confisiez
qu'ils/elles confisent

PASSÉ

que j' **aie confit**
que tu aies confit
qu'il/elle ait confit
que nous ayons confit
que vous ayez confit
qu'ils/elles aient confit

IMPARFAIT

que je **confisse**
que tu confisses
qu'il/elle confît
que nous confissions
que vous confissiez
qu'ils/elles confissent

PLUS-QUE-PARFAIT

que j' **eusse confit**
que tu eusses confit
qu'il/elle eût confit
que nous eussions confit
que vous eussiez confit
qu'ils/elles eussent confit

IMPÉRATIF

PRÉSENT

confis
confisons
confisez

PASSÉ

aie confit
ayons confit
ayez confit

INFINITIF

PRÉSENT

confire

PASSÉ

avoir confit

PARTICIPE

PRÉSENT

confisant

PASSÉ

ayant confit
confit(e, s, es)

Remarques

- La conjugaison est identique à celle de *suffire* (→ tableau **81**), à l'exception du participe passé, qui compte un **t** et est variable : *déconfit(e)(s)*.
- *Frire*, défectif, existe surtout à l'infinitif et au participe passé *(pommes frites)*. On substitue *faire frire* à *frire* pour combler les lacunes de la conjugaison : *faites d'abord frire votre poulet*.
- Le participe passé du verbe *circoncire* est *circoncis(e)(s)*.

83 rendre 3e groupe

verbes en **-endre**, **-ondre**, **-erdre**, **-ordre**

INDICATIF

Présent

je **rends**
tu rends
il/elle rend
nous **rendons**
vous rendez
ils/elles rendent

Imparfait

je **rendais**
tu rendais
il/elle rendait
nous rendions
vous rendiez
ils/elles rendaient

Passé simple

je **rendis**
tu rendis
il/elle rendit
nous rendîmes
vous rendîtes
ils/elles rendirent

Futur simple

je **rendrai**
tu rendras
il/elle rendra
nous rendrons
vous rendrez
ils/elles rendront

Passé composé

j' **ai rendu**
tu as rendu
il/elle a rendu
nous avons rendu
vous avez rendu
ils/elles ont rendu

Plus-que-parfait

j' **avais rendu**
tu avais rendu
il/elle avait rendu
nous avions rendu
vous aviez rendu
ils/elles avaient rendu

Passé antérieur

j' **eus rendu**
tu eus rendu
il/elle eut rendu
nous eûmes rendu
vous eûtes rendu
ils/elles eurent rendu

Futur antérieur

j' **aurai rendu**
tu auras rendu
il/elle aura rendu
nous aurons rendu
vous aurez rendu
ils/elles auront rendu

CONDITIONNEL

Présent

je **rendrais**
tu rendrais
il/elle rendrait
nous rendrions
vous rendriez
ils/elles rendraient

Passé

j' **aurais rendu**
tu aurais rendu
il/elle aurait rendu
nous aurions rendu
vous auriez rendu
ils/elles auraient rendu

SUBJONCTIF

PRÉSENT

que je **rende**
que tu rendes
qu'il/elle rende
que nous rendions
que vous rendiez
qu'ils/elles rendent

IMPARFAIT

que je **rendisse**
que tu rendisses
qu'il/elle rendît
que nous rendissions
que vous rendissiez
qu'ils/elles rendissent

PASSÉ

que j' **aie rendu**
que tu aies rendu
qu'il/elle ait rendu
que nous ayons rendu
que vous ayez rendu
qu'ils/elles aient rendu

PLUS-QUE-PARFAIT

que j' **eusse rendu**
que tu eusses rendu
qu'il/elle eût rendu
que nous eussions rendu
que vous eussiez rendu
qu'ils/elles eussent rendu

IMPÉRATIF

PRÉSENT

rends
rendons
rendez

PASSÉ

aie rendu
ayons rendu
ayez rendu

INFINITIF

PRÉSENT

rendre

PASSÉ

avoir rendu

PARTICIPE

PRÉSENT

rendant

PASSÉ

ayant rendu
rendu(e, s, es)

Remarques

- Toutes les formes du verbe *rendre* conservent le **d** présent dans **-dre**.
- D'autres verbes en **-endre**, tel *prendre* (→ tableau **84**), et les verbes en **-oudre** (→ tableaux **89**, **90**), mais non en **-soudre** (→ tableau **91**), conservent le **d** au singulier de l'indicatif et de l'impératif présent, mais le perdent au pluriel et à d'autres temps.

84 prendre 3e groupe

INDICATIF

PRÉSENT

je **prends**
tu prends
il/elle prend
nous **prenons**
vous prenez
ils/elles prennent

PASSÉ COMPOSÉ

j' **ai pris**
tu as pris
il/elle a pris
nous avons pris
vous avez pris
ils/elles ont pris

IMPARFAIT

je **prenais**
tu prenais
il/elle prenait
nous prenions
vous preniez
ils/elles prenaient

PLUS-QUE-PARFAIT

j' **avais pris**
tu avais pris
il/elle avait pris
nous avions pris
vous aviez pris
ils/elles avaient pris

PASSÉ SIMPLE

je **pris**
tu pris
il/elle prit
nous prîmes
vous prîtes
ils/elles prirent

PASSÉ ANTÉRIEUR

j' **eus pris**
tu eus pris
il/elle eut pris
nous eûmes pris
vous eûtes pris
ils/elles eurent pris

FUTUR SIMPLE

je **prendrai**
tu prendras
il/elle prendra
nous prendrons
vous prendrez
ils/elles prendront

FUTUR ANTÉRIEUR

j' **aurai pris**
tu auras pris
il/elle aura pris
nous aurons pris
vous aurez pris
ils/elles auront pris

CONDITIONNEL

PRÉSENT

je **prendrais**
tu prendrais
il/elle prendrait
nous prendrions
vous prendriez
ils/elles prendraient

PASSÉ

j' **aurais pris**
tu aurais pris
il/elle aurait pris
nous aurions pris
vous auriez pris
ils/elles auraient pris

SUBJONCTIF

PRÉSENT

que je **prenne**
que tu prennes
qu'il/elle prenne
que nous **prenions**
que vous preniez
qu'ils/elles prennent

PASSÉ

que j' **aie pris**
que tu aies pris
qu'il/elle ait pris
que nous ayons pris
que vous ayez pris
qu'ils/elles aient pris

IMPARFAIT

que je **prisse**
que tu prisses
qu'il/elle prît
que nous prissions
que vous prissiez
qu'ils/elles prissent

PLUS-QUE-PARFAIT

que j' **eusse pris**
que tu eusses pris
qu'il/elle eût pris
que nous eussions pris
que vous eussiez pris
qu'ils/elles eussent pris

IMPÉRATIF

PRÉSENT

prends
prenons
prenez

PASSÉ

aie pris
ayons pris
ayez pris

INFINITIF

PRÉSENT

prendre

PASSÉ

avoir pris

PARTICIPE

PRÉSENT

prenant

PASSÉ

ayant pris
pris(e, es)

Remarque

La conjugaison de *prendre* se distingue de celle des verbes du type *rendre* :
– par la formation du passé simple et du subjonctif imparfait, qui fait disparaître le **d** présent dans **-dre** ;
– par les formes du pluriel de l'indicatif et de l'impératif présent et par celles de l'indicatif imparfait et du subjonctif présent, qui marquent peut-être l'influence de *tenir* et de *venir* → tableau **39** ;
– par le participe passé, en **-is** et non en **-u**.

85 répandre 3e groupe

INDICATIF

PRÉSENT

je **répands**
tu répands
il/elle répand
nous répandons
vous répandez
ils/elles répandent

PASSÉ COMPOSÉ

j' **ai répandu**
tu as répandu
il/elle a répandu
nous avons répandu
vous avez répandu
ils/elles ont répandu

IMPARFAIT

je **répandais**
tu répandais
il/elle répandait
nous répandions
vous répandiez
ils/elles répandaient

PLUS-QUE-PARFAIT

j' **avais répandu**
tu avais répandu
il/elle avait répandu
nous avions répandu
vous aviez répandu
ils/elles avaient répandu

PASSÉ SIMPLE

je **répandis**
tu répandis
il/elle répandit
nous répandîmes
vous répandîtes
ils/elles répandirent

PASSÉ ANTÉRIEUR

j' **eus répandu**
tu eus répandu
il/elle eut répandu
nous eûmes répandu
vous eûtes répandu
ils/elles eurent répandu

FUTUR SIMPLE

je **répandrai**
tu répandras
il/elle répandra
nous répandrons
vous répandrez
ils/elles répandront

FUTUR ANTÉRIEUR

j' **aurai répandu**
tu auras répandu
il/elle aura répandu
nous aurons répandu
vous aurez répandu
ils/elles auront répandu

CONDITIONNEL

PRÉSENT

je **répandrais**
tu répandrais
il/elle répandrait
nous répandrions
vous répandriez
ils/elles répandraient

PASSÉ

j' **aurais répandu**
tu aurais répandu
il/elle aurait répandu
nous aurions répandu
vous auriez répandu
ils/elles auraient répandu

SUBJONCTIF

PRÉSENT

que je **répande**
que tu répandes
qu'il/elle répande
que nous répandions
que vous répandiez
qu'ils/elles répandent

PASSÉ

que j' **aie répandu**
que tu aies répandu
qu'il/elle ait répandu
que nous ayons répandu
que vous ayez répandu
qu'ils/elles aient répandu

IMPARFAIT

que je **répandisse**
que tu répandisses
qu'il/elle répandît
que nous répandissions
que vous répandissiez
qu'ils/elles répandissent

PLUS-QUE-PARFAIT

que j' **eusse répandu**
que tu eusses répandu
qu'il/elle eût répandu
que nous eussions répandu
que vous eussiez répandu
qu'ils/elles eussent répandu

IMPÉRATIF

PRÉSENT

répands
répandons
répandez

PASSÉ

aie répandu
ayons répandu
ayez répandu

INFINITIF

PRÉSENT

répandre

PASSÉ

avoir répandu

PARTICIPE

PRÉSENT

répandant

PASSÉ

ayant répandu
répandu(e, s, es)

Remarques

- Les verbes *répandre* et *épandre* se conjuguent comme *rendre* → tableau **83**.
- Ils se distinguent à l'écrit de tous les verbes dont l'infinitif se termine par le son [ɑ̃drə] : ils sont les seuls à s'écrire **-andre**.

86 peindre

3e groupe verbes en **-eindre**

INDICATIF

PRÉSENT

je **peins**
tu peins
il/elle peint
nous **peignons**
vous peignez
ils/elles peignent

IMPARFAIT

je **peignais**
tu peignais
il/elle peignait
nous peignions
vous peigniez
ils/elles peignaient

PASSÉ SIMPLE

je **peignis**
tu peignis
il/elle peignit
nous peignîmes
vous peignîtes
ils/elles peignirent

FUTUR SIMPLE

je **peindrai**
tu peindras
il/elle peindra
nous peindrons
vous peindrez
ils/elles peindront

PASSÉ COMPOSÉ

j' **ai peint**
tu as peint
il/elle a peint
nous avons peint
vous avez peint
ils/elles ont peint

PLUS-QUE-PARFAIT

j' **avais peint**
tu avais peint
il/elle avait peint
nous avions peint
vous aviez peint
ils/elles avaient peint

PASSÉ ANTÉRIEUR

j' **eus peint**
tu eus peint
il/elle eut peint
nous eûmes peint
vous eûtes peint
ils/elles eurent peint

FUTUR ANTÉRIEUR

j' **aurai peint**
tu auras peint
il/elle aura peint
nous aurons peint
vous aurez peint
ils/elles auront peint

CONDITIONNEL

PRÉSENT

je **peindrais**
tu peindrais
il/elle peindrait
nous peindrions
vous peindriez
ils/elles peindraient

PASSÉ

j' **aurais peint**
tu aurais peint
il/elle aurait peint
nous aurions peint
vous auriez peint
ils/elles auraient peint

SUBJONCTIF

PRÉSENT

que je **peigne**
que tu peignes
qu'il/elle peigne
que nous peignions
que vous peigniez
qu'ils/elles peignent

PASSÉ

que j' **aie peint**
que tu aies peint
qu'il/elle ait peint
que nous ayons peint
que vous ayez peint
qu'ils/elles aient peint

IMPARFAIT

que je **peignisse**
que tu peignisses
qu'il/elle peignît
que nous peignissions
que vous peignissiez
qu'ils/elles peignissent

PLUS-QUE-PARFAIT

que j' **eusse peint**
que tu eusses peint
qu'il/elle eût peint
que nous eussions peint
que vous eussiez peint
qu'ils/elles eussent peint

IMPÉRATIF

PRÉSENT

peins
peignons
peignez

PASSÉ

aie peint
ayons peint
ayez peint

INFINITIF

PRÉSENT

peindre

PASSÉ

avoir peint

PARTICIPE

PRÉSENT

peignant

PASSÉ

ayant peint
peint(e, s, es)

Remarque

À la différence des verbes qui se conjuguent comme *rendre* ou comme *prendre* (→ tableaux **83**, **84**), les verbes de ce type ne gardent le **d** qu'à l'infinitif, au futur simple et au conditionnel présent. Il n'y a donc aucun **d** à l'indicatif présent : *je peins*.

87 craindre 3e groupe verbes en -aindre

INDICATIF

PRÉSENT

je crains
tu crains
il/elle craint
nous craignons
vous craignez
ils/elles craignent

PASSÉ COMPOSÉ

j' ai craint
tu as craint
il/elle a craint
nous avons craint
vous avez craint
ils/elles ont craint

IMPARFAIT

je craignais
tu craignais
il/elle craignait
nous craignions
vous craigniez
ils/elles craignaient

PLUS-QUE-PARFAIT

j' avais craint
tu avais craint
il/elle avait craint
nous avions craint
vous aviez craint
ils/elles avaient craint

PASSÉ SIMPLE

je craignis
tu craignis
il/elle craignit
nous craignîmes
vous craignîtes
ils/elles craignirent

PASSÉ ANTÉRIEUR

j' eus craint
tu eus craint
il/elle eut craint
nous eûmes craint
vous eûtes craint
ils/elles eurent craint

FUTUR SIMPLE

je craindrai
tu craindras
il/elle craindra
nous craindrons
vous craindrez
ils/elles craindront

FUTUR ANTÉRIEUR

j' aurai craint
tu auras craint
il/elle aura craint
nous aurons craint
vous aurez craint
ils/elles auront craint

CONDITIONNEL

PRÉSENT

je craindrais
tu craindrais
il/elle craindrait
nous craindrions
vous craindriez
ils/elles craindraient

PASSÉ

j' aurais craint
tu aurais craint
il/elle aurait craint
nous aurions craint
vous auriez craint
ils/elles auraient craint

SUBJONCTIF

PRÉSENT

que je craigne
que tu craignes
qu'il/elle craigne
que nous craignions
que vous craigniez
qu'ils/elles craignent

PASSÉ

que j' aie craint
que tu aies craint
qu'il/elle ait craint
que nous ayons craint
que vous ayez craint
qu'ils/elles aient craint

IMPARFAIT

que je craignisse
que tu craignisses
qu'il/elle craignît
que nous craignissions
que vous craignissiez
qu'ils/elles craignissent

PLUS-QUE-PARFAIT

que j' eusse craint
que tu eusses craint
qu'il/elle eût craint
que nous eussions craint
que vous eussiez craint
qu'ils/elles eussent craint

IMPÉRATIF

PRÉSENT

crains
craignons
craignez

PASSÉ

aie craint
ayons craint
ayez craint

INFINITIF

PRÉSENT

craindre

PASSÉ

avoir craint

PARTICIPE

PRÉSENT

craignant

PASSÉ

ayant craint
craint(e, s, es)

Remarques

- Les verbes en **-aindre** se conjuguent comme le verbe *peindre* → tableau **86**. Ils se distinguent à l'écrit par les lettres **ain**.
- À la différence des verbes qui se conjuguent comme *rendre* ou *prendre* (→ tableaux **83**, **84**), les verbes de ce type ne gardent le **d** qu'à l'infinitif, au futur simple et au conditionnel présent. Il n'y a donc aucun **d** à l'indicatif présent : *je crains*.

88 joindre

3e groupe — verbes en **-oindre**

INDICATIF

PRÉSENT	PASSÉ COMPOSÉ
je **joins**	j' **ai joint**
tu joins	tu as joint
il/elle joint	il/elle a joint
nous **joignons**	nous avons joint
vous joignez	vous avez joint
ils/elles joignent	ils/elles ont joint

IMPARFAIT	PLUS-QUE-PARFAIT
je **joignais**	j' **avais joint**
tu joignais	tu avais joint
il/elle joignait	il/elle avait joint
nous joignions	nous avions joint
vous joigniez	vous aviez joint
ils/elles joignaient	ils/elles avaient joint

PASSÉ SIMPLE	PASSÉ ANTÉRIEUR
je **joignis**	j' **eus joint**
tu joignis	tu eus joint
il/elle joignit	il/elle eut joint
nous joignîmes	nous eûmes joint
vous joignîtes	vous eûtes joint
ils/elles joignirent	ils/elles eurent joint

FUTUR SIMPLE	FUTUR ANTÉRIEUR
je **joindrai**	j' **aurai joint**
tu joindras	tu auras joint
il/elle joindra	il/elle aura joint
nous joindrons	nous aurons joint
vous joindrez	vous aurez joint
ils/elles joindront	ils/elles auront joint

CONDITIONNEL

PRÉSENT	PASSÉ
je **joindrais**	j' **aurais joint**
tu joindrais	tu aurais joint
il/elle joindrait	il/elle aurait joint
nous joindrions	nous aurions joint
vous joindriez	vous auriez joint
ils/elles joindraient	ils/elles auraient joint

adjoindre · conjoindre · disjoindre · enjoindre · oindre · poindre · rejoindre

SUBJONCTIF

PRÉSENT

que je **joigne**
que tu joignes
qu'il/elle joigne
que nous joignions
que vous joigniez
qu'ils/elles joignent

PASSÉ

que j' **aie joint**
que tu aies joint
qu'il/elle ait joint
que nous ayons joint
que vous ayez joint
qu'ils/elles aient joint

IMPARFAIT

que je **joignisse**
que tu joignisses
qu'il/elle joignît
que nous joignissions
que vous joignissiez
qu'ils/elles joignissent

PLUS-QUE-PARFAIT

que j' **eusse joint**
que tu eusses joint
qu'il/elle eût joint
que nous eussions joint
que vous eussiez joint
qu'ils/elles eussent joint

IMPÉRATIF

PRÉSENT

joins
joignons
joignez

PASSÉ

aie joint
ayons joint
ayez joint

INFINITIF

PRÉSENT

joindre

PASSÉ

avoir joint

PARTICIPE

PRÉSENT

joignant

PASSÉ

ayant joint
joint(e, s, es)

Remarques

- Les verbes en **-oindre** se conjuguent comme le verbe *peindre* → tableau **86**.
- À la différence des verbes qui se conjuguent comme *rendre* ou comme *prendre* (→ tableaux **83**, **84**), les verbes de ce type ne gardent le **d** qu'à l'infinitif, au futur simple et au conditionnel présent. Il n'y a donc aucun **d** à l'indicatif présent : *je joins*.
- Le verbe *oindre*, d'emploi rare, est surtout utilisé à l'infinitif et au participe passé.

89 coudre 3e groupe

INDICATIF

PRÉSENT

je **couds**
tu couds
il/elle coud
nous **cousons**
vous cousez
ils/elles cousent

PASSÉ COMPOSÉ

j' **ai cousu**
tu as cousu
il/elle a cousu
nous avons cousu
vous avez cousu
ils/elles ont cousu

IMPARFAIT

je **cousais**
tu cousais
il/elle cousait
nous cousions
vous cousiez
ils/elles cousaient

PLUS-QUE-PARFAIT

j' **avais cousu**
tu avais cousu
il/elle avait cousu
nous avions cousu
vous aviez cousu
ils/elles avaient cousu

PASSÉ SIMPLE

je **cousis**
tu cousis
il/elle cousit
nous cousîmes
vous cousîtes
ils/elles cousirent

PASSÉ ANTÉRIEUR

j' **eus cousu**
tu eus cousu
il/elle eut cousu
nous eûmes cousu
vous eûtes cousu
ils/elles eurent cousu

FUTUR SIMPLE

je **coudrai**
tu coudras
il/elle coudra
nous coudrons
vous coudrez
ils/elles coudront

FUTUR ANTÉRIEUR

j' **aurai cousu**
tu auras cousu
il/elle aura cousu
nous aurons cousu
vous aurez cousu
ils/elles auront cousu

CONDITIONNEL

PRÉSENT

je **coudrais**
tu coudrais
il/elle coudrait
nous coudrions
vous coudriez
ils/elles coudraient

PASSÉ

j' **aurais cousu**
tu aurais cousu
il/elle aurait cousu
nous aurions cousu
vous auriez cousu
ils/elles auraient cousu

SUBJONCTIF

PRÉSENT

que je **couse**
que tu couses
qu'il/elle couse
que nous cousions
que vous cousiez
qu'ils/elles cousent

PASSÉ

que j' **aie cousu**
que tu aies cousu
qu'il/elle ait cousu
que nous ayons cousu
que vous ayez cousu
qu'ils/elles aient cousu

IMPARFAIT

que je **cousisse**
que tu cousisses
qu'il/elle cousît
que nous cousissions
que vous cousissiez
qu'ils/elles cousissent

PLUS-QUE-PARFAIT

que j' **eusse cousu**
que tu eusses cousu
qu'il/elle eût cousu
que nous eussions cousu
que vous eussiez cousu
qu'ils/elles eussent cousu

IMPÉRATIF

PRÉSENT

couds
cousons
cousez

PASSÉ

aie cousu
ayons cousu
ayez cousu

INFINITIF

PRÉSENT

coudre

PASSÉ

avoir cousu

PARTICIPE

PRÉSENT

cousant

PASSÉ

ayant cousu
cousu(e, s, es)

Remarque

• Noter le **d** présent, bien que non prononcé, au singulier de l'indicatif présent et de l'impératif présent : *je couds*, *couds* → tableaux **83**, **84**.

90 moudre 3e groupe

INDICATIF

PRÉSENT

je **mouds**
tu mou**ds**
il/elle mou**d**
nous **moulons**
vous moulez
ils/elles moulent

PASSÉ COMPOSÉ

j' **ai moulu**
tu as moulu
il/elle a moulu
nous avons moulu
vous avez moulu
ils/elles ont moulu

IMPARFAIT

je **moulais**
tu moulais
il/elle moulait
nous moulions
vous mouliez
ils/elles moulaient

PLUS-QUE-PARFAIT

j' **avais moulu**
tu avais moulu
il/elle avait moulu
nous avions moulu
vous aviez moulu
ils/elles avaient moulu

PASSÉ SIMPLE

je **moulus**
tu moulus
il/elle moulut
nous moulûmes
vous moulûtes
ils/elles moulurent

PASSÉ ANTÉRIEUR

j' **eus moulu**
tu eus moulu
il/elle eut moulu
nous eûmes moulu
vous eûtes moulu
ils/elles eurent moulu

FUTUR SIMPLE

je **moudrai**
tu moudras
il/elle moudra
nous moudrons
vous moudrez
ils/elles moudront

FUTUR ANTÉRIEUR

j' **aurai moulu**
tu auras moulu
il/elle aura moulu
nous aurons moulu
vous aurez moulu
ils/elles auront moulu

CONDITIONNEL

PRÉSENT

je **moudrais**
tu moudrais
il/elle moudrait
nous moudrions
vous moudriez
ils/elles moudraient

PASSÉ

j' **aurais moulu**
tu aurais moulu
il/elle aurait moulu
nous aurions moulu
vous auriez moulu
ils/elles auraient moulu

SUBJONCTIF

PRÉSENT

que je **moule**
que tu moules
qu'il/elle moule
que nous moulions
que vous mouliez
qu'ils/elles moulent

PASSÉ

que j' **aie moulu**
que tu aies moulu
qu'il/elle ait moulu
que nous ayons moulu
que vous ayez moulu
qu'ils/elles aient moulu

IMPARFAIT

que je **moulusse**
que tu moulusses
qu'il/elle moulût
que nous moulussions
que vous moulussiez
qu'ils/elles moulussent

PLUS-QUE-PARFAIT

que j' **eusse moulu**
que tu eusses moulu
qu'il/elle eût moulu
que nous eussions moulu
que vous eussiez moulu
qu'ils/elles eussent moulu

IMPÉRATIF

PRÉSENT

mouds
moulons
moulez

PASSÉ

aie moulu
ayons moulu
ayez moulu

INFINITIF

PRÉSENT

moudre

PASSÉ

avoir moulu

PARTICIPE

PRÉSENT

moulant

PASSÉ

ayant moulu
moulu(e, s, es)

Remarques

- Noter le **d** présent, bien que non prononcé, au singulier de l'indicatif présent et de l'impératif présent : *je mouds* ; *mouds du poivre !* → tableaux **83**, **84**.
- Beaucoup de formes sont rares : le pluriel de l'indicatif et de l'impératif présent, l'imparfait et le passé simple de l'indicatif, les subjonctifs présent et imparfait… On a recours, quand c'est possible, à une périphrase : *je moulais* → *j'étais en train de moudre*.

91 résoudre

3e groupe — verbes en **-soudre**

INDICATIF

PRÉSENT

je **résous**
tu résous
il/elle résout
nous **résolvons**
vous résolvez
ils/elles résolvent

PASSÉ COMPOSÉ

j' **ai résolu**
tu as résolu
il/elle a résolu
nous avons résolu
vous avez résolu
ils/elles ont résolu

IMPARFAIT

je **résolvais**
tu résolvais
il/elle résolvait
nous résolvions
vous résolviez
ils/elles résolvaient

PLUS-QUE-PARFAIT

j' **avais résolu**
tu avais résolu
il/elle avait résolu
nous avions résolu
vous aviez résolu
ils/elles avaient résolu

PASSÉ SIMPLE

je **résolus**
tu résolus
il/elle résolut
nous résolûmes
vous résolûtes
ils/elles résolurent

PASSÉ ANTÉRIEUR

j' **eus résolu**
tu eus résolu
il/elle eut résolu
nous eûmes résolu
vous eûtes résolu
ils/elles eurent résolu

FUTUR SIMPLE

je **résoudrai**
tu résoudras
il/elle résoudra
nous résoudrons
vous résoudrez
ils/elles résoudront

FUTUR ANTÉRIEUR

j' **aurai résolu**
tu auras résolu
il/elle aura résolu
nous aurons résolu
vous aurez résolu
ils/elles auront résolu

CONDITIONNEL

PRÉSENT

je **résoudrais**
tu résoudrais
il/elle résoudrait
nous résoudrions
vous résoudriez
ils/elles résoudraient

PASSÉ

j' **aurais résolu**
tu aurais résolu
il/elle aurait résolu
nous aurions résolu
vous auriez résolu
ils/elles auraient résolu

SUBJONCTIF

PRÉSENT

que je **résolve**
que tu résolves
qu'il/elle résolve
que nous résolvions
que vous résolviez
qu'ils/elles résolvent

PASSÉ

que j' **aie résolu**
que tu aies résolu
qu'il/elle ait résolu
que nous ayons résolu
que vous ayez résolu
qu'ils/elles aient résolu

IMPARFAIT

que je **résolusse**
que tu résolusses
qu'il/elle résolût
que nous résolussions
que vous résolussiez
qu'ils/elles résolussent

PLUS-QUE-PARFAIT

que j' **eusse résolu**
que tu eusses résolu
qu'il/elle eût résolu
que nous eussions résolu
que vous eussiez résolu
qu'ils/elles eussent résolu

IMPÉRATIF

PRÉSENT

résous
résolvons
résolvez

PASSÉ

aie résolu
ayons résolu
ayez résolu

INFINITIF

PRÉSENT

résoudre

PASSÉ

avoir résolu

PARTICIPE

PRÉSENT

résolvant

PASSÉ

ayant résolu
résolu(e, s, es)

Remarques

- À la différence des verbes en **-oudre**, les verbes en **-soudre** ne comportent aucun **d** à l'indicatif présent ni à l'impératif présent : *je résous*, *résous ce problème !*
- Les participes passés de *absoudre* et de *(re)dissoudre* sont : *absous*, *(re)dissous*, mais *absoute(s)*, *(re)dissoute(s)*.

N. ORTH. La réforme de 1990 autorise à écrire *absout* et *(re)dissout*, sur le modèle de *absoute*, *(re)dissoute*.

92 rompre 3e groupe

INDICATIF

PRÉSENT		PASSÉ COMPOSÉ	
je	**romps**	j'	**ai rompu**
tu	romps	tu	as rompu
il/elle	rompt	il/elle	a rompu
nous	rompons	nous	avons rompu
vous	rompez	vous	avez rompu
ils/elles	rompent	ils/elles	ont rompu

IMPARFAIT		PLUS-QUE-PARFAIT	
je	**rompais**	j'	**avais rompu**
tu	rompais	tu	avais rompu
il/elle	rompait	il/elle	avait rompu
nous	rompions	nous	avions rompu
vous	rompiez	vous	aviez rompu
ils/elles	rompaient	ils/elles	avaient rompu

PASSÉ SIMPLE		PASSÉ ANTÉRIEUR	
je	**rompis**	j'	**eus rompu**
tu	rompis	tu	eus rompu
il/elle	rompit	il/elle	eut rompu
nous	rompîmes	nous	eûmes rompu
vous	rompîtes	vous	eûtes rompu
ils/elles	rompirent	ils/elles	eurent rompu

FUTUR SIMPLE		FUTUR ANTÉRIEUR	
je	**romprai**	j'	**aurai rompu**
tu	rompras	tu	auras rompu
il/elle	rompra	il/elle	aura rompu
nous	romprons	nous	aurons rompu
vous	romprez	vous	aurez rompu
ils/elles	rompront	ils/elles	auront rompu

CONDITIONNEL

PRÉSENT		PASSÉ	
je	**romprais**	j'	**aurais rompu**
tu	romprais	tu	aurais rompu
il/elle	romprait	il/elle	aurait rompu
nous	romprions	nous	aurions rompu
vous	rompriez	vous	auriez rompu
ils/elles	rompraient	ils/elles	auraient rompu

SUBJONCTIF

PRÉSENT

que je **rompe**
que tu rompes
qu'il/elle rompe
que nous rompions
que vous rompiez
qu'ils/elles rompent

PASSÉ

que j' **aie rompu**
que tu aies rompu
qu'il/elle ait rompu
que nous ayons rompu
que vous ayez rompu
qu'ils/elles aient rompu

IMPARFAIT

que je **rompisse**
que tu rompisses
qu'il/elle rompît
que nous rompissions
que vous rompissiez
qu'ils/elles rompissent

PLUS-QUE-PARFAIT

que j' **eusse rompu**
que tu eusses rompu
qu'il/elle eût rompu
que nous eussions rompu
que vous eussiez rompu
qu'ils/elles eussent rompu

IMPÉRATIF

PRÉSENT

romps
rompons
rompez

PASSÉ

aie rompu
ayons rompu
ayez rompu

INFINITIF

PRÉSENT

rompre

PASSÉ

avoir rompu

PARTICIPE

PRÉSENT

rompant

PASSÉ

ayant rompu
rompu(e, s, es)

Remarque

- À l'instar des verbes en **-dre** qui se conjuguent sur le modèle de *rendre* (→ tableau **83**), toutes les formes de *rompre*, *corrompre* et *interrompre* conservent le **p** du radical, que ce **p** soit prononcé ou non.

93 battre 3e groupe

INDICATIF

PRÉSENT

je **bats**
tu bats
il/elle bat
nous **battons**
vous battez
ils/elles battent

PASSÉ COMPOSÉ

j' **ai battu**
tu as battu
il/elle a battu
nous avons battu
vous avez battu
ils/elles ont battu

IMPARFAIT

je **battais**
tu battais
il/elle battait
nous battions
vous battiez
ils/elles battaient

PLUS-QUE-PARFAIT

j' **avais battu**
tu avais battu
il/elle avait battu
nous avions battu
vous aviez battu
ils/elles avaient battu

PASSÉ SIMPLE

je **battis**
tu battis
il/elle battit
nous battîmes
vous battîtes
ils/elles battirent

PASSÉ ANTÉRIEUR

j' **eus battu**
tu eus battu
il/elle eut battu
nous eûmes battu
vous eûtes battu
ils/elles eurent battu

FUTUR SIMPLE

je **battrai**
tu battras
il/elle battra
nous battrons
vous battrez
ils/elles battront

FUTUR ANTÉRIEUR

j' **aurai battu**
tu auras battu
il/elle aura battu
nous aurons battu
vous aurez battu
ils/elles auront battu

CONDITIONNEL

PRÉSENT

je **battrais**
tu battrais
il/elle battrait
nous battrions
vous battriez
ils/elles battraient

PASSÉ

j' **aurais battu**
tu aurais battu
il/elle aurait battu
nous aurions battu
vous auriez battu
ils/elles auraient battu

SUBJONCTIF

PRÉSENT

que je **batte**
que tu battes
qu'il/elle batte
que nous battions
que vous battiez
qu'ils/elles battent

PASSÉ

que j' **aie battu**
que tu aies battu
qu'il/elle ait battu
que nous ayons battu
que vous ayez battu
qu'ils/elles aient battu

IMPARFAIT

que je **battisse**
que tu battisses
qu'il/elle battît
que nous battissions
que vous battissiez
qu'ils/elles battissent

PLUS-QUE-PARFAIT

que j' **eusse battu**
que tu eusses battu
qu'il/elle eût battu
que nous eussions battu
que vous eussiez battu
qu'ils/elles eussent battu

IMPÉRATIF

PRÉSENT

bats
battons
battez

PASSÉ

aie battu
ayons battu
ayez battu

INFINITIF

PRÉSENT

battre

PASSÉ

avoir battu

PARTICIPE

PRÉSENT

battant

PASSÉ

ayant battu
battu(e, s, es)

Remarques

- Les verbes dérivés de *battre* se conjuguent sur ce modèle. Les formes qui ne font pas entendre le son [t] s'écrivent avec un **t** muet *(je bats)*, celles qui font entendre ce son [t] s'écrivent avec les deux **t** du radical *(nous battons)*.
- Les verbes vulgaires *foutre* et *se contrefoutre* se conjuguent comme *battre*, mais on écrit *je fous*, *tu te contrefous* sans **t** ; *nous foutons*, *vous vous contrefoutiez* avec un **t**.

94 mettre 3e groupe

INDICATIF

PRÉSENT

je **mets**
tu mets
il/elle met
nous **mettons**
vous mettez
ils/elles mettent

PASSÉ COMPOSÉ

j' **ai mis**
tu as mis
il/elle a mis
nous avons mis
vous avez mis
ils/elles ont mis

IMPARFAIT

je **mettais**
tu mettais
il/elle mettait
nous mettions
vous mettiez
ils/elles mettaient

PLUS-QUE-PARFAIT

j' **avais mis**
tu avais mis
il/elle avait mis
nous avions mis
vous aviez mis
ils/elles avaient mis

PASSÉ SIMPLE

je **mis**
tu mis
il/elle mit
nous mîmes
vous mîtes
ils/elles mirent

PASSÉ ANTÉRIEUR

j' **eus mis**
tu eus mis
il/elle eut mis
nous eûmes mis
vous eûtes mis
ils/elles eurent mis

FUTUR SIMPLE

je **mettrai**
tu mettras
il/elle mettra
nous mettrons
vous mettrez
ils/elles mettront

FUTUR ANTÉRIEUR

j' **aurai mis**
tu auras mis
il/elle aura mis
nous aurons mis
vous aurez mis
ils/elles auront mis

CONDITIONNEL

PRÉSENT

je **mettrais**
tu mettrais
il/elle mettrait
nous mettrions
vous mettriez
ils/elles mettraient

PASSÉ

j' **aurais mis**
tu aurais mis
il/elle aurait mis
nous aurions mis
vous auriez mis
ils/elles auraient mis

SUBJONCTIF

PRÉSENT

que je **mette**
que tu mettes
qu'il/elle mette
que nous mettions
que vous mettiez
qu'ils/elles mettent

PASSÉ

que j' **aie mis**
que tu aies mis
qu'il/elle ait mis
que nous ayons mis
que vous ayez mis
qu'ils/elles aient mis

IMPARFAIT

que je **misse**
que tu misses
qu'il/elle mît
que nous missions
que vous missiez
qu'ils/elles missent

PLUS-QUE-PARFAIT

que j' **eusse mis**
que tu eusses mis
qu'il/elle eût mis
que nous eussions mis
que vous eussiez mis
qu'ils/elles eussent mis

IMPÉRATIF

PRÉSENT

mets
mettons
mettez

PASSÉ

aie mis
ayons mis
ayez mis

INFINITIF

PRÉSENT

mettre

PASSÉ

avoir mis

PARTICIPE

PRÉSENT

mettant

PASSÉ

ayant mis
mis(e, es)

Remarques

- Les formes prononcées [mɛ] (sans le son [t]) s'écrivent avec un **t** *(je mets)* ; celles qui sont prononcées [mɛt] (avec le son [t]) s'écrivent avec les deux **t** du radical *(nous mettons)*.
- Les verbes qui se conjuguent sur ce modèle se différencient de *battre* (→ tableau **93**) par leur passé simple et leur subjonctif imparfait *(je mis, que je misse)* et par leur participe passé en **-is**.

95 vaincre 3e groupe

INDICATIF

PRÉSENT

je vaincs
tu vaincs
il/elle vainc
nous vainquons
vous vainquez
ils/elles vainquent

IMPARFAIT

je vainquais
tu vainquais
il/elle vainquait
nous vainquions
vous vainquiez
ils/elles vainquaient

PASSÉ SIMPLE

je vainquis
tu vainquis
il/elle vainquit
nous vainquîmes
vous vainquîtes
ils/elles vainquirent

FUTUR SIMPLE

je vaincrai
tu vaincras
il/elle vaincra
nous vaincrons
vous vaincrez
ils/elles vaincront

PASSÉ COMPOSÉ

j' ai vaincu
tu as vaincu
il/elle a vaincu
nous avons vaincu
vous avez vaincu
ils/elles ont vaincu

PLUS-QUE-PARFAIT

j' avais vaincu
tu avais vaincu
il/elle avait vaincu
nous avions vaincu
vous aviez vaincu
ils/elles avaient vaincu

PASSÉ ANTÉRIEUR

j' eus vaincu
tu eus vaincu
il/elle eut vaincu
nous eûmes vaincu
vous eûtes vaincu
ils/elles eurent vaincu

FUTUR ANTÉRIEUR

j' aurai vaincu
tu auras vaincu
il/elle aura vaincu
nous aurons vaincu
vous aurez vaincu
ils/elles auront vaincu

CONDITIONNEL

PRÉSENT

je vaincrais
tu vaincrais
il/elle vaincrait
nous vaincrions
vous vaincriez
ils/elles vaincraient

PASSÉ

j' aurais vaincu
tu aurais vaincu
il/elle aurait vaincu
nous aurions vaincu
vous auriez vaincu
ils/elles auraient vaincu

SUBJONCTIF

PRÉSENT

que je vainque
que tu vainques
qu'il/elle vainque
que nous vainquions
que vous vainquiez
qu'ils/elles vainquent

PASSÉ

que j' aie vaincu
que tu aies vaincu
qu'il/elle ait vaincu
que nous ayons vaincu
que vous ayez vaincu
qu'ils/elles aient vaincu

IMPARFAIT

que je vainquisse
que tu vainquisses
qu'il/elle vainquît
que nous vainquissions
que vous vainquissiez
qu'ils/elles vainquissent

PLUS-QUE-PARFAIT

que j' eusse vaincu
que tu eusses vaincu
qu'il/elle eût vaincu
que nous eussions vaincu
que vous eussiez vaincu
qu'ils/elles eussent vaincu

IMPÉRATIF

PRÉSENT

vaincs
vainquons
vainquez

PASSÉ

aie vaincu
ayons vaincu
ayez vaincu

INFINITIF

PRÉSENT

vaincre

PASSÉ

avoir vaincu

PARTICIPE

PRÉSENT

vainquant

PASSÉ

ayant vaincu
vaincu(e, s, es)

Remarques

- Noter le **c** présent, bien que non prononcé, au singulier de l'indicatif présent et de l'impératif présent : *je vaincs*, *tu vaincs*, *il vainc* (sans **t**) ; *vaincs !*
- La forme longue du radical, avec le son [k] prononcé, s'écrit *vainqu- (nous vainquons, je vainquis)*, sauf devant **r** (infinitif *vaincre*, futur simple *je vaincrai*, conditionnel présent *je vaincrais*) et au participe passé *(vaincu)*.

96 connaître

3e groupe — verbes en **-aître**

INDICATIF

PRÉSENT

je **connais**
tu connais
il/elle connaît
nous **connaissons**
vous connaissez
ils/elles connaissent

PASSÉ COMPOSÉ

j' **ai connu**
tu as connu
il/elle a connu
nous avons connu
vous avez connu
ils/elles ont connu

IMPARFAIT

je **connaissais**
tu connaissais
il/elle connaissait
nous connaissions
vous connaissiez
ils/elles connaissaient

PLUS-QUE-PARFAIT

j' **avais connu**
tu avais connu
il/elle avait connu
nous avions connu
vous aviez connu
ils/elles avaient connu

PASSÉ SIMPLE

je **connus**
tu connus
il/elle connut
nous connûmes
vous connûtes
ils/elles connurent

PASSÉ ANTÉRIEUR

j' **eus connu**
tu eus connu
il/elle eut connu
nous eûmes connu
vous eûtes connu
ils/elles eurent connu

FUTUR SIMPLE

je **connaîtrai**
tu connaîtras
il/elle connaîtra
nous connaîtrons
vous connaîtrez
ils/elles connaîtront

FUTUR ANTÉRIEUR

j' **aurai connu**
tu auras connu
il/elle aura connu
nous aurons connu
vous aurez connu
ils/elles auront connu

CONDITIONNEL

PRÉSENT

je **connaîtrais**
tu connaîtrais
il/elle connaîtrait
nous connaîtrions
vous connaîtriez
ils/elles connaîtraient

PASSÉ

j' **aurais connu**
tu aurais connu
il/elle aurait connu
nous aurions connu
vous auriez connu
ils/elles auraient connu

SUBJONCTIF

PRÉSENT

que je **connaisse**
que tu connaisses
qu'il/elle connaisse
que nous connaissions
que vous connaissiez
qu'ils/elles connaissent

PASSÉ

que j' **aie connu**
que tu aies connu
qu'il/elle ait connu
que nous ayons connu
que vous ayez connu
qu'ils/elles aient connu

IMPARFAIT

que je **connusse**
que tu connusses
qu'il/elle connût
que nous connussions
que vous connussiez
qu'ils/elles connussent

PLUS-QUE-PARFAIT

que j' **eusse connu**
que tu eusses connu
qu'il/elle eût connu
que nous eussions connu
que vous eussiez connu
qu'ils/elles eussent connu

IMPÉRATIF

PRÉSENT

connais
connaissons
connaissez

PASSÉ

aie connu
ayons connu
ayez connu

INFINITIF

PRÉSENT

connaître

PASSÉ

avoir connu

PARTICIPE

PRÉSENT

connaissant

PASSÉ

ayant connu
connu(e, s, es)

Remarque

La voyelle **i** du radical reçoit un accent circonflexe quand elle est suivie d'un **t** : infinitif *(connaître)*, 3e personne du singulier de l'indicatif présent *(il connaît)*, futur simple et conditionnel présent à toutes les personnes *(je connaîtrai, nous connaîtrions)*.

N. ORTH. La réforme de 1990 autorise la suppression de l'accent circonflexe sur **i** devant **t** : *connaitre*, *il connait*, *il connaitra(it)*.

97 naître 3e groupe

INDICATIF

PRÉSENT

je **nais**
tu nais
il/elle naît
nous **naissons**
vous naissez
ils/elles naissent

PASSÉ COMPOSÉ

je **suis né(e)**
tu es né(e)
il/elle est né(e)
nous sommes né(e)s
vous êtes né(e)s
ils/elles sont né(e)s

IMPARFAIT

je **naissais**
tu naissais
il/elle naissait
nous naissions
vous naissiez
ils/elles naissaient

PLUS-QUE-PARFAIT

j' **étais né(e)**
tu étais né(e)
il/elle était né(e)
nous étions né(e)s
vous étiez né(e)s
ils/elles étaient né(e)s

PASSÉ SIMPLE

je **naquis**
tu naquis
il/elle naquit
nous naquîmes
vous naquîtes
ils/elles naquirent

PASSÉ ANTÉRIEUR

je **fus né(e)**
tu fus né(e)
il/elle fut né(e)
nous fûmes né(e)s
vous fûtes né(e)s
ils/elles furent né(e)s

FUTUR SIMPLE

je **naîtrai**
tu naîtras
il/elle naîtra
nous naîtrons
vous naîtrez
ils/elles naîtront

FUTUR ANTÉRIEUR

je **serai né(e)**
tu seras né(e)
il/elle sera né(e)
nous serons né(e)s
vous serez né(e)s
ils/elles seront né(e)s

CONDITIONNEL

PRÉSENT

je **naîtrais**
tu naîtrais
il/elle naîtrait
nous naîtrions
vous naîtriez
ils/elles naîtraient

PASSÉ

je **serais né(e)**
tu serais né(e)
il/elle serait né(e)
nous serions né(e)s
vous seriez né(e)s
ils/elles seraient né(e)s

SUBJONCTIF

PRÉSENT

que je **naisse**
que tu naisses
qu'il/elle naisse
que nous naissions
que vous naissiez
qu'ils/elles naissent

PASSÉ

que je **sois né(e)**
que tu sois né(e)
qu'il/elle soit né(e)
que nous soyons né(e)s
que vous soyez né(e)s
qu'ils/elles soient né(e)s

IMPARFAIT

que je **naquisse**
que tu naquisses
qu'il/elle naquît
que nous naquissions
que vous naquissiez
qu'ils/elles naquissent

PLUS-QUE-PARFAIT

que je **fusse né(e)**
que tu fusses né(e)
qu'il/elle fût né(e)
que nous fussions né(e)s
que vous fussiez né(e)s
qu'ils/elles fussent né(e)s

IMPÉRATIF

PRÉSENT

nais
naissons
naissez

PASSÉ

sois né(e)
soyons né(e)s
soyez né(e)s

INFINITIF

PRÉSENT

naître

PASSÉ

être né

PARTICIPE

PRÉSENT

naissant

PASSÉ

étant né
né(e, s, es)

Remarques

- Le verbe *naître* se distingue des verbes du type *connaître* par son passé simple et son subjonctif imparfait en **-aqui**.
- La voyelle **i** du radical reçoit un accent circonflexe quand elle est suivie d'un **t** : *naître*, *il naît*, *tu naîtras*, *ils naîtraient*.

N. ORTH. La réforme de 1990 autorise la suppression de l'accent circonflexe sur **i** devant **t** : *naitre*, *il nait*, *il naitra(it)*. Mais *vous naquîtes* garde l'accent.

98 repaître 3e groupe

INDICATIF

PRÉSENT

je **repais**
tu repais
il/elle repaît
nous **repaissons**
vous repaissez
ils/elles repaissent

IMPARFAIT

je **repaissais**
tu repaissais
il/elle repaissait
nous repaissions
vous repaissiez
ils/elles repaissaient

PASSÉ SIMPLE

je **repus**
tu repus
il/elle reput
nous repûmes
vous repûtes
ils/elles repurent

FUTUR SIMPLE

je **repaîtrai**
tu repaîtras
il/elle repaîtra
nous repaîtrons
vous repaîtrez
ils/elles repaîtront

PASSÉ COMPOSÉ

j' **ai repu**
tu as repu
il/elle a repu
nous avons repu
vous avez repu
ils/elles ont repu

PLUS-QUE-PARFAIT

j' **avais repu**
tu avais repu
il/elle avait repu
nous avions repu
vous aviez repu
ils/elles avaient repu

PASSÉ ANTÉRIEUR

j' **eus repu**
tu eus repu
il/elle eut repu
nous eûmes repu
vous eûtes repu
ils/elles eurent repu

FUTUR ANTÉRIEUR

j' **aurai repu**
tu auras repu
il/elle aura repu
nous aurons repu
vous aurez repu
ils/elles auront repu

CONDITIONNEL

PRÉSENT

je **repaîtrais**
tu repaîtrais
il/elle repaîtrait
nous repaîtrions
vous repaîtriez
ils/elles repaîtraient

PASSÉ

j' **aurais repu**
tu aurais repu
il/elle aurait repu
nous aurions repu
vous auriez repu
ils/elles auraient repu

SUBJONCTIF

PRÉSENT

que je	**repaisse**
que tu	repaisses
qu'il/elle	repaisse
que nous	repaissions
que vous	repaissiez
qu'ils/elles	repaissent

PASSÉ

que j'	**aie repu**
que tu	aies repu
qu'il/elle	ait repu
que nous	ayons repu
que vous	ayez repu
qu'ils/elles	aient repu

IMPARFAIT

que je	**repusse**
que tu	repusses
qu'il/elle	repût
que nous	repussions
que vous	repussiez
qu'ils/elles	repussent

PLUS-QUE-PARFAIT

que j'	**eusse repu**
que tu	eusses repu
qu'il/elle	eût repu
que nous	eussions repu
que vous	eussiez repu
qu'ils/elles	eussent repu

IMPÉRATIF

PRÉSENT

repais
repaissons
repaissez

PASSÉ

aie repu
ayons repu
ayez repu

INFINITIF

PRÉSENT

repaître

PASSÉ

avoir repu

PARTICIPE

PRÉSENT

repaissant

PASSÉ

ayant repu
repu(e, s, es)

Remarques

- La voyelle **i** du radical reçoit un accent circonflexe quand elle est suivie d'un **t** : *repaître*, *paître*, *il repaît*, *il repaîtra*, *ils repaîtraient*.
- Le verbe *paître* se conjugue sur ce modèle, mais il n'existe pas aux temps composés et, aux temps simples, n'a ni passé simple ni subjonctif imparfait.

> **N. ORTH.** La réforme de 1990 autorise la suppression de l'accent circonflexe sur **i** devant **t** : *repaitre*, *il repait*, *il repaitra(it)*.

99 croître 3e groupe

INDICATIF

PRÉSENT

je **croîs**
tu croîs
il/elle croît
nous **croissons**
vous croissez
ils/elles croissent

PASSÉ COMPOSÉ

j' **ai crû**
tu as crû
il/elle a crû
nous avons crû
vous avez crû
ils/elles ont crû

IMPARFAIT

je **croissais**
tu croissais
il/elle croissait
nous croissions
vous croissiez
ils/elles croissaient

PLUS-QUE-PARFAIT

j' **avais crû**
tu avais crû
il/elle avait crû
nous avions crû
vous aviez crû
ils/elles avaient crû

PASSÉ SIMPLE

je **crûs**
tu crûs
il/elle crût
nous crûmes
vous crûtes
ils/elles crûrent

PASSÉ ANTÉRIEUR

j' **eus crû**
tu eus crû
il/elle eut crû
nous eûmes crû
vous eûtes crû
ils/elles eurent crû

FUTUR SIMPLE

je **croîtrai**
tu croîtras
il/elle croîtra
nous croîtrons
vous croîtrez
ils/elles croîtront

FUTUR ANTÉRIEUR

j' **aurai crû**
tu auras crû
il/elle aura crû
nous aurons crû
vous aurez crû
ils/elles auront crû

CONDITIONNEL

PRÉSENT

je **croîtrais**
tu croîtrais
il/elle croîtrait
nous croîtrions
vous croîtriez
ils/elles croîtraient

PASSÉ

j' **aurais crû**
tu aurais crû
il/elle aurait crû
nous aurions crû
vous auriez crû
ils/elles auraient crû

SUBJONCTIF

PRÉSENT

que je **croisse**
que tu croisses
qu'il/elle croisse
que nous croissions
que vous croissiez
qu'ils/elles croissent

PASSÉ

que j' **aie crû**
que tu aies crû
qu'il/elle ait crû
que nous ayons crû
que vous ayez crû
qu'ils/elles aient crû

IMPARFAIT

que je **crûsse**
que tu crûsses
qu'il/elle crût
que nous crûssions
que vous crûssiez
qu'ils/elles crûssent

PLUS-QUE-PARFAIT

que j' **eusse crû**
que tu eusses crû
qu'il/elle eût crû
que nous eussions crû
que vous eussiez crû
qu'ils/elles eussent crû

IMPÉRATIF

PRÉSENT

croîs
croissons
croissez

PASSÉ

aie crû
ayons crû
ayez crû

INFINITIF

PRÉSENT

croître

PASSÉ

avoir crû

PARTICIPE

PRÉSENT

croissant

PASSÉ

ayant crû
crû (crue, crus, crues)

Remarque

La voyelle **i** de *croître* reçoit un accent circonflexe quand elle est suivie d'un **t** *(il croît)* et quand la forme est homonyme d'une forme de *croire* : *je croîs*, *croîs*.
Plusieurs formes en *cru-* se distinguent aussi de celles de *croire* : *je crûs*, *que je crûsse*.

N. ORTH. La réforme de 1990 autorise la suppression de l'accent circonflexe sur l'infinitif *(croitre)*, sur le futur simple et le conditionnel présent *(je croitrai(s))*, mais pas sur les autres formes.

100 accroître 3e groupe

INDICATIF

PRÉSENT

j' **accrois**
tu accrois
il/elle accroît
nous **accroissons**
vous accroissez
ils/elles accroissent

PASSÉ COMPOSÉ

j' **ai accru**
tu as accru
il/elle a accru
nous avons accru
vous avez accru
ils/elles ont accru

IMPARFAIT

j' **accroissais**
tu accroissais
il/elle accroissait
nous accroissions
vous accroissiez
ils/elles accroissaient

PLUS-QUE-PARFAIT

j' **avais accru**
tu avais accru
il/elle avait accru
nous avions accru
vous aviez accru
ils/elles avaient accru

PASSÉ SIMPLE

j' **accrus**
tu accrus
il/elle accrut
nous accrûmes
vous accrûtes
ils/elles accrurent

PASSÉ ANTÉRIEUR

j' **eus accru**
tu eus accru
il/elle eut accru
nous eûmes accru
vous eûtes accru
ils/elles eurent accru

FUTUR SIMPLE

j' **accroîtrai**
tu accroîtras
il/elle accroîtra
nous accroîtrons
vous accroîtrez
ils/elles accroîtront

FUTUR ANTÉRIEUR

j' **aurai accru**
tu auras accru
il/elle aura accru
nous aurons accru
vous aurez accru
ils/elles auront accru

CONDITIONNEL

PRÉSENT

j' **accroîtrais**
tu accroîtrais
il/elle accroîtrait
nous accroîtrions
vous accroîtriez
ils/elles accroîtraient

PASSÉ

j' **aurais accru**
tu aurais accru
il/elle aurait accru
nous aurions accru
vous auriez accru
ils/elles auraient accru

SUBJONCTIF

PRÉSENT

que j' **accroisse**
que tu accroisses
qu'il/elle accroisse
que nous accroissions
que vous accroissiez
qu'ils/elles accroissent

PASSÉ

que j' **aie accru**
que tu aies accru
qu'il/elle ait accru
que nous ayons accru
que vous ayez accru
qu'ils/elles aient accru

IMPARFAIT

que j' **accrusse**
que tu accrusses
qu'il/elle accrût
que nous accrussions
que vous accrussiez
qu'ils/elles accrussent

PLUS-QUE-PARFAIT

que j' **eusse accru**
que tu eusses accru
qu'il/elle eût accru
que nous eussions accru
que vous eussiez accru
qu'ils/elles eussent accru

IMPÉRATIF

PRÉSENT

accrois
accroissons
accroissez

PASSÉ

aie accru
ayons accru
ayez accru

INFINITIF

PRÉSENT

accroître

PASSÉ

avoir accru

PARTICIPE

PRÉSENT

accroissant

PASSÉ

ayant accru
accru(e, s, es)

Remarque

• Les verbes en **-oître** qui se conjuguent sur ce modèle se différencient de *croître* (→ tableau **99**) : ils ne reçoivent un accent circonflexe que devant un **t**, comme les verbes en **-aître**. Fait exception le participe passé de *recroître* qui est *recrû* (mais *recrue*, *recrus*, *recrues*).

N. ORTH. La réforme de 1990 autorise la suppression de l'accent circonflexe sur **i** devant **t**. Le participe passé *recrû* conserve son accent circonflexe.

101 conclure

3e groupe — verbes en **-clure**

INDICATIF

PRÉSENT

je **conclus**
tu conclus
il/elle conclut
nous concluons
vous concluez
ils/elles concluent

PASSÉ COMPOSÉ

j' **ai conclu**
tu as conclu
il/elle a conclu
nous avons conclu
vous avez conclu
ils/elles ont conclu

IMPARFAIT

je **concluais**
tu concluais
il/elle concluait
nous concluions
vous concluiez
ils/elles concluaient

PLUS-QUE-PARFAIT

j' **avais conclu**
tu avais conclu
il/elle avait conclu
nous avions conclu
vous aviez conclu
ils/elles avaient conclu

PASSÉ SIMPLE

je **conclus**
tu conclus
il/elle conclut
nous conclûmes
vous conclûtes
ils/elles conclurent

PASSÉ ANTÉRIEUR

j' **eus conclu**
tu eus conclu
il/elle eut conclu
nous eûmes conclu
vous eûtes conclu
ils/elles eurent conclu

FUTUR SIMPLE

je **conclurai**
tu concluras
il/elle conclura
nous conclurons
vous conclurez
ils/elles concluront

FUTUR ANTÉRIEUR

j' **aurai conclu**
tu auras conclu
il/elle aura conclu
nous aurons conclu
vous aurez conclu
ils/elles auront conclu

CONDITIONNEL

PRÉSENT

je **conclurais**
tu conclurais
il/elle conclurait
nous conclurions
vous concluriez
ils/elles concluraient

PASSÉ

j' **aurais conclu**
tu aurais conclu
il/elle aurait conclu
nous aurions conclu
vous auriez conclu
ils/elles auraient conclu

SUBJONCTIF

PRÉSENT

que je **conclue**
que tu conclues
qu'il/elle conclue
que nous concluions
que vous concluiez
qu'ils/elles concluent

PASSÉ

que j' **aie conclu**
que tu aies conclu
qu'il/elle ait conclu
que nous ayons conclu
que vous ayez conclu
qu'ils/elles aient conclu

IMPARFAIT

que je **conclusse**
que tu conclusses
qu'il/elle conclût
que nous conclussions
que vous conclussiez
qu'ils/elles conclussent

PLUS-QUE-PARFAIT

que j' **eusse conclu**
que tu eusses conclu
qu'il/elle eût conclu
que nous eussions conclu
que vous eussiez conclu
qu'ils/elles eussent conclu

IMPÉRATIF

PRÉSENT

conclus
concluons
concluez

PASSÉ

aie conclu
ayons conclu
ayez conclu

INFINITIF

PRÉSENT

conclure

PASSÉ

avoir conclu

PARTICIPE

PRÉSENT

concluant

PASSÉ

ayant conclu
conclu(e, s, es)

Remarques

- Noter la terminaison **-s**, **-s**, **-t** à l'indicatif présent : *je conclus*, *tu conclus*, *il conclut*.
La forme ⊖ *il conclue* est une faute fréquente ; elle n'est exacte qu'au subjonctif : *qu'il conclue*.
- Les autres verbes en **-clure** se conjuguent sur ce modèle, mais *inclure* et *occlure* ont un participe passé avec **-s** : *inclus(e)(s)*.
L'adjectif *reclus* vient du participe passé du verbe *reclure* qui ne se conjugue plus.

102 suivre 3e groupe

INDICATIF

PRÉSENT

je **suis**
tu suis
il/elle suit
nous **suivons**
vous suivez
ils/elles suivent

PASSÉ COMPOSÉ

j' **ai suivi**
tu as suivi
il/elle a suivi
nous avons suivi
vous avez suivi
ils/elles ont suivi

IMPARFAIT

je **suivais**
tu suivais
il/elle suivait
nous suivions
vous suiviez
ils/elles suivaient

PLUS-QUE-PARFAIT

j' **avais suivi**
tu avais suivi
il/elle avait suivi
nous avions suivi
vous aviez suivi
ils/elles avaient suivi

PASSÉ SIMPLE

je **suivis**
tu suivis
il/elle suivit
nous suivîmes
vous suivîtes
ils/elles suivirent

PASSÉ ANTÉRIEUR

j' **eus suivi**
tu eus suivi
il/elle eut suivi
nous eûmes suivi
vous eûtes suivi
ils/elles eurent suivi

FUTUR SIMPLE

je **suivrai**
tu suivras
il/elle suivra
nous suivrons
vous suivrez
ils/elles suivront

FUTUR ANTÉRIEUR

j' **aurai suivi**
tu auras suivi
il/elle aura suivi
nous aurons suivi
vous aurez suivi
ils/elles auront suivi

CONDITIONNEL

PRÉSENT

je **suivrais**
tu suivrais
il/elle suivrait
nous suivrions
vous suivriez
ils/elles suivraient

PASSÉ

j' **aurais suivi**
tu aurais suivi
il/elle aurait suivi
nous aurions suivi
vous auriez suivi
ils/elles auraient suivi

SUBJONCTIF

PRÉSENT

que je **suive**
que tu suives
qu'il/elle suive
que nous suivions
que vous suiviez
qu'ils/elles suivent

IMPARFAIT

que je **suivisse**
que tu suivisses
qu'il/elle suivît
que nous suivissions
que vous suivissiez
qu'ils/elles suivissent

PASSÉ

que j' **aie suivi**
que tu aies suivi
qu'il/elle ait suivi
que nous ayons suivi
que vous ayez suivi
qu'ils/elles aient suivi

PLUS-QUE-PARFAIT

que j' **eusse suivi**
que tu eusses suivi
qu'il/elle eût suivi
que nous eussions suivi
que vous eussiez suivi
qu'ils/elles eussent suivi

IMPÉRATIF

PRÉSENT

suis
suivons
suivez

PASSÉ

aie suivi
ayons suivi
ayez suivi

INFINITIF

PRÉSENT

suivre

PASSÉ

avoir suivi

PARTICIPE

PRÉSENT

suivant

PASSÉ

ayant suivi
suivi(e, s, es)

Remarque

- La 1re personne de l'indicatif présent *(je suis)* est homonyme de celle de *être* → tableau **1**.

103 vivre 3e groupe

INDICATIF

PRÉSENT

je **vis**
tu vis
il/elle vit
nous **vivons**
vous vivez
ils/elles vivent

PASSÉ COMPOSÉ

j' **ai vécu**
tu as vécu
il/elle a vécu
nous avons vécu
vous avez vécu
ils/elles ont vécu

IMPARFAIT

je **vivais**
tu vivais
il/elle vivait
nous vivions
vous viviez
ils/elles vivaient

PLUS-QUE-PARFAIT

j' **avais vécu**
tu avais vécu
il/elle avait vécu
nous avions vécu
vous aviez vécu
ils/elles avaient vécu

PASSÉ SIMPLE

je **vécus**
tu vécus
il/elle vécut
nous vécûmes
vous vécûtes
ils/elles vécurent

PASSÉ ANTÉRIEUR

j' **eus vécu**
tu eus vécu
il/elle eut vécu
nous eûmes vécu
vous eûtes vécu
ils/elles eurent vécu

FUTUR SIMPLE

je **vivrai**
tu vivras
il/elle vivra
nous vivrons
vous vivrez
ils/elles vivront

FUTUR ANTÉRIEUR

j' **aurai vécu**
tu auras vécu
il/elle aura vécu
nous aurons vécu
vous aurez vécu
ils/elles auront vécu

CONDITIONNEL

PRÉSENT

je **vivrais**
tu vivrais
il/elle vivrait
nous vivrions
vous vivriez
ils/elles vivraient

PASSÉ

j' **aurais vécu**
tu aurais vécu
il/elle aurait vécu
nous aurions vécu
vous auriez vécu
ils/elles auraient vécu

SUBJONCTIF

PRÉSENT		PASSÉ	
que je	vive	que j'	aie vécu
que tu	vives	que tu	aies vécu
qu'il/elle	vive	qu'il/elle	ait vécu
que nous	vivions	que nous	ayons vécu
que vous	viviez	que vous	ayez vécu
qu'ils/elles	vivent	qu'ils/elles	aient vécu

IMPARFAIT		PLUS-QUE-PARFAIT	
que je	vécusse	que j'	eusse vécu
que tu	vécusses	que tu	eusses vécu
qu'il/elle	vécût	qu'il/elle	eût vécu
que nous	vécussions	que nous	eussions vécu
que vous	vécussiez	que vous	eussiez vécu
qu'ils/elles	vécussent	qu'ils/elles	eussent vécu

IMPÉRATIF

PRÉSENT	PASSÉ
vis	aie vécu
vivons	ayons vécu
vivez	ayez vécu

INFINITIF

PRÉSENT	PASSÉ
vivre	avoir vécu

PARTICIPE

PRÉSENT	PASSÉ
vivant	ayant vécu
	vécu(e, s, es)

Remarque

- Les formes de l'indicatif présent *(je vis, tu vis, il vit)* sont homonymes du passé simple de *voir* → tableau **49**.

104 clore 3e groupe

INDICATIF

PRÉSENT

je **clos**
tu clos
il/elle clôt

ils/elles closent

PASSÉ COMPOSÉ

j' **ai clos**
tu as clos
il/elle a clos
nous avons clos
vous avez clos
ils/elles ont clos

IMPARFAIT

PLUS-QUE-PARFAIT

j' **avais clos**
tu avais clos
il/elle avait clos
nous avions clos
vous aviez clos
ils/elles avaient clos

PASSÉ SIMPLE

PASSÉ ANTÉRIEUR

j' **eus clos**
tu eus clos
il/elle eut clos
nous eûmes clos
vous eûtes clos
ils/elles eurent clos

FUTUR SIMPLE

je **clorai**
tu cloras
il/elle clora
nous clorons
vous clorez
ils/elles cloront

FUTUR ANTÉRIEUR

j' **aurai clos**
tu auras clos
il/elle aura clos
nous aurons clos
vous aurez clos
ils/elles auront clos

CONDITIONNEL

PRÉSENT

je **clorais**
tu clorais
il/elle clorait
nous clorions
vous cloriez
ils/elles cloraient

PASSÉ

j' **aurais clos**
tu aurais clos
il/elle aurait clos
nous aurions clos
vous auriez clos
ils/elles auraient clos

SUBJONCTIF

• PRÉSENT

que je **close**
que tu closes
qu'il/elle close
que nous closions
que vous closiez
qu'ils/elles closent

• PASSÉ

que j' **aie clos**
que tu aies clos
qu'il/elle ait clos
que nous ayons clos
que vous ayez clos
qu'ils/elles aient clos

• IMPARFAIT

• PLUS-QUE-PARFAIT

que j' **eusse clos**
que tu eusses clos
qu'il/elle eût clos
que nous eussions clos
que vous eussiez clos
qu'ils/elles eussent clos

IMPÉRATIF

• PRÉSENT

clos

• PASSÉ

aie clos
ayons clos
ayez clos

INFINITIF

• PRÉSENT

clore

• PASSÉ

avoir clos

PARTICIPE

• PRÉSENT

closant

• PASSÉ

ayant clos
clos(e, es)

Remarques

- Le verbe *clore* possède peu de formes vivantes, et la langue ordinaire préfère *fermer*. Noter l'accent circonflexe à la 3e personne de l'indicatif présent : *il clôt*.
- *Reclore* se conjugue comme *clore*. *Enclore* et *renclore* acceptent en outre *nous (r)enclosons*, *vous (r)enclosez*. *Éclore* se conjugue surtout, en raison de son sens, aux 3es personnes. *Déclore* et *forclore* existent surtout à l'infinitif et au participe passé : *déclos*, *forclos*.

Le répertoire des verbes

COMMENT UTILISER LE RÉPERTOIRE DES VERBES ?

Ce répertoire de 7 600 verbes recense tous les verbes de la langue française contemporaine, d'un usage courant ou recherché, hors lexiques très spécialisés. Les nouveaux verbes entrés dans les dictionnaires au cours des dernières années y figurent.

La référence au tableau modèle

Chaque verbe est précédé d'un numéro en bleu : celui du tableau modèle sur lequel se forme sa conjugaison. Ce numéro renvoie à la première partie de ce livre.

Les 104 verbes modèles apparaissent dans la liste sur un fond bleu.

Informations et abréviations

La construction du verbe

Chaque verbe est suivi d'indications : T indique que le verbe est transitif direct, Ti qu'il est transitif indirect, I qu'il est intransitif, Esp qu'il est essentiellement pronominal.
Il est en fait fréquent qu'un verbe ait des constructions différentes. Le verbe *cuire* dans *Le rôti cuit* est un verbe intransitif, mais il devient transitif direct dans *Marie cuit le rôti* : *cuire* est donc marqué T, I.

Les verbes pronominaux

- Ne sont recensés que les verbes essentiellement pronominaux (tel ***s'évanouir***). Les constructions pronominales ne sont pas indiquées (on a *plaire* mais pas *se plaire*).
- Pour ces verbes essentiellement pronominaux, le tableau cité en référence est :

– celui de ***s'aimer*** (→ tableau **5**) si le verbe est du type ***aimer*** ;
– celui du verbe non pronominal présentant les mêmes particularités morphologiques, dans les autres cas.

Les autres abréviations

D	verbe dont la conjugaison est défective
imp.	verbe impersonnel ou qui s'emploie fréquemment à la forme impersonnelle
afr	africanisme
belg	belgicisme
québ	québécisme
helv	helvétisme
être	verbe qui se conjugue, aux temps composés, avec l'auxiliaire ***être***
être ou *avoir*	verbe qui peut se conjuguer, aux temps composés, avec les deux auxiliaires
cond.	conditionnel
impft	imparfait
ind.	indicatif
inf.	infinitif
part.	participe
p. p.	participe passé
pers.	personne
sing.	singulier
subj.	subjonctif

Les dictionnaires utilisés

Pour l'inventaire des verbes, ont été utilisés les dictionnaires suivants :

Dictionnaires généraux

- le *Trésor de la langue française*
- le *Littré*
- le *Dictionnaire général de la langue française*
- le *Grand Larousse*
- le *Grand Robert*

Dictionnaires spécialisés

- *Belgicismes. Inventaire des particularités lexicales du français en Belgique,* Duculot.
- *Dictionnaire de l'argot,* Larousse.
- *Dictionnaire du français non conventionnel,* Jacques Cellard et Alain Rey, Hachette.
- *Inventaire des particularités lexicales du français en Afrique noire,* Édicef-Aupelf.

A

3 abaisser → T
3 abandonner → T
6 abasourdir → T
6 abâtardir → T
93 abattre → T
14 abcéder → I
11 abdiquer → T
3 aberrer → I
6 abêtir → T
3 abhorrer → T
3 abîmer → T
3 abjurer → T
3 ablater → T
11 abloquer → T
6 abolir → T
3 abomber [afr] → I
3 abominer → T
3 abonder → I
3 abonner → T
6 abonnir → T
3 aborder → I, T
3 aboucher → T
3 abouler → I, T
3 abouter → T
6 aboutir → I, Ti
être ou avoir
27 aboyer → I, T
3 abraser → T
18 abréger → T
3 abreuver → T
3 abricoter → T
3 abriter → T
13 abroger → T
6 abrutir → T
5 s'absenter → Esp
3 absorber → T
91 absoudre → T
39 s'abstenir → Esp
69 abstraire → T, D
pas de passé simple
ni de subj. impft
3 abuser → T, Ti
5 acagnarder → T
3 accabler → T
3 accaparer → T
9 accastiller → T
14 accéder → Ti
14 accélérer → T
7 accentuer → T
3 accepter → T, Ti
3 accessoiriser → T
3 accidenter → T
3 acclamer → T
3 acclimater → T
5 accointer → T
5 accoler → T
3 accommoder → T
9 accompagner → T
6 accomplir → T
3 accorder → T
3 accorer → T
3 accoster → T
3 accoter → T
3 accoucher → T, Ti
être ou avoir
5 s'accouder → Esp
7 accouer → T
3 accoupler → T
6 accourcir → T
32 accourir → I
être ou avoir
3 accoutrer → T
3 accoutumer → T
3 accréditer → T
3 accrocher → T
accroire → T, D
seulement à l'infinitif
100 accroître → T
être ou avoir
6 s'accroupir → Esp
43 accueillir → T
3 acculer → T
3 acculturer → T
3 accumuler → T
3 accuser → T
3 acenser → T
14 acérer → T
8 acétifier → T
3 acétyler → T
3 achalander → T
3 achaler [québ] → T
3 acharner → T
3 acheminer → T
23 acheter → T
19 achever → T
3 achopper → Ti
3 achromatiser → T
8 acidifier → T
3 aciduler → T
14 aciérer → T
20 aciseler → T
5 acoquiner → T
40 acquérir → T
12 acquiescer → I, Ti
3 acquitter → T
3 acter → T
3 actionner → T
3 activer → T
3 actualiser → T
3 adapter → T
3 additionner → T
14 adhérer → Ti
adirer → T, D
seulement à l'infinitif
et au p.p. : *adiré*
77 s'adire [belg] → Esp
3 adjectiver → T
3 adjectiviser → T
88 adjoindre → T
13 adjuger → T
3 adjurer → T
94 admettre → T
3 administrer → T
3 admirer → T
3 admonester → T
5 s'adoniser → Esp
3 adonner → I
3 adopter → T
3 adorer → T
3 adosser → T
3 adouber → T
6 adoucir → T
3 adresser → T
3 adsorber → T
3 aduler → T
14 adultérer → T
39 advenir → I, D
être, seulement
à l'infinitif
et à la 3e personne
3 adverbialiser → T
14 aérer → T
3 aéroporter → T
3 affabuler → I, T
6 affadir → T
6 affaiblir → T
5 s'affairer → Esp
3 affaisser → T
3 affaler → T
3 affamer → T
13 afféager → T
3 affecter → T
3 affectionner → T
14 afférer → I
3 affermer → T
6 affermir → T
3 afficher → T
3 affiler → T
8 affilier → T
3 affiner → T
3 affirmer → T
3 affleurer → T, Ti
13 affliger → T
7 afflouer → T
7 affluer → I
3 affoler → T
13 affouager → T
9 affouiller → T
3 affourcher → T
13 affour(r)ager → T
6 affranchir → T
14 affréter → T
3 affriander → T
3 affricher → T
3 affrioler → T
3 affriter → T
3 affronter → T
3 affruiter → I, T
3 affubler → T
3 affurer → T
3 affûter → T
3 africaniser → T
12 agacer → T
12 agencer → T
9 s'agenouiller → Esp
14 agglomérer → T
3 agglutiner → T
3 aggraver → T
3 agioter → I
6 agir → I
3 agiter → T
21 agneler → I
6 agonir → T
3 agoniser → I
3 agrafer → T
6 agrandir → T
10 agréer → T, Ti
18 agréger → T
3 agrémenter → T
3 agresser → T
3 agricher → T
5 s'agriffer → Esp
3 agripper → T
6 aguerrir → T
3 aguicher → T
3 ahaner → I
5 s'aheurter → Esp
6 ahurir → T
3 aicher → T
3 aider → T, Ti
6 aigrir → I, T
9 aiguiller → T
24 aiguilleter → T
3 aiguillonner → T
3 aiguiser → T
9 ailler → T
3 aimanter → T
3 aimer → T
3 airer → I
3 ajointer → T
3 ajourer → T
3 ajourner → T
3 ajouter → T, Ti
3 ajuster → T
11 alambiquer → T
6 alanguir → T
3 alarmer → T
3 alcaliniser → T

3 alcaliser → T
3 alcooliser → T
6 alentir → T
3 alerter → T
14 aléser → T
3 aleviner → T
14 aliéner → T
9 aligner → T
3 alimenter → T
3 aliter → T
3 allaiter → T
14 allécher → T
18 alléger → T
6 allégir → T
3 allégoriser → T
16 alléguer → T
31 aller → I, *être*
8 allier → T
13 allonger → I, T
7 allouer → T
3 allumer → T
3 alluvionner → I
6 alourdir → T
11 alpaguer → T
3 alphabétiser → T
14 altérer → T
3 alterner → I, T
3 aluminer → T
3 aluner → T
6 alunir → I,
être ou *avoir*
7 amadouer → T
6 amaigrir → T
3 amalgamer → T
3 amariner → T
3 amarrer → T
3 amasser → T
6 amatir → T
12 ambiancer [afr] → I
8 s'ambifier [afr] → Esp
3 ambitionner → T
3 ambler → I
3 ambrer → T
3 améliorer → T
13 aménager → T
3 amender → T
19 amener → T
3 amenuiser → T
3 américaniser → T
6 amerrir → I,
être ou *avoir*
6 ameublir → T
3 ameuter → T
3 amidonner → T
6 amincir → I, T
3 aminer [belg] → I
8 amnistier → T
3 amocher → T
8 amodier → T
6 amoindrir → T
6 amollir → T
21 amonceler → T
12 amorcer → T
12 amordancer → T
6 amortir → T
5 s'amouracher → Esp
3 amourer [afr] → T
8 amplifier → T
3 amputer → T
6 s'amuïr → Esp
3 amurer → T
3 amuser → T
8 analgésier → T
3 analyser → T
3 anastomoser → T
3 anathématiser → T
3 ancrer → T
6 anéantir → T
8 anémier → T
8 anesthésier → T
3 anglaiser → T
3 angliciser → T
3 angoisser → I, T
14 anhéler → I
3 animaliser → T
3 animer → T
3 aniser → T
3 ankyloser → T
21 anneler → T
3 annexer → T
3 annihiler → T
12 annoncer → T
3 annoter → T
3 annualiser → T
3 annuler → T
6 anoblir → T
3 anodiser → T
3 ânonner → T
3 anonymiser → T
6 anordir → I
3 antéposer → T
3 anticiper → I, T, Ti
3 antidater → T
3 aoûter → T
3 apaiser → T
13 apanager → T
3 apatamer [afr] → I
48 apercevoir → T
3 apeurer → T
11 apiquer → T
27 apitoyer → T
6 aplanir → T
6 aplatir → T
3 aplomber [québ] → T
8 apostasier → I
3 aposter → T
9 apostiller → T
3 apostropher → T
3 appairer → T
96 apparaître → I,
être ou *avoir*
9 appareiller → I, T
3 apparenter → T
8 apparier → T
apparoir → I, D
seulement à l'infinitif
et à la 3e personne
du sing. de l'indicatif
présent : *il appert*
39 appartenir → Ti
3 appâter → T
6 appauvrir → T
21 appeler → T, Ti
83 appendre → T
3 appertiser → T
6 appesantir → T
14 appéter → T
6 applaudir → T, Ti
11 appliquer → T
3 appointer → T
6 appointir → T
3 apponter → I
3 apporter → T
3 apposer → T
8 apprécier → T
3 appréhender → T
84 apprendre → T
3 apprêter → T
3 apprivoiser → T
3 approcher → I, T, Ti
6 approfondir → T
8 approprier → T
3 approuver → T
3 approvisionner → T
26 appuyer → I, T
3 apurer → T
13 a(c)quiger → I
3 arabiser → T
3 araser → T
3 arbitrer → T
3 arborer → T
3 arboriser → I
3 arc-bouter → T
3 archaïser → I
3 architecturer → T
3 archiver → T
3 arçonner → T
3 ardoiser → T
3 aréner → I
3 argenter → T
3 argotiser → I
9 argougner → T
11 arguer → T, Ti
3 argumenter → I
3 a(r)riser → T
3 armer → T
8 armorier → T
11 arnaquer → T
3 aromatiser → T
18 arpéger → T
3 arpenter → T
3 arquebuser → T
12 arquepincer → T
11 arquer → I, T
3 arracher → T
3 arraisonner → T
13 arranger → T
3 arrenter → T
13 arrérager → I
3 arrêter → I, T
14 arriérer → T
3 arrimer → T
3 arriver → I, *être*
13 s'arroger → Esp
6 arrondir → T
3 arroser → T
9 s'arsouiller → Esp
3 articuler → I, T
3 ascensionner → T
3 aseptiser → T
3 aspecter → T
13 asperger → T
3 asphalter → T
8 asphyxier → T
3 aspirer → T, Ti
6 assagir → T
44 assaillir → T
6 assainir → T
3 assaisonner → T
3 assarmenter → T
3 assassiner → T
assavoir → T, D
seulement à l'infinitif
14 assécher → I, T
3 assembler → T
19 assener → T
14 asséner → T
59/60 asseoir → T
3 assermenter → T
6 asservir → T
3 assibiler → T

T = transitif direct
Ti = transitif indirect
I = intransitif
imp. = verbe impersonnel
D = verbe défectif
Esp = verbe essentiellement pronominal
* = h aspiré

18 assiéger → T
9 assigner → T
3 assimiler → T
3 assister → T, Ti
8 associer → T
3 assoiffer → T
3 assoler → T
6 assombrir → T
3 assommer → T
3 assoner → I
6 assortir → T
6 assoupir → T
6 assouplir → T
6 assourdir → T
6 assouvir → T
6 assujettir → T
3 assumer → T
3 assurer → I, T
3 asticoter → T
11 astiquer → T
86 astreindre → T
27 atermoyer → I
3 atomiser → T
8 atrophier → I
3 attabler → T
3 attacher → T
11 attaquer → T
5 s'attarder → Esp
86 atteindre → T, Ti
21 atteler → T
83 attendre → T
6 attendrir → T
39 attenir → I, D
surtout au part.
présent *attenant*
et parfois à l'imparfait
3 attenter → Ti
7 atténuer → T
3 atterrer → T
6 atterrir → I, T
être ou *avoir*
3 attester → T
6 attiédir → T
3 attifer → T
13 at(t)iger → T
3 attirer → T
3 attiser → T
3 attitrer → T
3 attraper → T
7 attribuer → T
11 attriquer → T
3 attrister → T
3 attrouper → T
3 auditer → T
3 auditionner → I, T
3 augmenter → I, T
être ou *avoir*
3 augurer → T

3 aumôner → T
3 auner → T
3 auréoler → T
8 aurifier → T
3 ausculter → T
8 authentifier → T
11 authentiquer → T
5 s'autoanalyser → Esp
5 s'autocensurer → Esp
74 s'autodétruire → Esp
5 s'autodéterminer → Esp
5 s'autoéditer → Esp
12 autofinancer → T
5 s'autoflageller → Esp
8 autographier → T
5 s'autoguider → Esp
5 s'autolimiter → Esp
3 automatiser → T
5 s'automutiler → Esp
5 s'autoproclamer → Esp
74 s'autoproduire → Esp
8 autopsier → T
5 s'autoréguler → Esp
3 autoriser → T
5 s'autosuggestionner → Esp
5 s'autotomiser → Esp
6 avachir → T
3 avaler → T
3 avaliser → T
12 avancer → I, T
13 avantager → T
8 avarier → T
86 aveindre → T
39 avenir → I, Ti, D
seulement au part.
présent et à la 3e pers.
du singulier
3 aventurer → T
14 avérer → T
6 avertir → T
3 aveugler → T
6 aveulir → T
6 avilir → T
3 aviner → T
3 aviser → T, Ti
9 avitailler → T
3 aviver → T
3 avocasser → T
3 avoiner → T
2 avoir → T

3 avoisiner → T
3 avorter → I, T
être ou *avoir*
7 avouer → T
27 avoyer → T
3 axer → T
3 axiomatiser → T
3 azimut(h)er → T
3 azurer → T

B

21 babeler belg → I
9 babiller → I
3 bâcher → T
3 bachoter → I
3 bâcler → T
3 bader → I, T
3 badigeonner → T
3 badiner → I
3 baffer → T
7 bafouer → T
9 bafouiller → T
3 bâfrer → T
3 bagarrer → I
3 bagot(t)er → I
3 bagouler → I
3 baguenauder → I
11 baguer → T
9 baigner → T
9 bailler → T
la bailler belle
9 bâiller → I
bâiller d'ennui
3 bâillonner → T
3 baiser → I, T
3 baisser → I, T
être ou *avoir*
3 balader → T
3 balafrer → T
12 balancer → I, T
11 balanstiquer → T
25 balayer → T
8 balbutier → I, T
3 baleiner → T
3 baligander belg → I
3 baliser → I, T
3 balkaniser → T
3 ballaster → T
3 baller → I
3 ballonner → T
3 ballotter → I, T
3 bal(l)uchonner → T
3 balter belg → T
3 bambocher → I
3 banaliser → T
3 bananer → T
3 bancher → T

3 bander → I, T
3 banner → T
6 bannir → T
11 banquer → I
24 banqueter → I
3 baptiser → T
11 baquer belg → T
24 baqueter → T
3 baragouiner → I, T
11 baraquer → I, T
3 baratiner → T
3 baratter → T
3 barber → T
8 barbifier → T
3 barboter → I, T
9 barbouiller → T
3 barder → T
3 barder → I, imp.
ça barde
14 baréter → I
9 barguigner → I
3 barioler → T
11 barjaquer helv → I
11 barloquer belg → I
3 baronner → T
3 barouder → I
3 barrer → T
3 barricader → T
6 barrir → I
3 basaner → T
3 basculer → I, T
3 baser → T
3 bassiner → T
3 baster → I
3 bastillonner → T
3 bastionner → T
3 bastonner → T
9 batailler → I
21 bateler → I, T
3 bâter → T
3 batifoler → I
6 bâtir → T
3 bâtonner → T
93 battre → I, T, Ti
13 bauger → I
3 bavarder → I
3 bavasser → I
3 baver → I
3 bavocher → I
25 bayer → I
bayer aux corneilles
3 bazarder → T
8 béatifier → T
3 bêcher → T
24 bêcheveter → T
3 bécoter → T
11 becquer → T
24 becqueter → T

3 becter → T, D, employé surtout à l'infinitif et au participe passé
3 bedonner → I
10 béer → I, D, surtout à l'infinitif, à l'ind. imparfait, au part. présent *(béant)* et dans l'expression *bouche bée*
25 bégayer → I, T
16 béguer [afr] → I
23 bégueter → I
3 bêler → I
3 belot(t)er → I
3 bémoliser → T
8 bénéficier → Ti
6 bénir → T, p.p. : *béni, e, is, ies,* à ne pas confondre avec l'adjectif : *eau bénite*
3 benner [belg] → T
16 béquer [québ] → T
24 béqueter → T
9 béquiller → I, T
12 bercer → T
3 berdeller [belg] → I, T
3 berlurer → I
3 berner → T
9 besogner → I, T
8 bêtifier → I, T
3 bêtiser → I
3 bétonner → I, T
3 beugler → I, T
3 beurrer → T
3 biaiser → I, T
3 bibarder → I
3 bibeloter → I
3 biberonner → I
3 bicher → I
3 bichonner → T
3 bichoter → I
3 bidonner → T
9 bidouiller → T
bienvenir → I, D seulement à l'infinitif et au participe passé
3 biffer → T
3 bif(fe)tonner → I
11 bifurquer → I
3 bigarrer → T
3 bigler → I, T
3 biglouser → I
3 bigophoner → I, Ti
3 bigorner → T
3 bigrer [afr] → I
3 bilaner [afr] → I
5 se biler → Esp
3 billebauder → I
9 biller → I, T
3 billonner → T
11 biloquer → T
3 biner → I, T
3 biologiser → T
3 biper → T
11 biquer [belg] → I
3 biscuiter → T
3 biseauter → T
3 bisegmenter → T
3 biser → I, T
11 bisquer → I
3 bisser → T
3 bistourner → T
3 bistrer → T
3 bit(t)er → T
3 bitonner → I
3 bitumer → T
3 bituminer → T
5 se bit(t)urer → Esp
11 bivouaquer → I
3 bizuter → T
3 blablater → I
3 blackbouler → T
11 blaguer → I, T, Ti
3 blairer → T
3 blâmer → T
6 blanchir → I, T
3 blaser → T
3 blasonner → T
14 blasphémer → I, T
14 blatérer → I
3 bleffer [belg] → I
6 blêmir → I
14 bléser → I
3 blesser → T
6 blettir → I
6 bleuir → I, T
3 bleuter → T
3 blinder → T
11 blinquer [belg] → I
3 blobloter → I
11 bloguer → I
6 blondir → I, T
27 blondoyer → I
11 bloquer → T
6 se blottir → Esp
3 blouser → I, T
3 bluffer → I, T
3 bluter → T
3 bobiner → T
3 bocarder → T
3 boetter → T
73 boire → T
3 boiser → T
3 boiter → I
9 boitiller → I
3 bolcheviser → T
3 bombarder → T
3 bomber → I, T
3 bonder → T
3 bondériser → T
6 bondir → I
3 bondonner → T
8 bonifier → T
3 bonimenter → I
6 bon(n)ir → T
3 booster → T
3 boquillonner → I
3 bordéliser → T
3 border → T
3 bordurer → T
3 borgnoter → T
3 borner → T
27 bornoyer → T
21 bosseler → T
3 bosser → I, T
7 bossuer → T
3 bostonner → I
3 botaniser → I
21 botteler → T
3 botter → I, T
3 bottiner → I, T
3 boubouler → I
3 boucaner → T
3 boucharder → T
3 boucher → T
3 bouchonner → I, T
3 boucler → I, T
3 bouder → I, T
3 boudiner → T
3 bouffer → I, T
6 bouffir → I, T
3 bouffonner → I
13 bouger → I, T
3 bougonner → I, T, Ti
41 bouillir → I, T
3 bouillonner → I, T
3 bouillotter → I
13 boulanger → I, T
3 bouler → I, T
3 bouleverser → T
3 bouliner → T, I
3 boulocher → I
3 boulonner → I, T
3 boulotter → I, T
3 boumer → I, imp. *ça boume*
3 bouquiner → I, T
3 bourder → I
3 bourdonner → I
3 bourgeonner → I
11 bourlinguer → I
21 bourreler → T
3 bourrer → I, T
3 boursicoter → I
3 boursouf(f)ler → T
3 bousculer → T
9 bousiller → I, T
9 boustifailler → I
9 bouteiller [afr] → T
3 bouter → T
3 boutonner → I, T
3 bouturer → T
3 boxer → I, T
5 se boyauter
3 boycotter → T
3 braconner → T
3 brader → T
9 brailler → I, T
69 braire → I, T, D surtout aux 3es personnes, ind. présent, futur et cond. présent
3 braiser → T
3 bramer → I
3 brancarder → T
3 brancher → T
9 brandiller → I, T
6 brandir → T
3 branler → I, T
3 branlocher → T
11 braquer → T
3 braser → T
9 brasiller → I
3 brasser → T
25 brasseyer → T
3 braver → T
25 brayer → T
9 bredouiller → I, T
3 brêler → T
3 breller → T
9 brésiller → I, T
21 bretteler → T
3 bretter → I, T
24 breveter → T
3 bricoler → I, T
3 brider → T
13 bridger → I
3 briefer → T
3 brif(f)er → T
3 brigander [belg] → I, T
11 briguer → T
3 brillanter → T
3 brillantiner → T
9 briller → I
3 brimbaler → I, T
3 brimer → T
3 bringuebaler → I, T

3 brinquebaler → I, T
3 briocher → T
11 briquer → T
24 briqueter → T
3 briser → I, T
3 broadcaster → T
3 brocanter → I, T
3 brocarder → T
3 brocher → T
3 broder → I, T
3 broncher → I
3 bronzer → I, T
11 broquer belg → I
3 brosser → I, T
3 brouetter → T
3 brouillasser → I, imp. *il brouillasse*
9 brouiller → T
3 brouillonner → T
3 brouter → I, T
27 broyer → T
3 bruiner → I, imp. *il bruine*
6 bruire → I, D surtout au part. présent *(bruissant)*, aux 3es personnes de l'ind. présent et impft *(il bruit/ ils bruissent ; il bruissait/ ils bruissaient)*, au subj. présent *(qu'il bruisse/ qu'ils bruissent)*
3 bruisser → I
3 bruiter → T
3 brûler → I, T
3 brumasser → I, imp. *il brumasse*
3 brumer → I, imp. *il brume*
6 brunir → I, T
11 brusquer → T
3 brutaliser → T
3 bûcher → I, T
14 budgéter → T
3 budgétiser → T
11 buguer → I
3 buller → I
3 bureaucratiser → T
3 buriner → T
3 buser afr → T
3 buter → I, T
3 butiner → I, T
3 butter → T
3 buvoter → I

C

3 cabaler → I
3 cabaner → T
3 cabiner afr → I
3 câbler → T
3 cabosser → T
3 caboter → I
3 cabotiner → I
3 cabrer → T
3 cabrioler → I
3 cacaber → I
3 cacarder → I
3 cacher → T
24 cacheter → T
3 cachetonner → I
3 cadancher → I
3 cadastrer → T
3 cadeauter afr → T
3 cadenasser → T
12 cadencer → T
3 cadoter afr → T
3 cadrer → I, T
3 cafarder → I, T
9 cafouiller → I
3 caf(e)ter → T
3 cagnarder → I
9 cagner → I
11 caguer → I
3 cahoter → I, T
3 caillebotter → T
9 cailler → I, T
24 cailleter → I
3 caillouter → T
3 caïmanter afr → T
3 cajoler → T
5 se calaminer → Esp
3 calamistrer → T
3 calancher → I
3 calandrer → T
3 calciner → T
3 calculer → T
3 caler → I, T
24 caleter → I
3 calfater → T
3 calfeutrer → T
3 calibrer → T
3 câliner → T
8 calligraphier → T
3 calmer → T
6 calmir → I
8 calomnier → T
13 calorifuger → T
3 calotter → T
11 calquer → T
3 calter → I
3 cambrer → T
3 cambrioler → T
3 cambuter → I, T
3 cameloter → I
14 camembérer afr → I
5 se camer → Esp
3 camionner → T
3 camoufler → T
3 camper → I, T *être ou avoir*
3 canaliser → T
3 canarder → I, T
3 cancaner → I
3 cancériser → T
3 candidater → I
6 candir → I, T
3 caner → I
21 canneler → T
3 canner → I, T
3 cannibaliser → T
3 canoniser → T
3 canonner → T
3 canoter → I
3 cantiner → I
3 cantonner → I, T
3 canuler → T
3 caoutchouter → T
3 capahuter → T
3 caparaçonner → T
10 capéer → I
21 capeler → T
25 capeyer → I
3 capitaliser → T
3 capitonner → T
3 capituler → I
3 caponner → I
3 caporaliser → T
3 capoter → I, T
3 capsuler → T
3 capter → T
3 captiver → T
3 capturer → T
3 capuchonner → T
11 caquer → T
24 caqueter → I
3 caracoler → I
3 caractériser → T
3 carafer → T
3 caramboler → I, T
3 caraméliser → I, T
5 se carapater → Esp
3 carbonater → T
3 carboniser → T
3 carburer → I, T
9 carcailler → I
3 carder → T
12 carencer → T
14 caréner → I, T
3 caresser → T
11 carguer → T
3 caricaturer → T
8 carier → T
3 carillonner → I, T
3 carmer → T
3 carminer → T
8 se carnifier → Esp
3 carotter → I, T
21 carreler → T
3 carrer → T
3 carrosser → T
3 caroubler → T
27 carroyer → T
3 carter → T
8 cartographier → T
3 cartonner → I, T
3 cartoucher afr → I
3 cascader → I
8 caséifier → T
3 casemater → T
3 caser → T
3 caserner → T
11 casquer → I, T
3 casse-croûter → I
3 casser → I, T
9 castagner → I, T
3 castrer → T
11 cataloguer → T
3 catalyser → T
3 catapulter → T
3 catastropher → T
3 catcher → I
3 catéchiser → T
3 catiner québ → I, T
6 catir → T
3 cauchemarder → I
3 causer → I, T
3 cautériser → T
3 cautionner → T
3 cavacher afr → I
3 cavalcader → I
3 cavaler → I, T
3 caver → T
3 caviarder → T
14 céder → T, Ti
3 cégotter afr → T
86 ceindre → T
3 ceinturer → T
14 célébrer → T
20 celer → T
3 cémenter → T
3 cendrer → T
3 censurer → T
3 center afr → T
3 centraliser → T
3 centrer → T
13 centrifuger → T
3 centupler → I, T
3 cercler → T

3 cerner → T
8 certifier → T
3 césariser → T
3 cesser → I, T, Ti
3 chabler → T
3 chagriner → T
3 chahuter → I, T
3 chaîner → T
13 challenger → T
chaloir → D
surtout à la
3e personne du sing.
de l'ind. présent
(peu lui chaut)
3 chalouper → I
9 se chamailler → Esp
3 chamarrer → T
3 chambarder → T
3 chambouler → T
3 chambrer → T
3 chameauser [afr] → I
3 chamoiser → T
3 champagniser → T
19 champlever → T
21 chanceler → I
11 chancetiquer → I
6 chancir → I
3 chanfreiner → T
13 changer → I, T, Ti
être ou *avoir*
3 chansonner → T
11 chanstiquer → I, T
3 chanter → I, T
3 chantonner → T
3 chantourner → T
3 chaparder → T
3 chapeauter → T
21 chapeler → T
3 chaperonner → T
3 chapitrer → T
3 chaponner → T
3 chaptaliser → T
3 charbonner → I, T
3 charcuter → T
13 charger → I, T
3 chariboter → I
3 charlater [afr] → I
3 charmer → T
3 charpenter → T
8 charrier → I, T
27 charroyer → T
3 chartériser → T
3 chasser → I, T
9 châtaigner → I
8 châtier → T
3 chatonner → I
9 chatouiller → T
27 chatoyer → I

3 châtrer → T
3 chauffer → I, T
3 chauler → T
3 chaumer → I, T
3 chausser → T
6 chauvir → I
3 chavirer → I, T
être ou *avoir*
11 ch(e)linguer → I
3 cheminer → I
3 chemiser → T
3 chercher → T
14 chérer → I
6 chérir → T
3 cherrer → I
3 chevaler → T
3 chevaucher → I, T
9 cheviller → T
24 chevreter → I
3 chevronner → T
3 chevroter → I
3 chiader → T
3 chialer → I
3 chicaner → I, T, Ti
5 se chicorer → Esp
5 se chicorner → Esp
3 chicoter → I
3 chicotter [afr] → T
3 chienner → I
8 chier → I, T
3 chiffonner → T
3 chiffrer → I, T
9 chigner → I
3 chimer → I
3 chiner → T
3 chinoiser → I
3 chiper → T
3 chipoter → I, T
11 chiquer → T
8 chirographier → T
3 chlorer → T
3 chloroformer → T
3 chlorurer → T
3 chocotter → I
65 choir → I, D
être ou *avoir*
6 choisir → T
3 chômer → I, T
3 choper → T
3 chopiner → I
3 chopper → I
11 choquer → T
8 chorégraphier → I, T
3 choser [afr] → I, T
8 chosifier → T
3 chouchouter → T
3 chouraver → T
3 chourer → T

3 chouriner → T
27 choyer → T
3 christianiser → T
3 chromer → T
11 chroniquer → I
14 chronométrer → T
3 chroumer → I, T
3 chuchoter → I, T
3 chuinter → I
3 chuter → I
3 cibler → T
3 cicatriser → I, T
3 cigler → T
9 ciller → I, T
3 cimenter → T
8 cinématographier
→ T
3 cingler → I, T
3 cintrer → T
82 circoncire → T
p. p. : *circoncis, se, ses*
80 circonscrire → T
8 circonstancier → T
39 circonvenir → T
3 circuler → I
3 cirer → T
9 cisailler → T
20 ciseler → T
3 citer → T
3 citronner → T
3 civiliser → T
3 clabauder → I
3 claboter → I
3 clacher [belg] → T
3 claironner → I, T
12 clamecer → I
3 clamer → T
3 clamper → T
3 clamser → I
3 claper → T
6 clapir → I
3 clapoter → I
3 clapper → I
3 clapser → I
3 claquemurer → T
11 claquer → I, T
24 claqueter → I
8 clarifier → T
3 classer → T
8 classifier → T
11 claudiquer → I
3 claustrer → T
3 claver → T
24 clavet(t)er → T
3 clayonner → T
3 clicher → T
3 clienter [afr] → T

9 cligner → I, T, Ti
3 clignoter → I
3 climatiser → T
11 cliquer → I
24 cliqueter → I
3 cliquoter [belg] → I
3 clisser → T
3 cliver → T
3 clochardiser → T
3 clocher → I, T
3 cloisonner → T
3 cloîtrer → T
3 cloner → T
3 cloper [belg] → I
3 clopiner → I
11 cloquer → I, T
104 clore → T, D
3 clôturer → T
7 clouer → T
3 clouter → T
3 coacher → T
3 coaguler → I, T
3 coaliser → T
3 coanimer → T
3 coasser → I
5 se cocaliser [afr]
→ Esp
3 cocher → T
3 côcher → T
3 cochonner → I, T
3 cocooner → T
3 cocot(t)er → I
8 cocufier → T
3 coder → T
8 codifier → T
13 codiriger → T
80 coécrire → T
3 coéditer → T
3 coexister → I
12 cofinancer → T
3 coffrer → T
14 cogérer → T
3 cogiter → I, T
9 cogner → I, T
3 cohabiter → I
3 cohériter → I
3 coiffer → T
12 coincer → T
3 coïncider → I
3 coïter → I
8 cokéfier → T
3 cokser [afr] → T
3 collaborer → I, Ti
3 collapser → I
3 collationner → I, T
3 collecter → T
3 collectionner → T
3 collectiviser → T

3 coller → I, T, Ti
24 colleter → T
13 colliger → T
11 colloquer → T
3 colmater → T
3 coloniser → T
3 colorer → T
8 colorier → T
3 coloriser → T
3 colporter → T
3 coltiner → T
93 combattre → I, T, Ti
3 combiner → T
3 combler → T
3 commander → T, Ti
3 commanditer → T
3 commémorer → T
12 commencer → I, T, Ti, *être* ou *avoir*
3 commenter → T
12 commercer → I
3 commercialiser → T
14 comméręr → I
94 commettre → T
3 commissionner → T
3 commotionner → T
7 commuer → T
3 communaliser → T
8 communier → I
11 communiquer → I, T
3 commuter → I, T
3 compacter → T
96 comparaître → I
3 comparer → T
comparoir → I, D seulement à l'infinitif *(être assigné à comparoir)* et au part. présent *(comparant)*
3 compartimenter → T
3 compasser → T
6 compatir → Ti
3 compenser → T
14 compéter → I
3 compiler → T
3 compisser → T
71 complaire → Ti
14 compléter → T
3 complexer → T
8 complexifier → T
3 complimenter → T
11 compliquer → T
3 comploter → T, Ti
3 comporter → T
3 composer → I, T
3 composter → T
84 comprendre → T
3 compresser → T
3 comprimer → T
94 compromettre → I, T
3 comptabiliser → T
3 compter → I, T, Ti
3 compulser → T
3 computer → T
3 concasser → T
14 concéder → T
14 concélébrer → T
3 concentrer → T
3 conceptualiser → T
3 concerner → T ne s'emploie qu'aux 3es pers. à la voix active et à toutes les personnes à la voix passive
3 concerter → I, T
48 concevoir → T
8 concilier → T
101 conclure → T, Ti
3 concocter → T
3 concorder → I
32 concourir → I, Ti
23 concréter → T
3 concrétiser → T
12 concurrencer → T
3 condamner → T
3 condenser → T
83 condescendre → Ti
3 conditionner → T
74 conduire → T
3 confectionner → T
14 confédérer → T
14 conférer → I, T
3 confesser → T
3 confiancer [afr] → T
8 confier → T
3 configurer → T
3 confiner → T, Ti
82 confire → T
3 confirmer → T
11 confisquer → T
3 confiturer [afr] → T
7 confluer → I
83 confondre → T
3 conformer → T
3 conforter → T
3 confronter → T
8 congédier → T
20 congeler → T
3 congestionner → T
14 conglomérer → T
3 conglutiner → T
3 congratuler → T
10 congréer → T
6 cônir → T
3 conjecturer → T
88 conjoindre → T
11 conjuguer → T
3 conjurer → T
96 connaître → T
3 connecter → T
3 connoter → T
3 conobrer → T
11 coquer → T
40 conquérir → T
3 consacrer → T
3 conscientiser → T
9 conseiller → T, Ti
36 consentir → T, Ti
3 conserver → T
14 considérer → T
9 consigner → T
3 consister → Ti
3 consoler → T
3 consolider → T
3 consommer → T
3 consoner → I
3 conspirer → T, Ti
7 conspuer → T
3 constater → T
3 consteller → T
3 consterner → T
3 constiper → T
7 constituer → T
3 constitutionnaliser → T
74 construire → T
3 consulter → I, T
3 consumer → T
3 contacter → T
3 contagionner → T
3 containeriser → T
3 contaminer → T
3 contempler → T
3 conteneuriser → T
39 contenir → T
3 contenter → T
3 conter → T
3 contester → T, Ti
3 contingenter → T
7 continuer → I, T, Ti
3 contorsionner → T
3 contourner → T
3 contracter → T
3 contractualiser → T
3 contracturer → T
87 contraindre → T
8 contrarier → T
3 contraster → I, T
11 contre-attaquer → I
12 contrebalancer → T
93 contrebattre → T
11 contrebraquer → T
3 contreb(o)uter → T
3 contrecarrer → T
77 contredire → T
68 contrefaire → T
5 se contreficher → Esp
93 se contrefoutre → Esp, D
11 contre-indiquer → T
3 contremander → T
3 contre-manifester → I
11 contremarquer → T
3 contre-miner → T
3 contre-murer → T
3 contre-passer → T
11 contreplaquer → T
3 contrer → T
3 contre-sceller → T
9 contresigner → T
3 contre-tirer → T
39 contrevenir → Ti
7 contribuer → Ti
3 contrister → T
3 contrôler → T
3 controuver → T
3 controverser → T
3 contusionner → T
95 convaincre → T
39 convenir → Ti *être ou avoir*
3 conventionner → T
13 converger → I
3 converser → I
6 convertir → T
8 convier → T
3 convivialiser → I, T
3 convoiter → T
3 convoler → I
11 convoquer → T
27 convoyer → T
3 convulser → T
3 convulsionner → T
14 coopérer → I
3 coopter → T
3 coordonner → T
3 copermuter → T
8 copier → T
3 copiner → I
3 coposséder → T
3 coprésider → T
74 coproduire → T
3 copuler → I
3 copyrighter → T
3 copywriter → T
11 coquer → T
24 coqueter → I

9 coquiller → I, T
3 coraniser [afr] → T
21 cordeler → T
3 corder → T
3 cordonner → T
3 cornancher → T
11 cornaquer → T
3 corner → I, T
3 correctionnaliser → T
14 corréler → T
83 correspondre → I, Ti
13 corriger → T
3 corroborer → T
3 corroder → T
92 corrompre → T
27 corroyer → T
3 corser → T
23 corseter → T
9 cosigner → T
11 cosmétiquer → T
3 cosser → I
3 costumer → T
3 coter → T
6 cotir → T
3 cotiser → I
3 cotonner → I, T
27 côtoyer → T
9 couchailler → I
3 coucher → I, T
3 couder → T
27 coudoyer → T
89 coudre → T
9 couiller [afr] → T
3 couillonner → T
3 couiner → I
3 couler → I, T
3 coulisser → I, T
9 coupailler → T
3 coupeller → T
3 couper → T
3 coupler → T
9 courailler → I
3 courbaturer → T
deux p.p. : courbaturé, ée, és, ées / courbatu, ue, us, ues
3 courber → T
32 courir → I, T
3 couronner → T
12 courroucer → T
3 courser → T
3 courtauder → T
3 court-circuiter → T
3 courtiser → T
3 cousiner → I
3 couteauner [afr] → T
3 coûter → I, T, Ti
3 coutoner [afr] → T

27 coutoyer [afr] → T
3 couturer → T
3 couver → I, T
42 couvrir → T
3 coxer → T
3 cracher → T
3 crachiner → I, imp.
3 crachoter → I
9 crachouiller → T
9 crailler → I
87 craindre → T
3 cramer → I, T
3 cramponner → T
3 cram(p)ser → I
3 crâner → I
3 cranter → T
3 crapahuter → I
3 crapaüter → I
3 crapoter → I
3 crapuler → I
21 craqueler → T
11 craquer → I, T
24 craqueter → I
5 se crasher → Esp
3 crasser → T
3 cravacher → I, T
5 se cravater [afr] → Esp
3 cravater → T
3 crawler → I
3 crayonner → T
14 crécher → I
3 crédibiliser → T
3 créditer → T
10 créer → T
14 crémer → I, T
21 créneler → T
14 créner → T
3 créoliser → T
3 créosoter → T
3 crêper → T
6 crépir → T
3 crépiter → I
3 crétiniser → T
3 creuser → T
3 crevasser → T
19 crever → I, T
être ou avoir
9 criailler → I
3 cribler → T
8 crier → I, T
3 criminaliser → T
11 criquer → I
3 criser → I
3 crisper → T
3 crisser → I
3 cristalliser → I, T
9 criticailler → T
11 critiquer → T

3 croasser → I
3 crocher → I, T
23 crocheter → T
72 croire → T, Ti
3 croiser → I, T
99 croître → I
être ou avoir
3 croller [belg] → I
6 crônir → I
6 crounir → I
11 croquer → I, T
3 crosser → T
3 crotter → I, T
3 crouler → I
être ou avoir
3 croupionner → I
6 croupir → I
être ou avoir
9 croustiller → I
3 croûter → I, T
5 se croûtonner → Esp
8 crucifier → T
3 crypter → T
8 cryptographier → T
3 cuber → I, T
43 cueillir → T
3 cuirasser → T
74 cuire → I, T
3 cuisiner → T
5 se cuiter → Esp
3 cuivrer → T
3 culbuter → I, T
3 culer → I
3 culminer → I
3 culotter → T
3 culpabiliser → I, T
3 cultiver → T
3 cumuler → T
3 curer → T
24 cureter → T
3 customiser → T
21 cuveler → T
3 cuver → I, T
3 cyanoser → T
3 cylindrer → T

D

8 dactylographier → T
11 daguer → I, T
9 daigner (+ inf.) → T
3 daller → T
3 damasquiner → T
3 damasser → T
3 damer → I, T
3 damner → T
3 dandiner → T

3 danser → I, T
3 dansot(t)er → I
3 darder → I, T
3 dater → I, T
3 dauber → T, Ti
3 déactiver → T
3 dealer → T
3 déambuler → I
3 débâcher → T
3 débâcler → T
3 débagouler → T
3 débâillonner → T
3 déballer → T
5 se déballonner → Esp
3 débalourder → T
3 débanaliser → T
3 débander → I, T
3 débaptiser → T
3 débarboter [afr] → T
9 débarbouiller → T
3 débarder → T
11 débarquer → I, T
3 débarrasser → T
3 débarrer → T
3 débâter → T
6 débâtir → T
93 débattre → T
3 débaucher → T
3 débecter → T
24 débe(c)queter → T
3 débiliter → T
3 débillarder → T
3 débiner → T
3 débiter → T
14 déblatérer → I, T, Ti
25 déblayer → T
6 débleuir → T
11 débloquer → I, T
3 débobiner → T
11 déboguer → T
3 déboiser → T
3 déboîter → I, T
3 débonder → T
3 déborder → I, T, Ti
être ou avoir
21 débosseler → T
3 débotter → T
3 déboucher → I, T
3 déboucler → T
3 débouder → I, T
41 débouillir → T
3 débouler → I
3 déboulonner → T
11 débouquer → I
3 débourber → T
3 débourrer → T
3 débourser → T

3 déboussoler → T
3 débouter → T
3 déboutonner → T
3 débraguetter → T
9 se débrailler → Esp
3 débrancher → T
25 débrayer → I, T
3 débrider → T
3 débriefer → T
3 débrocher → T
3 débrôler [belg] → T
9 débrouiller → T
9 débroussailler → T
3 débrousser [afr] → T
3 débucher → I, T
3 débudgétiser → T
11 débuguer → T
3 débuller → T
3 débureaucratiser → T
11 débusquer → T
3 débuter → I, T
24 décacheter → T
3 décadenasser → T
3 décadrer → T
3 décaféiner → T
3 décaisser → T
3 décalaminer → T
3 décalcariser [belg] → T
8 décalcifier → T
3 décaler → T
3 décalotter → T
11 décalquer → T
3 décamper → I *être ou avoir*
9 décaniller → I
3 décanter → I, T
21 décapeler → T
3 décaper → T
3 décapitaliser → T
3 décapiter → T
3 décapoter → T
3 décapsuler → T
3 décapuchonner → T
3 décarburer → T
3 décarcasser → T
9 décarpiller → T
21 décarreler → T
3 décarrer → I
3 décartonner → T
6 décatir → T
3 décauser [belg] → T
3 décavaillonner → T
3 décaver → T
14 décéder → I, *être*
20 déceler → T
14 décélérer → I
3 décentraliser → T

3 décentrer → T
3 décercler → T
3 décérébrer → T
3 décerner → T
21 décerveler → T
3 décesser → Ti
48 décevoir → T
3 déchagriner → T
3 déchaîner → T
3 déchanter → I
3 déchaper → T
3 déchaperonner → T
13 décharger → T
3 décharner → T
3 déchaumer → T
3 déchausser → T
14 décher → T
3 déchevêtrer → T
9 décheviller → T
3 déchiffonner → T
3 déchiffrer → T
24 déchiqueter → T
3 déchirer → T
3 déchlorurer → T
67 déchoir → I, D *être ou avoir*
3 déchristianiser → T
3 déchromer → T
3 décider → T, Ti
3 décimaliser → T
3 décimer → T
3 décintrer → T
3 déclamer → T
3 déclarer → T
3 déclasser → T
24 déclaveter → T
3 déclencher → T
3 décléricaliser → T
3 décliner → I, T
24 décliqueter → T
3 décloisonner → T
104 déclore → T, D *seulement à l'infinitif et au participe passé*
7 déclouer → T
3 décocher → T
3 décoder → T
3 décoffrer → T
3 décoiffer → T
12 décoincer → T
14 décolérer → I
3 décoller → I, T
24 décolleter → T
3 décoloniser → T
3 décolorer → T
3 décommander → T
94 décommettre → T
3 décommuniser → T

3 décompenser → I
3 décomplexer → T
3 décomposer → T
3 décompresser → I, T
3 décomprimer → T
3 décompter → T
3 déconcentrer → T
3 déconcerter → T
5 se déconcubiner → Esp
3 déconditionner → T
82 déconfire → T
20 décongeler → T
3 décongestionner → T
3 déconnecter → T
3 déconner → I
9 déconseiller → T
14 déconsidérer → T
9 déconsigner → T
3 déconstiper → T
74 déconstruire → T
3 décontaminer → T
12 décontenancer → T
3 décontracter → T
3 déconventionner → T
12 décorcer [afr] → T
3 décorder → T
3 décorer → I, T
3 décorner → T
11 décortiquer → T
3 découcher → I
89 découdre → T
3 découler → I, Ti
3 découper → T
3 découpler → T
13 décourager → T
3 découronner → T
42 découvrir → T
3 décrambuter → I, T
3 décramponner → T
9 décrapouiller → T
3 décrasser → T
3 décrédibiliser → T
3 décréditer → T
3 décrémenter → T
3 décrêper → T
6 décrépir → T
3 décrépiter → I, T
14 décréter → T
3 décreuser → T
8 décrier → T
3 décriminaliser → T
80 décrire → T
3 décrisper → T
3 décrocher → I, T
3 décroiser → T

100 décroître → I *être ou avoir*
3 décrotter → T
3 décroûter → T
7 décruer → T
3 décruser → T
3 décrypter → T
74 décuire → T
3 décuivrer → T
3 déculasser → T
3 déculotter → T
3 déculpabiliser → T
3 décupler → I, T
3 décuver → T
9 dédaigner → T, Ti
12 dédicacer → T
8 dédier → T
77 dédire → T
13 dédommager → T
3 dédorer → T
3 dédouaner → T
3 dédoubler → T
3 dédramatiser → T
74 déduire → T
44 défaillir → I
68 défaire → T
11 défalquer → T
3 défarder → T
11 défarguer → T
11 défatiguer → T
3 défaucher → T
3 défaufiler → T
3 défausser → T
3 défavoriser → T
83 défendre → T
3 défenestrer → T
16 déféquer → I, T
14 déférer → T, Ti
3 déferler → I, T
3 déferrer → T
3 déferriser → T
9 défeuiller → T
3 défeutrer → T
3 défibrer → T
21 déficeler → T
3 déficher → T
8 défier → T
13 défiger → T
3 défigurer → T
3 défiler → I, T
6 définir → T
3 défiscaliser → T
3 déflagrer → I
11 déflaquer → I
6 défléchir → I, T
6 défleurir → I, T
11 défloquer → T
3 déflorer → T

8 défolier → T
12 défoncer → T
3 déforcer [afr] → T
3 déformer → T
3 défouler → T
9 défourailler → I, T
3 défourner → T
3 défourrer → T
3 défragmenter → T
6 défraîchir → T
3 défranciser → T
25 défrayer → T
3 défretter → T
3 défricher → T
11 défringuer → T
3 défriper → T
3 défriser → T
3 défroisser → T
12 défroncer → T
11 défroquer → I, T
3 défruiter → T
11 défrusquer → T
13 dégager → I, T
3 dégainer → T
3 dégalonner → T
3 déganter → T
6 dégarnir → T
3 dégasoliner → T
6 dégauchir → T
3 dégazer → I, T
3 dégazoliner → T
3 dégazonner → T
20 dégeler → I, T
être ou avoir
14 dégénérer → I
être ou avoir
3 dégermer → T
3 déginganđer → T
3 dégîter → T
3 dégivrer → T
12 déglacer → T
11 déglinguer → T
7 dégluer → T
6 déglutir → T
9 dégobiller → I, T
3 dégoiser → T
3 dégommer → T
3 dégonder → T
3 dégonfler → I, T
13 dégorger → I, T
3 dégot(t)er → I, T
3 dégoudronner → T
3 dégouliner → I
9 dégoupiller → T
6 dégourdir → T
3 dégour(r)er → T
3 dégoûter → T
3 dégoutter → I, T

3 dégrader → T
3 dégrafer → T
3 dégraisser → T
27 dégravoyer → T
10 dégréer → T
14 dégréner → I, T
19 dégrever → T
3 dégringoler → I, T
3 dégripper → T
3 dégriser → T
3 dégrosser → T
6 dégrossir → T
9 se dégrouiller → Esp
6 déguerpir → I, T
3 dégueulasser → T
3 dégueuler → T
3 déguiser → T
3 dégurgiter → T
3 déguster → T
3 déhaler → T
3 déhancher → T
3 déharder → T
3 déharnacher → T
3 déhotter → I
9 déhouiller → T
8 déifier → T
3 déjanter → T
13 déjauger → I
6 déjaunir → T
24 déjeter → T
3 déjeuner → I
7 déjouer → T
3 déjucher → I, T
13 se déjuger → Esp
3 délabialiser → T
3 délabrer → T
3 délabyrinther → T
12 délacer → T
3 délainer → T
3 délaisser → T
3 délaiter → T
3 délarder → T
3 délasser → T
3 délatter → T
3 délaver → T
25 délayer → T
3 déléaturer → T
3 délecter → T
3 délégitimer → T
16 déléguer → T
3 délester → T
14 délibérer → Ti
8 délier → T
8 délignifier → T
3 délimiter → T
10 délinéer → T
3 délirer → I
3 délisser → T

3 déliter → T
3 délivrer → T
3 délocaliser → T
13 déloger → I, T
11 déloquer → T
3 délover → T
3 délurer → T
3 délustrer → T
3 déluter → T
3 démaçonner → T
3 démagnétiser → T
6 démaigrir → I, T
9 démailler → T
3 démailloter → T
3 démancher → I, T
3 demander → T
13 démanger → T
20 démanteler → T
3 démantibuler → T
11 se démaquer → Esp
9 démaquiller → T
3 démarabouter [afr] → T
3 démarcher → T
8 démarier → T
11 démarquer → I, T
3 démarrer → I, T
3 démascler → T
11 démasquer → T
11 démastiquer → T
3 démâter → I, T
3 dématérialiser → T
3 démazouter → T
3 démédicaliser → T
3 démêler → T
3 démembrer → T
13 déménager → I, T
19 se démener → Esp
36 démentir → T
5 se démerder → Esp
13 démerger [belg] → T
3 démériter → I
3 déméthaniser → T
94 démettre → T
3 démeubler → T
3 demeurer → I
être ou avoir
3 démieller → T
3 démilitariser → T
3 déminer → T
3 déminéraliser → T
3 démissionner → T, Ti
3 démobiliser → T
3 démocratiser → T
3 démoder → T
3 démoduler → T
6 démolir → T

3 démonétiser → T
3 démonter → T
3 démontrer → T
3 démoraliser → T
83 démordre → I, Ti
3 démotiver → T
24 démoucheter → T
3 démouler → T
9 se démouscailler → Esp
11 démoustiquer → T
8 démultiplier → T
6 démunir → T
3 démurer → T
13 démurger → I, T
21 démuseler → T
8 démystifier → T
8 démythifier → T
3 dénasaliser → T
3 dénationaliser → T
3 dénatter → T
3 dénaturaliser → T
3 dénaturer → T
8 dénazifier → T
3 dénébuler → T
3 dénébuliser → T
13 déneiger → T
3 dénerver → T
3 déniaiser → T
3 dénicher → I, T
3 dénickeler → T
3 dénicotiniser → T
8 dénier → T
3 dénigrer → T
3 dénitrater → T
3 dénitrer → T
8 dénitrifier → T
21 déniveler → T
3 dénombrer → T
3 dénommer → T
12 dénoncer → T
3 dénoter → T
7 dénouer → T
3 dénoyauter → T
27 dénoyer → T
8 densifier → T
21 denteler → T
3 dénucléariser → T
3 dénuder → T
7 se dénuer → Esp
5 se dépagnoter → Esp
9 dépailler → T
21 dépaisseler → T
3 dépalisser → T
3 dépanner → T
24 dépaqueter → T
3 déparaffiner → T

3 déparasiter → T
9 dépareiller → T
3 déparer → T
8 déparier → T
3 déparler → I
13 départager → T
3 départementaliser → T
36 départir → T
3 dépasser → I, T
3 dépassionner → T
9 se dépatouiller → Esp
8 dépatrier → T
3 dépaver → T
3 dépayser → T
19 dépecer → T
3 dépêcher → T
9 dépeigner → T
86 dépeindre → T
3 dépelotonner → T
3 dépénaliser → T
83 dépendre → T, Ti
3 dépenser → T
6 dépérir → I
3 dépersonnaliser → T
3 dépêtrer → T
3 dépeupler → T
3 déphaser → T
3 déphosphorer → T
3 dépiauter → T
3 dépigmenter [afr] → T
3 dépiler → T
3 dépingler → T
11 dépiquer → T
3 dépister → T
3 dépiter → T
12 déplacer → T
3 déplafonner → T
71 déplaire → Ti
3 déplaner → I
11 déplanquer → T
3 déplanter → T
3 déplâtrer → T
8 déplier → T
3 déplisser → T
3 déplomber → T
3 déplorer → T
27 déployer → T
3 déplumer → T
3 dépocher → T
3 dépoétiser → T
3 dépointer → T
3 dépolariser → T
6 dépolir → T
3 dépolitiser → T
7 dépolluer → T
3 dépolymériser → T
9 dépontiller → I
3 déporter → T
3 déposer → T
14 déposséder → T
3 dépoter → T
3 dépoudrer → T
9 dépouiller → T
51 dépourvoir → T, D
14 dépoussiérer → T
3 dépraver → T
8 déprécier → T
84 se déprendre → Esp
3 dépressuriser → T
3 déprimer → I, T
3 dépriser → T
3 déprogrammer → T
3 déprolétariser → T
3 dépropaniser → T
18 déprotéger → T
21 dépuceler → T
3 dépulper → T
3 dépurer → T
3 députer → T
8 déqualifier → T
9 déquiller → T
3 déraciner → T
3 dérader → I
13 dérager → I
6 déraidir → T
9 dérailler → I
3 déraisonner → I
3 dérâmer → I, T
13 déranger → T
3 déraper → I
3 déraser → T
3 dérater → T
3 dératiser → T
25 dérayer → I, T
3 déréaliser → T
12 déréférencer → T
3 déréglementer → T
14 dérégler → T
3 déréguler → T
3 déresponsabiliser → T
3 dérider → T
3 dériver → I, T, Ti
3 dérober → T
3 dérocher → T
3 déroder → T
13 déroger → Ti
6 dérondir → T
6 dérougir → I, T
9 dérouiller → I, T
3 dérouler → T
3 dérouter → T
3 désabonner → T
3 désabuser → T
7 désaccentuer → T
3 désacclimater → T
3 désaccorder → T
3 désaccoupler → T
3 désaccoutumer → T
8 désacidifier → T
14 désaciérer → T
3 désacraliser → T
3 désactiver → T
3 désadapter → T
14 désaérer → T
3 désaffecter → T
5 se désaffectionner → Esp
8 désaffilier → T
12 désagencer → T
3 désagrafer → T
18 désagréger → T
3 désaimanter → T
3 désaisonnaliser → T
3 désajuster → T
14 désaliéner → T
9 désaligner → T
3 désalper → I
14 désaltérer → T
3 désamarrer → T
3 désambiguïser → T
5 se désâmer [québ] → Esp
3 désamianter → T
3 désamidonner → T
3 désaminer → T
12 désamorcer → T
3 désannexer → T
3 désaper → T
8 désapparier → T
3 désappointer → T
84 désapprendre → T
3 désapprouver → T
3 désapprovisionner → T
3 désarçonner → T
3 désargenter → T
3 désarmer → I, T
3 désarrimer → T
3 désarticuler → T
3 désassembler → T
3 désassimiler → T
6 désassortir → T
3 désatomiser → T
13 désavantager → T
3 désaveugler → T
7 désavouer → T
3 désaxer → T
3 desceller → T
83 descendre → I, T *être ou avoir*
3 déscolariser → T
7 déséchouer → T
3 désectoriser → T
3 désembobiner → T
3 désembourber → T
3 désembourgeoiser → T
9 désembouteiller → T
25 désembrayer → T
7 désembuer → T
3 désemmancher → T
3 désemparer → T
19 désempeser → T
6 désemplir → I, T
3 désemprisonner → T
3 désencadrer → T
3 désencarter → T
3 désenchaîner → T
3 désenchanter → T
3 désenclaver → T
3 désencombrer → T
3 désencrasser → T
5 se désendetter → Esp
3 désénerver → T
3 désenfiler → T
3 désenflammer → T
3 désenfler → I, T
3 désenfumer → T
13 désengager → T
7 désengluer → T
13 désengorger → T
6 désengourdir → T
19 désengrener → T
3 désenivrer → T
12 désenlacer → T
6 désenlaidir → I, T
26 désennuyer → T
25 désenrayer → T
3 désenrhumer → T
7 désenrouer → T
3 désensabler → T
3 désensibiliser → T
21 désensorceler → T
3 désentoiler → T
9 désentortiller → T
3 désentraver → T
3 désenvaser → T
3 désenvelopper → T
3 désenvenimer → T
11 désenverguer → T
3 désenvoûter → T
6 désépaissir → T
3 déséquilibrer → T
5 se déséquiper → Esp
3 déserter → T

14 désespérer → I, T
6 désétablir → T
3 désétamer → T
3 désétatiser → T
3 désexciter → T
3 désexualiser → T
9 déshabiller → T
7 déshabituer → T
3 désherber → T
3 déshériter → T
3 déshonorer → T
3 déshuiler → T
3 déshumaniser → T
8 déshumidifier → T
3 déshydrater → T
14 déshydrogéner → T
16 déshypothéquer → T
9 désigner → T
3 désillusionner → T
3 désincarner → T
3 désincorporer → T
3 désincruster → T
3 désinculper → T
3 désindexer → T
3 désindustrialiser → T
3 désinfecter → T
3 désinformer → T
3 désinhiber → T
80 désinscrire → T
3 désinsectiser → T
3 désinstaller → T
14 désintégrer → T
3 désintéresser → T
11 désintoxiquer → T
6 désinvestir → T
3 désinviter → T
3 désirer → T
5 se désister → Esp
6 désobéir → Ti accepte la voix passive
13 désobliger → T
7 désobstruer → T
3 désocialiser → T
3 désoccuper → T
3 désodoriser → T
3 désoler → T
3 désolidariser → T
3 désoperculer → T
3 désopiler → T
3 désorber → T
3 désorbiter → T
3 désordonner → T
3 désorganiser → T
3 désorienter → T
3 désosser → T
3 désouffler [québ] → T
3 désoxyder → T
14 désoxygéner → T
3 desquamer → I, T
3 dessabler → T
6 dessaisir → T
3 dessaler → I, T
3 dessangler → T
3 dessaouler → I, T
3 dessaper → T
14 dessécher → T
3 desseller → T
3 desserrer → T
6 dessertir → T
35 desservir → T
9 dessiller → T
3 dessiner → T
3 dessoler → T
3 dessouder → T
3 dessouffler [québ] → T
3 dessoûler → I, T
3 dessuinter → T
3 déstabiliser → T
3 déstaliniser → T
3 destiner → T
7 destituer → T
3 destocker → T
3 destructurer → T
3 désulfiter → T
3 désulfurer → T
6 désunir → T
3 désynchroniser → T
3 détacher → T
9 détailler → T
3 détaler → I
3 détapisser → T
3 détartrer → T
3 détaxer → T
3 détecter → T
86 déteindre → I, T
21 dételer → I, T
83 détendre → T
39 détenir → T
13 déterger → T
3 détériorer → T
3 déterminer → T
3 déterrer → T
3 détester → T
3 détirer → T
3 détisser → T
3 détoner → I
21 détonneler → T
3 détonner → I
83 détordre → T
9 détortiller → T
3 détourer → T
3 détourner → T
11 détoxiquer → T
3 détracter → T
3 détrancher → I
3 détransposer → T
11 détraquer → T
3 détremper → T
3 détresser → T
3 détricoter → T
3 détromper → T
3 détroncher → I
3 détrôner → T
11 détroquer → T
3 détrousser → T
74 détruire → T
3 dévaler → I, T
3 dévaliser → T
3 dévaloriser → T
7 dévaluer → T
12 devancer → T
3 dévaser → T
3 dévaster → T
3 développer → T
39 devenir → I, *être*
3 déventer → T
6 déverdir → I
5 se dévergonder → Esp
11 déverguer → T
6 dévernir → T
9 déverrouiller → T
3 déverser → T
37 dévêtir → T
3 dévider → T
8 dévier → I, T
3 deviner → T
3 dévirer → T
3 dévirginiser → T
3 déviriliser → T
3 déviroler → T
13 dévisager → T
3 deviser → I
3 dévisser → I, T
3 dévitaliser → T
8 dévitrifier → T
3 dévoiler → T
53 devoir → T
3 dévolter → T
3 dévorer → T
7 dévouer → T
27 dévoyer → T
11 dézinguer → T
3 diaboliser → T
11 diagnostiquer → T
3 dialectaliser → T
3 dialectiser → T
11 dialoguer → I, T
3 dialyser → T
3 diamanter → T
3 diaphragmer → I, T
3 diaprer → T
3 dicter → T
3 diéséliser → T
14 diéser → T
3 diffamer → T
8 différencier → T
14 différer → I, T
3 difformer → T
3 diffracter → T
3 diffuser → T
14 digérer → T
3 digitaliser → T
3 digresser → I
14 dilacérer → T
3 dilapider → T
3 dilater → T
3 diligenter → T
7 diluer → T
3 dimensionner → T
7 diminuer → I, T *être* ou *avoir*
3 dindonner → T
3 dîner → I
11 dinguer → I
11 diphtonguer → T
3 diplômer → T
76 dire → T
13 diriger → T
3 discerner → T
3 discipliner → T
3 discompter → T
7 discontinuer → I, D seulement à l'infinitif
39 disconvenir → Ti *être* ou *avoir*
3 discorder → I
3 discounter → T
32 discourir → I
3 discréditer → T
3 discriminer → T
3 disculper → T
3 discuputer [afr] → I
9 discutailler → I
3 discuter → I, T, Ti
8 disgracier → T
88 disjoindre → T
3 disjoncter → I, T
11 disloquer → T
96 disparaître → I *être* ou *avoir*
3 dispatcher → T
3 dispenser → T
3 disperser → T
3 disposer → I, T, Ti
3 disproportionner → T
9 disputailler → I
3 disputer → T, Ti

8 disqualifier → T
3 disséminer → T
16 disséquer → T
3 disserter → I
3 dissimuler → T
3 dissiper → T
8 dissocier → T
3 dissoner → I
91 dissoudre → T, D
3 dissuader → T
12 distancer → T
8 distancier → T
83 distendre → T
9 distiller → I, T
11 distinguer → T
83 distordre → T
69 distraire → T, D
7 distribuer → T
11 divaguer → I
13 diverger → I
8 diversifier → T
6 divertir → T
3 diviniser → T
3 diviser → T
12 divorcer → I
être ou avoir
11 divulguer → T
3 djibser afr → I
3 documenter → T
3 dodeliner → I, T, Ti
3 dogmatiser → I
3 doigter → T
11 doguer belg → I, T
3 doler → T
11 domestiquer → T
8 domicilier → T
3 dominer → T
3 dompter → T
3 donner → T
3 doper → T
3 dorer → T
3 dorloter → T
34 dormir → I
3 doser → T
3 doter → T
11 double-cliquer → T
3 doubler → I, T
3 doublonner → I
3 doucher → T
6 doucir → T
7 douer → T, D
seulement au p. p. et aux temps composés
9 douiller → I
3 douter → T, Ti
3 dracher belg → I, imp.
8 dragéifier → T
3 drageonner → I
11 draguer → T
3 drainer → T
3 dramatiser → T
3 draper → T
3 draver québ → I, T
25 drayer → T
3 dresser → T
3 dribbler → I, T
9 driller → T
3 driver → T
11 droguer → I, T
3 droitiser → T
3 drop(p)er → I, T
3 drosser → T
8 dulcifier → T
3 duper → T
3 duplexer → T
11 dupliquer → T
6 durcir → I, T
3 durer → I
24 se duveter → Esp
3 dynamiser → T
3 dynamiter → T

E

6 ébahir → T
3 ébarber → T
93 s'ébattre → Esp
6 s'ébaubir → Esp
3 ébaucher → T
6 ébaudir → T
3 ébavurer → T
7 éberluer → T
21 ébiseler → T
6 éblouir → T
9 éborgner → T
3 ébosser → T
7 ébouer → T
3 ébouillanter → T
3 ébouler → I, T
3 ébourgeonner → T
3 ébouriffer → T
3 ébourrer → T
3 ébouter → T
3 ébouzer → T
3 ébraiser → T
3 ébrancher → T
3 ébranler → T
3 ébraser → T
14 ébrécher → T
7 s'ébrouer → Esp
3 ébruiter → T
3 ébruter → T
3 écacher → T
3 écaffer → T
9 écailler → T
3 écaler → T
11 écanguer → T
9 écarquiller → T
20 écarteler → T
3 écarter → T
6 écatir → T
3 échafauder → T
3 échalasser → T
6 échampir → T
3 échancrer → T
3 échanfreiner → T
13 échanger → T
13 s'échanger → T
3 échantillonner → T
3 échapper → I, T, Ti
être ou avoir
3 échardonner → T
3 écharner → T
3 écharper → T
3 échauder → T
3 échauffer → T
3 échauler → T
3 échaumer → T
3 échelonner → T
9 écheniller → T
21 écheveler → T
3 échiner → T
8 échographier → T
66 échoir → I, D
être ou avoir
3 échopper → T
7 échouer → I, T
être ou avoir
3 écimer → T
3 éclabousser → T
6 éclaircir → T
3 éclairer → T
3 éclater → I, T
3 éclipser → T
3 éclisser → T
3 écloper → T
104 éclore → I, D
être ou avoir mêmes formes que *clore*, mais employé surtout aux 3es personnes
3 écluser → T
7 écobuer → T
3 écœurer → T
74 éconduire → T
3 économiser → T
3 écoper → T, Ti
12 écorcer → T
3 écorcher → T
3 écorer → T
3 écorner → T
3 écornifler → T
3 écosser → T
3 écouler → T
3 écourter → T
3 écouter → T
3 écouvillonner → T
9 écrabouiller → T
3 écraser → T
14 écrémer → T
3 écrêter → T
8 s'écrier → Esp
80 écrire → T
9 écrivailler → I
3 écrivasser → T
7 écrouer → T
6 écrouir → T
5 s'écrouler → Esp
3 écroûter → T
3 écuisser → T
3 éculer → T
3 écumer → I, T
3 écurer → T
3 écussonner → T
3 édenter → T
3 édicter → T
8 édifier → T
3 éditer → T
3 éditionner → T
3 édulcorer → T
11 éduquer → T
3 éfaufiler → T
12 effacer → T
3 effaner → T
3 effarer → T
3 effaroucher → T
7 effectuer → T
3 efféminer → T
9 effeuiller → T
3 effiler → T
3 effilocher → T
11 efflanquer → T
3 effleurer → T
6 effleurir → I
3 effluver → I
3 effondrer → T
12 s'efforcer → Esp
13 effranger → T
25 effrayer → T
3 effriter → T
9 s'égailler → Esp
3 égaler → T
3 égaliser → T
3 égarer → T
25 égayer → T
13 égorger → T
9 s'égosiller → Esp
3 égoutter → T
3 égrainer → T
3 égrapper → T
9 égratigner → T
19 égrener → T

3 égriser → T
13 égruger → T
3 égueuler → T
3 éjaculer → T
3 éjarrer → T
3 éjecter → T
3 éjointer → T
3 élaborer → T
11 élaguer → T
12 élancer → T
6 élargir → T
8 électrifier → T
3 électriser → T
3 électrocuter → T
3 électrolyser → T
6 élégir → T
19 élever → T
3 élider → T
3 élimer → T
3 éliminer → T
11 élinguer → T
79 élire → T
9 éloigner → T
13 élonger → T
3 élucider → T
3 élucubrer → T
3 éluder → T
7 éluer → T
8 émacier → T
9 émailler → T
3 émanciper → T
3 émaner → I
13 émarger → T, Ti
3 émasculer → T
3 emballer → T
3 embaluchonner → T
9 embarbouiller → T
3 embarder → I
11 embarquer → I, T
3 embarrasser → T
3 embarrer → T
9 embastiller → T
3 embastionner → T
93 embat(t)re → T
3 embaucher → T
3 embaumer → I, T
11 embecquer → T
3 embéguiner → T
6 embellir → I, T
être ou *avoir*
3 emberlificoter → T
3 embêter → T
3 embidonner → T
9 embistrouiller → T
3 emblaver → T
3 embobeliner → T
3 embobiner → T
73 emboire → T

3 emboîter → T
3 embosser → T
21 embotteler → T
3 emboucaner → I
3 emboucher → T
7 embouer → I, T
11 embouquer → I, T
3 embourber → T
3 embourgeoiser → T
3 embourrer → T
9 embouteiller → T
3 embouter → T
6 emboutir → T
3 embrancher → T
11 embraquer → T
3 embraser → T
3 embrasser → T
25 embrayer → T, Ti
21 embreler → T
19 embrever → T
3 embrigader → T
11 embringuer → T
3 embrocher → T
3 embroncher → T
9 embrouiller → T
9 embroussailler → T
3 embrumer → T
6 embrunir → T
7 embuer → T
11 embusquer → T
14 émécher → T
13 émerger → I
3 émerillonner → T
3 émeriser → T
9 émerveiller → T
94 émettre → T
8 émier → T
3 émietter → T
3 émigrer → I
12 émincer → T
3 emmagasiner → T
3 emmailloter → T
3 emmancher → T
13 emmarger → T
3 emmêler → T
13 emménager → I, T
19 emmener → T
3 emmerder → T
14 emmétrer → T
3 emmieller → T
3 emmitonner → T
3 emmitoufler → T
3 emmortaiser → T
9 emmouscailler → T
3 emmurer → T
3 émonder → T
3 émorfiler → T
3 émotionner → T

3 émotter → T
3 émoucher → T
24 émoucheter → T
90 émoudre → T
3 émousser → T
9 émoustiller → T
58 émouvoir → T
3 empaffer → T
9 empailler → T
3 empaler → T
3 empalmer → T
3 empanacher → T
3 empanner → I, T
3 empapa(h)outer → T
3 empapilloter → T
24 empaqueter → T
5 s'emparer → Esp
11 emparquer → T
3 empâter → T
3 empatter → T
3 empaumer → T
3 empêcher → T
9 empeigner → T
3 empêner → T
3 empenner → T
3 empercher → T
3 emperler → T
19 empeser → T
3 empester → I, T
3 empêtrer → T
18 empiéger → T
3 empierrer → T
14 empiéter → I
5 s'empiffrer → Esp
3 empiler → T
3 empirer → I, T
être ou *avoir* employé surtout aux 3es pers.
3 emplafonner → T
3 emplâtrer → T
6 emplir → T, I
27 employer → T
3 emplumer → T
3 empocher → T
9 empoigner → T
3 empoisonner → T
3 empoisser → T
3 empoissonner → T
3 emporter → T
3 empoter → T
3 empourprer → T
14 empoussiérer → T
86 empreindre → T
5 s'empresser → Esp
3 emprésurer → T
3 emprisonner → T
3 emprunter → T

6 empuantir → T
3 émuler → T
8 émulsifier → T
3 émulsionner → T
5 s'enamourer → Esp
5 s'énamourer → Esp
3 encabaner → T
3 encadrer → T
13 encager → T
3 encagouler → T
3 encaisser → T
9 encanailler → T
3 encaper → T
3 encapsuler → T
3 encapuchonner → T
11 encaquer → T
3 encarrer → I
3 encarter → T
3 encartonner → T
3 encartoucher → T
3 encaserner → T
20 s'encasteler → Esp
3 encastrer → T
11 encaustiquer → T
3 encaver → T
86 enceindre → T
3 enceinter [afr] → T
3 encenser → T
3 encercler → T
3 enchaîner → T
3 enchanter → T
3 enchaperonner → T
3 encharner → T
3 enchâsser → T
3 enchatonner → T
3 enchausser → T
3 enchemiser → T
6 enchérir → I
3 enchevaucher → T
3 enchevêtrer → T
19 enchifrener → T
3 enchtiber → T
3 enchtourber → T
3 enciner → T
3 enclaver → T
3 enclencher → T
24 encliqueter → T
3 encloîtrer → T
11 encloquer → T
104 enclore → T, D
7 enclouer → T
3 encocher → T
3 encoder → T
3 encoffrer → T
3 encoller → T
3 encombrer → T
3 encorder → T
3 encorner → T

13 encourager → T
32 encourir → T
3 encrasser → T
3 encrêper → T
3 encrer → I, T
3 encrister → T
5 s'encroumer → Esp
3 encroûter → T
3 encrypter → T
3 enculer → T
3 encuver → T
3 endauber → T
3 endenter → T
3 endetter → T
9 endeuiller → T
3 endêver → I, D
seulement à l'infinitif
3 endiabler → I, T
11 endiguer → T
3 endimancher → T
3 endivisionner → T
3 endoctriner → T
6 endolorir → T
13 endommager → T
34 endormir → T
3 endosser → T
74 enduire → I, T
6 endurcir → T
3 endurer → T
3 énerver → T
3 enfaîter → T
3 enfanter → I, T
3 enfariner → T
3 enfermer → T
3 enferrer → T
3 enficher → T
3 enfieller → T
14 enfiévrer → T
3 enfiler → T
3 enflammer → T
14 enflécher → T
3 enfler → I, T
3 enfleurer → T
3 enfoirer → T
12 enfoncer → T
6 enforcir → I
9 enfouiller → T
6 enfouir → T
9 enfourailler → T
3 enfourcher → T
3 enfourner → T
86 enfreindre → T
38 s'enfuir → Esp
3 enfumer → T
9 enfutailler → T
3 enfûter → T
13 engager → T
3 engainer → T
3 engamer → T
3 engargousser → T
3 engaver → T
3 engazonner → T
3 engendrer → T
3 engerber → T
12 englacer → T
3 englober → T
6 engloutir → T
7 engluer → T
3 engober → T
3 engommer → T
12 engoncer → T
13 engorger → T
7 s'engouer → Esp
3 engouffrer → T
3 engouler → T
6 engourdir → T
3 engraisser → I, T
13 engranger → T
3 engraver → T
19 engrener → T
3 engrosser → T
21 engrumeler → T
3 engueuler → T
3 enguirlander → T
6 enhardir → T
3 enharnacher → T
3 enherber → T
3 énieller → T
3 enivrer → T
3 enjamber → I, T
21 enjaveler → T
88 enjoindre → T
3 enjôler → T
3 enjoliver → T
12 enjoncer → T
7 enjouer → T
11 enjuguer → T
3 enjuponner → T
5 s'enkyster → Esp
12 enlacer → T
6 enlaidir → I, T
être ou *avoir*
19 enlever → T
3 enliasser → T
8 enlier → T
9 enligner → T
3 enliser → T
3 enluminer → T
13 enneiger → T
6 ennoblir → T
13 ennuager → T
26 ennuyer → T
12 énoncer → T
6 enorgueillir → T
7 énouer → T
40 s'enquérir → Esp
3 enquêter → I
9 enquiller → I
3 enquiquiner → T
3 enraciner → T
13 enrager → I
9 enrailler → T
25 enrayer → T
3 enrégimenter → T
3 enregistrer → T
3 enrêner → T
3 enrésiner → T
3 enrhumer → T
6 enrichir → T
3 enrober → T
3 enrocher → T
3 enrôler → T
7 enrouer → T
9 enrouiller → I
3 enrouler → T
3 enrubanner → T
3 ensabler → T
3 ensaboter → T
3 ensacher → T
3 ensaisiner → T
3 ensanglanter → T
13 ensauvager → T
5 s'ensauver → Esp
9 enseigner → T
12 ensemencer → T
3 enserrer → T
6 ensevelir → T
3 ensiler → T
9 ensoleiller → T
21 ensorceler → T
3 ensoufrer → T
14 enstérer → T
102 s'ensuivre → Esp, D
seulement à l'inf., au part. présent et aux 3es pers. (*il s'est ensuivi* ou *il s'en est ensuivi* ou encore *il s'en est suivi*)
11 ensuquer → T
3 entabler → T
3 entacher → T
9 entailler → T
3 entamer → T
11 entaquer → T
3 entarter → T
3 entartrer → T
3 entasser → T
83 entendre → T
14 enténébrer → T
3 enter → T
3 entériner → T
3 enterrer → T
3 entêter → T
3 enthousiasmer → T
5 s'enticher → Esp
3 entifler → T
3 entoiler → T
3 entôler → T
3 entonner → T
3 entorser [afr] → I
9 entortiller → T
3 entourer → T
3 entourlouper → T
5 s'entraccorder → Esp
5 s'entraccuser → Esp
5 s'entradmirer → Esp
5 s'entraider → Esp
5 s'entraimer → Esp
3 entraîner → T
48 entrapercevoir → T
3 entraver → T
9 entrebâiller → T
93 s'entrebattre → Esp
11 entrechoquer → T
3 entrecouper → T
3 entrecroiser → T
5 s'entre-déchirer → Esp
74 s'entre(-)détruire → Esp
5 s'entre-dévorer → Esp
13 s'entre-égorger → Esp
5 s'entre-frapper → Esp
29 s'entrehaïr → Esp
12 entrelacer → T
3 entrelarder → T
7 s'entrelouer → Esp
13 s'entre(-)manger → Esp
3 entremêler → T
94 s'entremettre → Esp
74 s'entre(-)nuire → Esp
3 entreposer → T
84 entreprendre → T
3 entrer → I, T
être ou *avoir*
5 s'entre(-)regarder → Esp
9 s'entretailler → Esp
39 entretenir → T
3 entretoiser → T
7 s'entre(-)tuer → Esp
49 entrevoir → T
3 entrevoûter → T

42 entrouvrir → T
3 entuber → T
10 énucléer → T
14 énumérer → T
6 envahir → T
3 envaser → T
3 envelopper → T
3 envenimer → T
13 enverger → T
11 enverguer → T
3 enviander → T
3 envider → T
8 envier → T
6 envieillir → T
3 environner → T
13 envisager → T
5 s'envoiler → Esp
5 s'envoler → Esp
3 envoûter → T
28 envoyer → T
6 épaissir → I, T
3 épaler → T
3 épamprer → T
3 épancher → T
85 épandre → T
21 épanneler → T
3 épanner → T
6 épanouir → T
9 épargner → T, Ti
9 éparpiller → T
9 épastrouiller → T
3 épater → T
3 épaufrer → T
3 épauler → T
21 épeler → T
3 épépiner → T
83 s'éperdre → Esp
3 éperonner → T
3 épeuler → T
3 épeurer → T
12 épicer → T
8 épier → T
3 épierrer → T
3 épiler → T
11 épiloguer → T, Ti
21 épinceler → T
12 épincer → T
24 épinceter → T
3 épiner → T
3 épingler → T
3 épisser → T
5 s'épivarder [québ] → Esp
27 éployer → T
3 éplucher → T
3 épointer → T
13 éponger → T
9 épontiller → T
9 épouiller → T
3 époumoner → T
3 épouser → T
24 épousseter → T
3 époustoufler → T
8 époutier → T
6 époutir → T
3 épouvanter → T
86 épreindre → T
84 s'éprendre → Esp
3 éprouver → T
12 épucer → T
3 épuiser → T
3 épurer → T
6 équarrir → T
3 équerrer → T
3 équeuter → T
3 équilibrer → T
3 équiper → T
55 équivaloir → Ti
11 équivoquer → I
11 éradiquer → T
3 érafler → T
9 érailler → T
25 érayer → T
3 éreinter → T
3 ergoter → I
13 ériger → T
3 éroder → T
3 érotiser → T
3 errer → I
3 éructer → I, T
6 s'esbaudir → Esp
9 s'esbigner → Esp
3 esbroufer → T
3 escalader → T
3 escaloper → T
3 escamoter → T
3 escarmoucher → I
3 escarper → T
8 escarrifier → T
3 escher → T
5 s'esclaffer → Esp
13 esclavager → T
8 escof(f)ier → T
3 escompter → T
3 escorter → T
5 s'escrimer → Esp
11 escroquer → T
3 esgourder → T
12 espacer → T
14 espérer → T
3 espionner → T
3 espo(u)liner → T
3 esquicher → I
3 esquinter → T
3 esquisser → T
3 esquiver → T
3 essaimer → I, T
13 essanger → T
3 essarter → T
25 essayer → T
3 essorer → T
9 essoriller → T
3 essoucher → T
3 essouffler → T
26 essuyer → T
3 estamper → T
9 estampiller → T
ester → I, D
seulement à l'infinitif
8 estérifier → T
3 esthétiser → I, T
3 estimer → T
3 estiver → I, T
11 estomaquer → T
3 estomper → T
11 estoquer → T
6 estourbir → T
3 estrapader → T
3 estrapasser → T
8 estropier → T
3 établer → T
6 établir → T
13 étager → T
13 étalager → T
3 étaler → T
11 étalinguer → T
3 étalonner → T
3 étamer → T
3 étamper → T
3 étancher → T
3 étançonner → T
11 étarquer → T
3 étatiser → T
25 étayer → T
86 éteindre → T
83 étendre → T
3 éterniser → T
7 éternuer → I
3 étêter → T
8 éthérifier → T
3 éthériser → T
3 ethniciser → T
21 étinceler → I
3 étioler → T
24 étiqueter → T
3 étirer → T
3 étoffer → T
3 étoiler → T
3 étonner → T
3 étouffer → I, T
3 étouper → T
9 étoupiller → T
6 étourdir → T
3 étrangler → T
1 être → I
6 étrécir → T
86 étreindre → T
3 étrenner → T
3 étrésillonner → T
9 étriller → T
9 étripailler → T
3 étriper → T
11 étriquer → T
3 étronçonner → T
8 étudier → T
3 étuver → T
3 euphoriser → T
3 européaniser → T
8 euthanasier → T
7 évacuer → T
5 s'évader → Esp
7 évaluer → T
3 évangéliser → T
6 s'évanouir → Esp
3 évaporer → T
3 évaser → T
9 éveiller → T
3 éventer → T
3 éventrer → T
7 s'évertuer → Esp
3 évider → T
12 évincer → T
14 éviscérer → T
3 éviter → T, Ti
7 évoluer → I
11 évoquer → T
3 exacerber → T
14 exagérer → T
3 exalter → T
3 examiner → T
14 exaspérer → T
12 exaucer → T
3 excaver → T
14 excéder → T
3 exceller → I
3 excentrer → T
3 excepter → T
3 exciper → Ti
3 exciser → T
3 exciter → T
5 s'exclamer → Esp
101 exclure → T
8 excommunier → T
8 excorier → T
14 excréter → T
3 excursionner → I
3 excuser → T
14 exécrer → T
3 exécuter → T
8 exemplifier → T
3 exempter → T
12 exercer → T

3 foirer → I, T
3 foisonner → I
3 folâtrer → I
3 folichonner → I
3 folioter → T
3 folkloriser → T
3 fomenter → T
12 foncer → I, T
3 fonctionnaliser → T
3 fonctionnariser → T
3 fonctionner → I
3 fonder → T
83 fondre → I, T
6 forbannir → T
12 forcer → I, T
6 forcir → I
forclore → T, D seulement à l'infinitif et au p.p. : *forclos, ose, oses*
3 forer → T
68 forfaire → I, T, Ti, D seulement à l'infinitif, au sing. de l'ind. présent, au p.p. et aux temps composés
13 forger → T
7 forhuer → I, T
24 forjeter → I, T
12 forlancer → T
9 forligner → I
13 forlonger → I, T
3 formaliser → T
3 formater → T
3 former → T
3 formicaliser afr → T
3 formoler → T
3 formuler → T
11 forniquer → I
8 fortifier → T
3 fortitrer → I
3 fossiliser → T
27 fossoyer → T
9 fouailler → T
3 fouder afr → T
27 foudroyer → T
3 fouetter → I, T
13 fouger → I
9 fouiller → I, T
3 fouiner → I
6 fouir → T
3 fouler → T
9 fourailler → I, T
3 fourber → T
6 fourbir → T
3 fourcher → I, T
3 fourgonner → I
11 fourguer → T
9 fourmiller → I
6 fournir → T, Ti
13 fourrager → I, T
3 fourrer → T
27 fourvoyer → T
93 foutre → T, D rare au passé simple, au passé antérieur de l'ind., à l'imparfait, au plus-que-parfait du subj.
3 fracasser → T
3 fractionner → T
3 fracturer → T
3 fragiliser → T
3 fragmenter → T
6 fraîchir → I
3 fraiser → T
3 framboiser → T
6 franchir → T
3 franchiser → T
3 franciser → T
3 francophoniser québ → T
13 franger → T
3 fransquillonner belg → I
3 frapper → I, T
3 fraterniser → I
3 frauder → I, T
25 frayer → I, T
3 fredonner → I, T
3 frégater → T
3 freiner → I, T
3 frelater → T
6 frémir → I
3 fréquenter → I, T
14 fréter → T
9 frétiller → I
3 fretter → T
3 fricasser → T
3 fricoter → I, T
3 frictionner → T
8 frigorifier → T
13 frigorifuger → T
3 frimer → I, T
11 fringuer → I, T
3 friper → T
3 friponner → I, T
11 friquer afr → T
82 frire → I, T, D surtout à l'infinitif, au p.p. : *frit*, au singulier de l'ind. présent et futur, du cond., de l'impératif et aux temps composés
3 friser → I, T
3 frisotter → I, T
3 frissonner → I
9 fristouiller belg → I, T
5 se friter → Esp
3 fritter → I, T
6 froidir → I
3 froisser → T
3 frôler → T
12 froncer → T
3 fronder → I, T
3 frotter → I, T
7 frouer → I
3 froufrouter → I
3 frousser afr → I
8 fructifier → I
11 frusquer → T
3 frustrer → T
11 fuguer → I
38 fuir → I, T
3 fuiter → I
3 fulgurer → I
3 fulminer → I, T
3 fumer → I, T
13 fumiger → T
23 fureter → I
21 fuseler → T
3 fuser → I
9 fusiller → T
3 fusionner → I, T
13 fustiger → T

G

8 gabarier → T
3 gabionner → T
3 gâcher → T
3 gadgétiser → T
3 gaffer → I, T
9 gaf(f)ouiller → T
13 gager → T
9 gagner → I, T, Ti
3 gainer → T
3 galantiser → I, T
3 galber → T
14 galéjer → I
14 galérer → I
3 galipoter → T
3 galonner → T
3 galoper → I, T
3 galvaniser → T
3 galvauder → I, T
3 gambader → I
13 gamberger → I, T
9 gambiller → I
21 gameler → T
3 gaminer → I
19 gangrener → T
14 gangréner → T
3 ganser → T
3 ganter → T
12 garancer → T
6 garantir → T
3 garder → T
3 garer → T
5 se gargariser → Esp
3 gargoter → I
9 gargouiller → I
6 garnir → T
3 garrotter → T
3 gasconner → I
9 gaspiller → T
3 gâter → T
8 gâtifier → I
6 gauchir → I, T
3 gauchiser → T
3 gaufrer → T
3 gauler → T
5 se gausser → Esp
3 gaver → T
8 gazéifier → T
3 gazer → I, T
3 gazonner → I, T
9 gazouiller → I
86 geindre → I
3 gélatiner → T
3 gélatiniser → T
20 geler → I, T
8 gélifier → T
3 géminer → T
6 gémir → I, T
3 gemmer → T
5 se gendarmer → Esp
3 gêner → T
3 généraliser → T
14 générer → T
3 géométriser → T
3 gerber → I, T
12 gercer → I, T
14 gérer → T
3 germaniser → I, T
3 germer → I
47 gésir → I, D ne s'emploie qu'au part. présent, au présent et à l'impft de l'ind.
3 gesticuler → I
27 giboyer → T
3 gicler → I
3 gifler → T
3 gigoter → I
3 gironner → T
3 girouetter → I
3 gîter → I

3 givrer → T
12 glacer → I, T, imp.
3 glaglater → I
3 glairer → T
3 glaiser → T
3 glander → I
9 glandouiller → I
3 glaner → T
6 glapir → I, T
6 glatir → I
3 glaviot(t)er → I
14 gléner → T
3 gletter [belg] → I
3 glisser → I, T
3 globaliser → T
8 glorifier → T
3 gloser → T, Ti
3 glouglouter → I
3 glousser → I
3 gloutonner → I, T
3 glycériner → T
3 goaler [afr] → T
3 gober → T
13 se goberger → Esp
24 gobeter → T
9 godailler → I
3 goder → I
9 godiller → I
5 se godiner [belg] → Esp
3 godronner → T
3 goguenarder → I
3 goinfrer → T
5 se gominer → Esp
3 gommer → T
3 gomorrhiser → T
3 gonder → T
3 gondoler → I
3 gonfler → I, T
3 gongonner [afr] → I
3 goog(o)liser → T
5 se gorgeonner → Esp
13 gorger → T
3 gouacher → T
9 gouailler → I
3 goualer → I, T
3 gouaper → I
3 goudronner → T
13 gouger → T
3 gougnot(t)er → T
3 goujonner → T
9 goupiller → T
3 goupillonner → T
12 se gourancer → Esp
5 se gourer → Esp
3 gourmander → T
3 goûter → I, T, Ti
3 goutter → I
3 gouttiner [belg] → I, imp.
3 gouverner → I, T
8 gracier → T
7 graduer → T
5 se graffer → Esp
3 graffiter → I, T
9 grafigner [québ] → T
9 grailler → I, T
3 graillonner → I
3 grainer → I, T
3 graisser → I, T
3 grammaticaliser → T
6 grandir → I, T *être ou avoir*
3 graniter → T
3 granuler → T
3 graphiter → T
9 grappiller → I, T
25 grasseyer → I, T
3 graticuler → T
8 gratifier → T
3 gratiner → I, T
9 grat(t)ouiller → T
21 gratteler → T
3 gratter → I, T
21 graveler → T
3 graver → I, T
3 gravillonner → T
6 gravir → I, T
3 graviter → I
3 gréciser → T
11 grecquer → T
10 gréer → T
3 greffer → T
3 grêler → T, imp.
3 grelotter → I
3 grenader → T
9 grenailler → T
21 greneler → T
19 grener → I, T
9 grenouiller → I
14 gréser → T
9 grésiller → I, imp.
19 grever → T
14 gréver [afr] → I
9 gribouiller → T
3 griffer → T
3 griffonner → T
9 grigner → I
3 grignoter → T
3 grigriser [afr] → T
13 grillager → T
9 griller → I, T
12 grimacer → I
3 grimer → T
3 grimper → I, T
12 grincer → I
3 grincher → T
11 gringuer → I
3 gripper → I, T
9 grisailler → I, T
3 griser → T
3 grisol(l)er → I
3 grisonner → I
21 griveler → I, T
3 grognasser → I
9 grogner → I, T
3 grognonner → I
21 grommeler → I, T
3 gronder → I, T
6 grossir → I, T *être ou avoir*
27 grossoyer → T
9 grouiller → I
3 groûler [belg] → I
3 groumer → I
3 grouper → I, T
13 gruger → T
21 se grumeler → Esp
10 guéer → T
6 guérir → I, T
27 guerroyer → I, T
3 guêtrer → T
3 guetter → T
3 gueuler → I, T
3 gueuletonner → I
3 gueuser → I, T
3 guider → T
9 guigner → T
24 guillemeter → T
9 guiller → I
3 guillocher → T
3 guillotiner → T
3 guincher → I
9 guindailler [afr + belg] → I
3 guinder → T
3 guiper → T

H

3 habiliter → T
9 habiller → T
3 habiter → I, T
7 habituer → T
3 *hâbler → I
3 *hacher → T
3 *hachurer → T
29 *haïr → T
19 halbrener → I
3 haleiner → I, T
19 halener → I, T
3 *haler → T
3 *hâler → T
23 *haleter → I
3 *halkiner [belg] → I
3 halluciner → T
3 hameçonner → T
3 *hancher → I, T
20 handeler [belg] → T
3 *handicaper → T
3 *hannetonner → I, T
3 *hanter → T
3 *happer → I, T
11 *haranguer → T
3 *harasser → T
20, 21 *harceler → T
3 *harder → T
3 haricoter → T
3 harmoniser → T
3 *harnacher → T
9 *harpailler → I
3 *harper → T
3 *harponner → T
3 *hasarder → T
3 *hâter → T
3 *haubaner → T
3 *hausser → T
3 *haver → T
6 *havir → I, T
13 héberger → T
14 hébéter → T
3 hébraïser → I, T
14 *héler → T
3 héliporter → T
3 hélitransporter → T
9 hélitreuiller → T
3 helléniser → I, T
6 *hennir → I
13 herbager → T
9 herbeiller → I
3 herber → T
3 herboriser → I
3 her(s)cher → I
3 *hérisser → T
3 *hérissonner → T
3 hériter → T, Ti
3 *herser → T
3 hésiter → I
3 *heurter → I, T
3 hiberner → I, T
3 *hiérarchiser → T
3 hispaniser → T
3 *hisser → T
8 historier → T
3 hiverner → I, T
3 *hocher → T
8 holographier → T
8 homogénéifier → T
3 homogénéiser → T
11 homologuer → T
3 *hongrer → T
27 *hongroyer → T

6 * honnir → T
3 honorer → T
24 * hoqueter → I
8 horrifier → T
3 horripiler → T
3 hospitaliser → T
3 hotter → T
3 * houblonner → T
7 * houer → T
3 * houpper → T
3 * hourder → T
6 * hourdir → T
9 * houspiller → T
3 * housser → T
3 houssiner → T
3 * hucher → T
7 * huer → I, T
3 huiler → T
* huir → I, D
seulement à l'inf., au présent et aux temps composés
3 huluer → I
3 humaniser → T
3 humecter → T
3 * humer → T
8 humidifier → T
8 humilier → T
3 * hurler → I, T
3 hybrider → T
3 hydrater → T
13 hydrofuger → T
14 hydrogéner → T
3 hydrolyser → T
8 hypertrophier → T
3 hypnotiser → T
8 hypostasier → T
16 hypothéquer → T

I

3 iconiser → T
3 idéaliser → T
8 identifier → T
3 idéologiser → T
8 idiotifier → I, T
3 idiotiser → I, T
3 idolâtrer → T
13 ignifuger → T
3 ignorer → T
3 illuminer → T
3 illusionner → T
3 illustrer → T
3 illuter → T
13 imager → T
3 imaginer → T
3 imbiber → T
11 imbriquer → T
3 imiter → T
3 immatérialiser → T
3 immatriculer → T
13 immerger → T
3 immigrer → I
12 s'immiscer → Esp
3 immobiliser → T
3 immoler → T
3 immortaliser → T
3 immuniser → T
3 impacter → T
6 impartir → T, D
seulement à l'ind. présent, au participe passé et aux temps composés
3 impatienter → T
3 impatroniser → T
3 imperméabiliser → T
14 impétrer → T
3 implanter → T
3 implémenter → T
11 impliquer → T
3 implorer → T
3 imploser → I
3 importer → I, T, Ti
3 importuner → T
3 imposer → T
15 imprégner → T
3 impressionner → T
3 imprimer → T
3 improuver → T
3 improviser → T
3 impulser → T
3 imputer → T
3 inactiver → T
5 s'inalper → Esp
3 inaugurer → T
14 incarcérer → T
3 incarner → T
8 incendier → T
14 incinérer → T
3 inciser → T
3 inciter → T
3 incliner → I, T
101 inclure → T
3 incomber → Ti
s'emploie aux 3es personnes
3 incommoder → T
3 incorporer → T
3 incrémenter → T
3 incriminer → T
3 incruster → T
3 incuber → T
3 inculper → T
11 inculquer → T
3 incurver → T
11 indaguer belg → I
3 indemniser → T
3 indexer → T
3 indianiser → T
12 indicer → T
14 indifférer → Ti
9 indigner → T
11 indiquer → T
3 indisposer → T
3 individualiser → T
74 induire → T
8 indulgencier → T
3 indurer → T
3 industrialiser → T
3 infantiliser → T
7 infatuer → T
3 infecter → T
3 inféoder → T
14 inférer → T
3 inférioriser → T
3 infester → T
3 infibuler → T
3 infiltrer → T
3 infirmer → T
6 infléchir → T
13 infliger → T
12 influencer → T
7 influer → Ti
3 informatiser → T
3 informer → T
3 infuser → I, T
8 s'ingénier → Esp
14 ingérer → T
3 ingurgiter → T
3 inhaler → T
3 inhiber → T
3 inhumer → T
3 initialer québ → T
3 initialiser → T
8 initier → T
3 injecter → T
8 injurier → T
3 innerver → T
3 innocenter → T
3 innover → I, T
3 inoculer → T
3 inonder → T
14 inquiéter → T
80 inscrire → T
3 insculper → T
3 inséminer → T
3 insensibiliser → T
14 insérer → T
7 insinuer → T
3 insister → I
3 insoler → T
3 insolubiliser → T
3 insonoriser → T
3 inspecter → T
3 inspirer → I, T
3 installer → T
3 instaurer → T
11 instiguer belg → T
3 instiller → T
7 instituer → T
3 institutionnaliser → T
74 instruire → T
3 instrumentaliser → T
3 instrumenter → I, T
3 insuffler → T
3 insulter → T, Ti
3 insupporter → T
ne s'emploie qu'avec un pronom comme complément, ex. : *Paul m'insupporte.*
13 s'insurger → Esp
9 intailler → T
14 intégrer → I, T
3 intellectualiser → T
8 intensifier → T
3 intenter → T
6 interagir → I
3 intercaler → T
14 intercéder → I
3 intercepter → T
3 interclasser → T
3 interconnecter → T
77 interdire → T
3 intéresser → T
12 interfacer → I, T
14 interférer → I
8 interfolier → T
3 intérioriser → T
24 interjeter → T
9 interligner → T
11 interloquer → T
3 internaliser → T
3 internationaliser → T
3 interner → T
22 interpeller → T
14 s'interpénétrer → Esp
3 interpoler → T
3 interposer → T
14 interpréter → T
13 interroger → T
92 interrompre → T
39 intervenir → I, *être*
6 intervertir → T
3 interviewer → T
3 intimer → T
3 intimider → T

8 lubrifier → T
13 luger → I
74 luire → I
3 luncher → I
3 lustrer → T
3 luter → T
3 lutiner → T
3 lutter → I
3 luxer → T
3 lyncher → T
3 lyophiliser → T
3 lyrer québ → I
3 lyser → T

M

3 macadamiser → T
14 macérer → I, T
3 mâcher → T
3 machicoter → I
3 machiner → T
3 mâchonner → T
9 mâchouiller → T
3 mâchurer → T
3 macler → T
3 maçonner → T
11 macquer → T
3 maculer → T
8 madéfier → T
3 madériser → T
3 madrigaliser → I
3 maganer québ → T
3 magasiner québ → I
9 se magner → Esp
3 magnétiser → T
3 magnétoscoper → T
8 magnifier → T
3 magoter afr → T
9 magouiller → I, T
3 magyariser → T
6 maigrir → I, T
être ou avoir
9 mailler → I, T
24 mailleter → T
94 mainmettre → T
39 maintenir → T
3 maîtriser → T
3 majorer → T
3 malaxer → T
malfaire → I, D
seulement à l'infinitif
3 malléabiliser → T
3 mallouser → T
19 malmener → T
3 malter → T
3 maltraiter → T
3 mamelonner → T
13 manager → T
3 manchonner → T
3 mandater → T
3 mander → T
3 mandriner → T
18 manéger → T
3 mangeotter → T
13 manger → T
8 manier → T
14 maniérer → T
3 manifester → I, T
12 manigancer → T
3 manipuler → T
3 mannequiner → T
3 manœuvrer → I, T
11 manoquer → T
11 manquer → I, T, Ti
3 mansarder → T
3 manucurer → T
3 manufacturer → T
3 manutentionner → T
3 mapper → T
11 maquer → T
3 maquetter → T
3 maquignonner → T
9 maquiller → T
3 marabouter afr → T
3 maratoner afr → I
3 marauder → I, T
3 marbrer → T
3 marchander → I, T
3 marcher → I
3 marcotter → T
3 margauder → I
13 marger → T
3 marginaliser → T
3 marginer → T
3 margot(t)er → I
8 marier → T
3 mariner → I, T
3 marivauder → I
3 marmiter → T
3 marmonner → I, T
3 marmoriser → T
3 marmotter → I, T
3 marner → I, T
3 maronner → I
3 maroquiner → T
3 maroufler → T
11 marquer → I, T
24 marqueter → T
5 se marrer → Esp
3 marronner → I
3 marsouiner → I
20 marteler → T
3 martyriser → T
3 marxiser → T
3 masculiniser → T
11 masquer → T
3 massacrer → T
3 masser → T
3 massicoter → T
8 massifier → T
16 mastéguer → T
11 mastiquer → T
3 masturber → T
3 matabicher afr → T
3 matcher → I, T
3 matelasser → T
3 mater → T
3 mâter → T
3 matérialiser → T
3 materner → T
3 materniser → T
3 mathématiser → T
8 matifier → T
3 mâtiner → T
6 matir → T
3 matouser → T
11 matraquer → T
12 matricer → T
3 matriculer → T
3 maturer → T
78 maudire → T
10 maugréer → I, T
3 maximaliser → T
3 maximiser → T
3 mazer → T
3 mazouter → I, T
3 mécaniser → T
14 mécher → T
5 se mécompter → Esp
74 se méconduire belg → Esp
96 méconnaître → T
3 mécontenter → T
72 mécroire → T
9 médailler → T
3 médiatiser → T
3 médicaliser → T
3 médicamenter → T
77 médire → Ti
2e pers. du pluriel à l'ind. présent et à l'impératif présent : *vous médisez*
3 médiser → I
3 méditer → I, T
3 méduser → T
68 méfaire → I, D
seulement à l'infinitif
8 se méfier → Esp
6 mégir → T
3 mégisser → T
3 mégoter → I, T
13 méjuger → T, Ti
13 mélanger → T
3 mêler → T
3 mémoriser → T
12 menacer → I, T
13 ménager → T
8 mendier → I, T
3 mendigoter → I, T
19 mener → T
3 menotter → T
3 mensualiser → T
3 mensurer → T
3 mentionner → T
36 mentir → I, Ti
3 menuiser → T
84 se méprendre → Esp
3 mépriser → T
3 mercantiliser → T
3 merceriser → T
3 merder → I
9 merdouiller → I
27 merdoyer → I
11 meringuer → T
3 mériter → T, Ti
8 se mésallier → Esp
3 mésestimer → T
14 mésinterpréter → T
63 messeoir → Ti, D
seulement au présent, à l'impft et au futur simple de l'ind., au subj. présent, au cond. présent et au part. présent
3 mesurer → I, T
3 mésuser → Ti
3 métaboliser → T
3 métalliser → T
3 métamorphiser → T
3 métamorphoser → T
3 métaphoriser → T
3 météoriser → T
3 métisser → T
14 métrer → T
94 mettre → T
3 meubler → T
3 meugler → I
3 meuler → T
6 meurtrir → T
83 mévendre → T
3 miauler → I
3 michetonner → I
3 microfilmer → T
3 microniser → T
3 mignarder → T
3 mignoter → T
3 migrer → I

3 mijoler [belg] → I
3 mijoter → I, T
3 militariser → T
3 militer → I
3 millésimer → T
3 mimer → T
11 mimiquer → T
3 minauder → I
6 mincir → I
3 miner → T
3 minéraliser → T
3 miniaturer → T
3 miniaturiser → T
3 minimaliser → T
3 minimiser → T
3 minorer → T
3 minuter → T
3 mirer → T
3 miroiter → I
3 miser → T
14 misérer [afr] → I
3 missionner → T
3 mitarder → T
3 miter → I
3 mithridatiser → T
13 mitiger → T
3 mitonner → I, T
9 mitrailler → T
3 mixer → T
3 mixtionner → T
3 mobiliser → T
20 modeler → T
3 modéliser → T
14 modérer → T
3 moderniser → T
8 modifier → T
3 moduler → I, T
3 mofler [belg] → T
3 moirer → T
3 moiser → T
6 moisir → I
3 moissonner → T
6 moitir → T
3 mol(l)arder → I, T
3 molester → T
24 moleter → T
3 molletonner → T
6 mollir → I, T
8 momifier → T
3 monder → T
3 mondialiser → T
3 monétiser → T
25 monnayer → T
11 monologuer → I
3 monopoliser → T
3 monter → I, T
être ou *avoir*
3 montrer → T
11 moquer → T
3 moquetter → T
3 moraliser → I, T
21 morceler → T
12 mordancer → T
9 mordiller → T
3 mordorer → T
83 mordre → I, T, Ti
3 morfaler → I
3 morfiler → T
3 morfler → T
83 se morfondre → Esp
14 morigéner → T
3 mornifler → T
3 mortaiser → T
8 mortifier → T
3 motamoter [afr] → I
3 motionner → I
3 motiver → T
3 motoriser → T
5 se motter → Esp
3 moucharder → T
3 moucher → I, T
3 moucheronner → I
24 moucheter → T
90 moudre → T
3 mouetter → I
24 moufeter → I, D
surtout à l'infinitif et aux temps composés
3 moufler → T
3 moufter → I, D
surtout à l'infinitif et aux temps composés
9 mouiller → I, T
3 mouler → I, T
3 mouliner → I, T
3 moulurer → T
33 mourir → I, *être*
3 mouronner → I
3 mousser → I
3 moutonner → I
3 mouvementer → T
3 mouver → I
58 mouvoir → T
3 moyenner → T
3 mucher → T
7 muer → I, T
6 mugir → I
24 mugueter → T
3 muloter → I
3 multiplexer → T
8 multiplier → I, T
3 municipaliser → T
6 munir → T
3 munitionner → T
9 murailler → T
3 murer → T
6 mûrir → I, T
3 murmurer → T
3 musarder → I
3 muscler → T
21 museler → T
24 museleter → T
3 muser → I
11 musiquer → I, T
11 musquer → T
3 musser → T
3 muter → I, T
3 mutiler → T
5 se mutiner → Esp
3 mutualiser → T
8 mystifier → T
8 mythifier → I, T

N

3 nacrer → T
13 nager → I, T
97 naître → I, *être*
8 nanifier → T
3 naniser → T
6 nantir → T
3 napper → T
11 narguer → T
3 narrer → T
3 nasaliser → T
9 nasiller → I, T
3 natchaver → I
3 nationaliser → T
3 natter → T
3 naturaliser → T
13 naufrager → I
3 navaler → I
11 naviguer → I
3 navrer → T
8 nazifier → T
3 néantiser → T
3 nébuliser → T
3 nécessiter → T
3 nécroser → T
13 négliger → T
8 négocier → I, T
8 négrifier [afr] → T
3 neigeoter → imp.
13 neiger → imp.
3 nervurer → T
27 nettoyer → T
3 neutraliser → T
3 niaiser → I
3 nicher → I, T
21 nickeler → T
3 nicotiniser → T
8 nidifier → I
22 nieller → T
8 nier → T
3 nigérianiser [afr] → T
3 nimber → T
3 nipper → T
11 niquer → T
3 nitrater → T
3 nitrer → T
8 nitrifier → T
3 nitrurer → T
3 nivaquiner [afr] → I
21 niveler → T
3 nobscuriter [afr] → I
12 nocer → I
6 noircir → I, T
3 noliser → T
3 nomadiser → I
3 nombrer → T
3 nominaliser → T
3 nominer → T
3 nommer → T
12 noncer [afr] → I
3 noper → T
6 nordir → I
3 normaliser → T
3 noter → T
8 notifier → T
7 nouer → I, T
6 nourrir → T
3 nover → T
3 noyauter → T
27 noyer → T
12 nuancer → T
3 nucléariser → T
7 nuer → T
74 nuire → Ti
3 numériser → T
3 numéroter → T

O

6 obéir → Ti
accepte la voix passive
14 obérer → T
3 objecter → T
3 objectiver → T
11 objurguer → I
13 obliger → T
11 obliquer → I
14 oblitérer → T
3 obnubiler → T
3 obombrer → T
6 obscurcir → T
14 obséder → T
3 observer → T
5 s'obstiner → Esp
7 obstruer → T

14 obtempérer → Ti
39 obtenir → T
3 obturer → T
39 obvenir → I, *être*
8 obvier → Ti
3 occasionner → T
3 occidentaliser → T
occire → D
seulement à l'infinitif, aux temps composés et au p.p. : *occis, e, s, es*
101 occlure → T
3 occulter → T
3 occuper → T
3 ocrer → T
8 octavier → I, T
27 octroyer → T
3 octupler → T
3 œilletonner → T
3 œuvrer → I
3 offenser → T
3 officialiser → T
8 officier → I
42 offrir → T
11 offusquer → T
88 oindre → T, D
surtout à l'infinitif et au p.p. : *oint, e, s, es* ; mais aussi à l'impft : *ils oignaient*
21 oiseler → I, T
13 ombrager → T
3 ombrer → T
94 omettre → T
27 ondoyer → I, T
3 onduler → I, T
8 opacifier → T
3 opaliser → T
14 opérer → I, T
12 opiacer → T
3 opiner → I
5 s'opiniâtrer → Esp
3 opposer → T
3 oppresser → T
3 opprimer → T
3 opter → I
3 optimaliser → T
3 optimiser → T
3 oraliser → T
13 oranger → T
3 orbiter → I
3 orchestrer → T
12 ordonnancer → T
3 ordonner → T
3 organiser → T
3 organsiner → T
3 orienter → T
11 oringuer → T
3 ornementer → T
3 orner → T
8 orthographier → I, T
3 osciller → I
3 oser → T
8 ossifier → T
3 ostraciser → T
3 ôter → T
3 ouater → T
3 ouatiner → T
8 oublier → T
9 ouiller → T
46 ouïr → T, D
surtout au p.p. et aux temps composés
5 s'ourder → Esp
6 ourdir → T
3 ourler → T
9 outiller → T
13 outrager → T
3 outrepasser → T
3 outrer → T
13 ouvrager → T
3 ouvrer → I, T
42 ouvrir → I, T
3 ovaliser → T
3 ovationner → T
3 ovuler → I
3 oxyder → T
14 oxygéner → T
3 ozoniser → T

P

13 pacager → T
8 pacifier → T
13 packager → T
11 pacquer → T
5 se pacser → Esp
3 pactiser → I
5 se pad(d)ocker → Esp
3 paganiser → I, T
25 pagayer → I
5 se pageoter → Esp
13 pager → I
3 paginer → T
5 se pagnoter → Esp
3 paillarder → I
3 paillassonner → T
9 pailler → T
24 pailleter → T
3 paillonner → T
21 paisseler → T
98 paître → T, D
5 se pajoter → Esp
3 palabrer → I
3 palancrer → T
3 palangrer → T
11 palanquer → T
3 palataliser → T
24 paleter → T
3 palettiser → T
6 pâlir → I, T
3 palissader → T
3 palisser → T
3 palissonner → T
8 pallier → T
3 palmer → T
3 paloter → T
3 palper → T
3 palpiter → I
5 se palucher → Esp
5 se pâmer → Esp
3 panacher → T
3 paner → T
8 panifier → T
11 paniquer → I, T
3 panneauter → T
3 panner → T
11 panoramiquer → I
3 panosser → T
3 panser → T
21 panteler → I
3 pantoufler → I
3 papillonner → I
3 papilloter → I, T
3 papoter → I
9 papouiller → T
19 parachever → T
3 parachuter → T
3 parader → I
3 parafer → T
3 paraffiner → T
3 paraisonner → T
96 paraître → I
être ou *avoir*
3 paralléliser → T
3 paralyser → T
14 paramétrer → T
3 parangonner → T
3 parapher → T
3 paraphraser → T
3 parasiter → T
3 parcellariser → T
22 parceller → T
3 parcelliser → T
3 parcheminer → T
32 parcourir → T
3 pardonner → T
3 parementer → T
3 parer → T, Ti
3 paresser → I
68 parfaire → T, D
surtout à l'infinitif, au p.p. et aux temps composés
3 parfiler → T
83 parfondre → T
3 parfumer → T
8 parier → I, T
3 parjurer → T
3 parkériser → T
3 parlementer → I
3 parler → I, T, Ti
3 parloter → I
8 parodier → T
11 parquer → I, T
24 parqueter → T
3 parrainer → T
19 parsemer → T
13 partager → T
3 participer → Ti
3 particulariser → T
36 partir → I, *être*
36 partir → T, D
seulement à l'infinitif dans l'expression *avoir maille à partir*
3 partitionner → T
3 partouzer → I
39 parvenir → I, Ti, *être*
3 passementer → T
3 passepoiler → T
3 passer → I, T
être ou *avoir*
3 passionner → T
3 passiver → T
22 pasteller → T
3 pasteuriser → T
3 pasticher → T
9 pastiller → T
11 pastiquer → I
3 patafioler → T
13 patauger → I
3 pateliner → I, T
3 patenter → T
3 pâter → I
3 patienter → I
3 patiner → I, T
6 pâtir → I
3 pâtisser → T, I
3 patoiser → I
9 patouiller → I, T
3 patronner → T
9 patrouiller → I
3 patter → T
3 pâturer → I, T
3 paumer → T
27 paumoyer → T
3 paupériser → T

- 3 pauser → I
- 5 se pavaner → Esp
- 3 paver → T
- 3 pavoiser → I, T
- **25 payer** → I, T
- 3 peaufiner → T
- 14 pécher → I
- 3 pêcher → T
- 3 pécloter [helv] → I
- 11 pecquer [afr] → I
- 3 pédaler → I
- 9 peigner → T
- **86 peindre** → T
- 3 peiner → I, T
- 3 peinturer → T
- 3 peinturlurer → T
- 3 péjorer → T
- 3 pelaner → T
- 20 peler → I, T
- 22 peller → T
- 24 pelleter → T
- 3 pelliculer → T
- 3 peloter → I, T
- 3 pelotonner → T
- 3 pelucher → I
- 3 pembeniser [afr] → T
- 3 pénaliser → T
- 3 pencher → I, T
- 9 pendiller → I
- 9 pendouiller → I
- 83 pendre → I, T
- 3 penduler → I
- 14 pénétrer → I, T
- 3 penser → I, T, Ti
- 3 pensionner → T
- 8 pépier → I
- 12 percer → I, T
- 48 percevoir → T
- 3 percher → I, T
- 3 percuter → I, T
- 83 perdre → I, T
- 3 perdurer → I
- 3 pérégriner → I
- 3 pérenniser → T
- 3 péréquater [belg] → T
- 3 perfectionner → T
- 3 perforer → T
- 3 perfuser → T
- 3 péricliter → I
- 5 se périmer → Esp
- 3 périphraser → I
- 6 périr → I
- 3 perler → I, T
- 3 permanenter → T
- 3 perméabiliser → T
- 94 permettre → T
- 3 permuter → I, T
- 3 pérorer → I
- 3 peroxyder → T
- 14 perpétrer → T
- 7 perpétuer → T
- 3 perquisitionner → I
- 3 persécuter → T
- 14 persévérer → I
- 3 persi(f)fler → T
- 9 persiller → T
- 3 persister → I
- 3 personnaliser → T
- 8 personnifier → T
- 3 persuader → T
- 3 perturber → T
- 6 pervertir → T
- 3 pervibrer → T
- 19 peser → I, T
- 9 pessigner → T
- 22 pesteller [belg] → I
- 3 pester → I
- 14 pestiférer → T
- 3 pétarader → I
- 3 pétarder → I, T
- 14 péter → I, T
- 9 pétiller → I
- 3 petit-déjeuner → I
- 3 pétitionner → I
- 3 pétocher → I
- 9 pétouiller → I
- 3 pétrarquiser → I
- 8 pétrifier → T
- 6 pétrir → T
- 3 pétuner → I
- 3 peupler → T
- 3 phagocyter → T
- 3 phantasmer → I, T
- 3 phaser [afr] → I
- 3 philosopher → I
- 3 phosphater → T
- 3 phosphorer → I
- 3 photocomposer → T
- 8 photocopier → T
- 8 photographier → T
- 3 phraser → I, T
- 3 piaffer → I
- 9 piailler → I
- 3 pianoter → I, T
- 3 piauler → I
- 3 piauter → I
- 3 picoler → T
- 3 picorer → I, T
- 3 picosser → T
- 3 picoter → T
- 5 se picrater → Esp
- 3 picter → T
- 18 piéger → T
- 3 pierrer → T
- 14 piéter → I
- 3 piétiner → I, T
- 5 se pieuter → Esp
- 3 pif(f)er → T
- 3 pigeonner → T
- 13 piger → I, T
- 3 pigmenter → T
- 3 pignocher → I, T
- 3 piler → I, T
- 3 pîler [belg] → I
- **9 piller** → T
- 3 pilonner → T
- 3 piloter → T
- 3 piluler [afr] → I
- 3 pimenter → T
- 3 pimer [afr] → T
- 9 pinailler → I
- 12 pincer → I, T
- 3 pindariser → I
- 3 pindouler [afr] → I
- 3 pingler → T
- 3 pinter → I
- 3 piocher → T
- 13 pioger → I
- 12 pioncer → I
- 3 pionner → I
- 3 piper → I, T
- 3 pipetter → T
- 11 pique-niquer → I
- 11 piquer → I, T
- 24 piqueter → T
- 3 piquouser → T
- 3 pirater → I, T
- 3 pirouetter → I
- 3 pisser → I, T
- 3 pissoter → I
- 5 se pistacher → Esp
- 3 pister → T
- 3 pistonner → T
- 3 pitancher → T
- 3 piter [belg] → I
- 3 pitonner → I
- 3 pivoter → I
- 3 placarder → T
- **12 placer** → T
- 3 placoter [québ] → I
- 3 plafonner → I, T
- 8 plagier → T
- 3 plaider → I, T
- 87 plaindre → T
- 3 plainer → T
- **71 plaire** → Ti
  p.p. invariable
- 3 plaisanter → I, T
- 8 planchéier → T
- 3 plancher → I
- 3 planer → I, T
- 8 planifier → T
- 11 planquer → I, T
- 3 planter → T
- 11 plaquer → T
- 8 plasmifier → T
- 8 plastifier → T
- 11 plastiquer → T
- 3 plastronner → I, T
- 3 platiner → T
- 3 platiniser → T
- 3 plâtrer → T
- 3 plébisciter → T
- 11 plecquer [belg] → I
- 3 pleurer → I, T
- 3 pleurnicher → I
- 3 pleuvasser → imp.
- 3 pleuviner → imp.
- 3 pleuvioter → imp.
- **61 pleuvoir** → I, T, imp.
- 3 pleuvoter → imp.
- 8 plier → I, T
- 3 plisser → I, T
- 3 plomber → T
- 13 plonger → I, T
- 11 ploquer → T
- 27 ployer → I, T
- 3 plucher → I
- 3 plumer → T
- 3 pluraliser → T
- 3 pluviner → I, imp.
- 5 se pocharder → Esp
- 3 pocher → I, T
- 24 pocheter → T
- 5 se pocht(e)ronner → Esp
- 3 podcaster → T
- 3 podzoliser → T
- 3 poêler → T
- 3 poétiser → T
- 9 po(i)gner → T
- 3 poignarder → T
- 5 se poiler → Esp
- 3 poinçonner → T
- 88 poindre → I, T, D
  seulement à l'infinitif, aux 3es pers. de l'ind. présent, impft et futur, et au part. présent
- 3 pointer → I, T
- 9 pointiller → I, T
- 3 poireau(o)ter → I
- 3 poisser → I, T
- 3 poivrer → T
- 5 se poivroter → Esp
- 3 polariser → T
- 11 polémiquer → I
- 12 policer → T
- 6 polir → T
- 3 polissonner → I
- 11 politiquer → I

3 politiser → T
3 polliniser → T
7 polluer → T
8 polycopier → T
3 polymériser → T
3 pommader → T
21 se pommeler → Esp
3 pommer → I
3 pomper → T, Ti
3 pomponner → T
12 poncer → T
3 ponctionner → T
7 ponctuer → T
14 pondérer → T
83 pondre → T
3 ponter → I, T
8 pontifier → I
9 pontiller → T
3 populariser → T
11 poquer → I
3 porphyriser → T
3 porter → I, T, Ti
3 portraiturer → T
3 poser → I, T
3 positionner → T
3 positiver → I, T
14 posséder → T
3 postdater → T
3 poster → T
3 posticher → I
3 postillonner → I
3 postposer → T
3 postsynchroniser → T
3 postuler → I, T
3 potasser → T
3 potentialiser → T
3 poter [belg] → I
3 potiner → I
3 poudrer → T
27 poudroyer → I
3 pouffer → I
3 pouliner → I
3 pouponner → I
3 pourchasser → T
83 pourfendre → T
14 pourlécher → T
3 pourprer → T
6 pourrir → I, T *être* ou *avoir*
102 poursuivre → T
51 pourvoir → T, Ti
3 pousser → I, T
3 poutser [helv] → T
54 pouvoir → I, T
3 praliner → T
11 pratiquer → T
23 préacheter → T

3 préaviser → T
3 précariser → T
3 précautionner → T
14 précéder → T
3 préchauffer → T
3 prêcher → T
3 précipiter → T
3 préciser → T
3 précompter → T
3 préconiser → T
74 précuire → T
3 prédestiner → T
3 prédéterminer → T
3 prédilectionner → T
11 prédiquer → T
77 prédire → T
3 prédisposer → T
3 prédominer → I
3 préempter → T
6 préétablir → T
3 préexister → I
11 préfabriquer → T
12 préfacer → T
14 préférer → T
3 préfigurer → T
3 préfixer → T
3 préformer → T
8 préjudicier → I
13 préjuger → T, Ti
5 se prélasser → Esp
19 prélever → T
3 préluder → I, Ti
3 préméditer → T, Ti
6 prémunir → T
84 prendre → I, T
3 prénommer → T
3 préoccuper → T
3 préparer → T
25 prépayer → T
3 prépensionner [belg] → T
3 préposer → T
3 préprogrammer → T
14 prérégler → T
13 présager → T
80 prescrire → T
3 présélectionner → T
3 présenter → I, T
3 préserver → T
3 présider → T, Ti
36 pressentir → T
3 presser → I, T
3 pressurer → T
3 pressuriser → T
3 prester [belg] → T
3 présumer → T, Ti
3 présupposer → T
3 présurer → T

83 prétendre → T, Ti
3 prêter → I, T
3 prétexter → T
56 prévaloir → I
11 prévariquer → I
39 prévenir → T
50 prévoir → T
8 prier → T
3 primariser → T
3 primer → I, T
3 prioriser → T
3 priser → I, T
3 privatiser → T
3 priver → T
8 privilégier → T
3 prober [belg] → T
14 procéder → I, Ti
3 processionner → I
3 proclamer → T
3 procrastiner → I
10 procréer → T
3 procurer → T
11 prodiguer → T
74 produire → T
3 profaner → T
14 proférer → T
3 professer → T
3 professionnaliser → T
3 profiler → T
3 profiter → Ti
3 programmer → I, T
3 progresser → I
3 prohiber → T
24 projeter → T
3 prolétariser → T
14 proliférer → I
13 prolonger → T
19 promener → T
94 promettre → T
3 promotionner → T
58 promouvoir → T surtout à l'infinitif, au p. p. : *promu, ue, us, ues*, aux temps composés et à la voix passive
11 promulguer → T
3 prôner → T
12 prononcer → T
11 pronostiquer → T
13 propager → T
3 prophétiser → T
3 proportionner → T
3 proposer → I, T
3 propulser → T
13 proroger → T
80 proscrire → T

8 prosodier → T
3 prospecter → T
14 prospérer → I
3 prosterner → T
7 prostituer → T
18 protéger → T
3 protester → T, Ti
3 prouter → I
3 prouver → T
39 provenir → I, *être*
3 proverbialiser → T
9 provigner → I, T
3 provisionner → T
11 provoquer → T
3 pruner → T
8 psalmodier → I, T
3 psychanalyser → T
3 psychiatriser → T
8 publier → T
3 puddler → T
7 puer → T
3 puiser → T
3 pulluler → I
3 pulser → T
3 pulvériser → T
3 punaiser → T
6 punir → T
13 purger → T
8 purifier → T
8 putréfier → T
3 pyramider → I
3 pyrograver → T

Q

9 quadriller → T
3 quadrupler → I, T
8 qualifier → T
8 quantifier → T
3 quarderonner → T
3 quarrer → T
13 quartager → T
3 quarter → T
3 québéciser → T
3 quémander → I, T
22 quereller → T
quérir → T, D seulement à l'infinitif
3 questionner → T
3 quêter → T
3 queuter → I
9 quiller [afr] → T
3 quimper → I
8 quintessencier → T
3 quintupler → I, T
12 quittancer → T
3 quitter → T
3 quotter → I

R

3 reboucher → T
41 rebouillir → I, T
3 rebouiser → T
3 rebourgeonner → I
3 rebouter → T
3 reboutonner → T
3 rebraguetter → T
3 rebroder → T
3 rebrousser → I, T
3 rebuter → T
24 recacheter → T
3 recadrer → T
8 recalcifier → T
3 recalculer → T
3 recaler → T
3 recapitaliser → T
3 récapituler → T
3 recarder → T
21 recarreler → T
3 recaser → T
3 recasser → I, T
3 recauser → I
14 recéder → T
20 receler → I, T
14 recéler → I, T
3 recenser → T
3 recentrer → T
19 receper → T
14 recéper → T
3 réceptionner → T
3 recercler → T
48 recevoir → T
6 re(é)champir → T
13 rechanger → T
3 rechanter → T
3 rechaper → T
3 réchapper → Ti
être ou avoir
13 recharger → T
3 rechasser → T
3 rechausser → T
3 rechercher → T
9 rechigner → I, Ti
3 rechristianiser → T
3 rechuter → I
3 récidiver → I
être ou avoir
11 réciproquer belg → I, T
3 réciter → T
3 réclamer → I, T
3 reclaper belg → T
3 reclasser → T
3 récliner → I
104 reclore → T
7 reclouer → T

reclure → D
seulement
à l'infinitif et au p.p. :
reclus, e, es
9 recogner → T
3 recoiffer → T
3 récoler → T
3 recoller → T, Ti
3 recolorer → T
3 récolter → T
3 recommander → T
12 recommencer → I, T
96 recomparaître → I
3 récompenser → T
3 recomposer → T
3 recompter → T
8 réconcilier → T
3 reconditionner → T
74 reconduire → T
3 recondamner → T
3 reconfigurer → T
3 réconforter → T
20 recongeler → T
96 reconnaître → T
3 reconnecter → T
40 reconquérir → T
14 reconsidérer → T
3 reconsolider → T
7 reconstituer → T
74 reconstruire → T
3 recontacter → T
6 reconvertir → T
8 recopier → T
9 recoquiller → T
3 recorder → T
13 recorriger → T
3 recoucher → T
89 recoudre → T
3 recouler → I, T
3 recouper → T
3 recouponner → T
3 recourber → T
32 recourir → I, T, Ti
3 recouvrer → T
42 recouvrir → T
3 recracher → I, T
10 recréer → T
10 récréer → T
6 recrépir → T
3 recreuser → T
8 se récrier → Esp
3 récriminer → I
80 récrire → T
3 recristalliser → T
3 recroiser → T
100 recroître → I
p.p. : recrû, ûe, ûs, ûes
3 recroller belg → I

9 se recroqueviller → Esp
3 recruter → T
8 rectifier → T
43 recueillir → T
74 recuire → I, T
3 reculer → I, T
3 reculotter → T
3 recultiver → T
14 récupérer → T
3 récurer → T
3 récuser → T
3 recycler → T
3 redécouper → T
42 redécouvrir → T
68 redéfaire → T
6 redéfinir → T
3 redemander → T
3 redémarrer → I
6 redémolir → T
83 redescendre → I, T
être ou avoir
3 redessiner → T
39 redevenir → I
53 redevoir → T
3 rediffuser → T
13 rédiger → T
3 redimensionner → T
3 rédimer → T
76 redire → T
3 rediscuter → T
91 redissoudre → T
7 redistribuer → T
3 redonder → I
3 redonner → I, T
3 redorer → T
3 redoubler → I, T, Ti
3 redouter → T
3 redresser → T
74 réduire → T
3 rééchelonner → T
3 réécouter → T
80 réécrire → T
8 rééditer → T
3 rééditer → T
11 rééduquer → T
79 réélire → T
11 réembarquer → I, T
3 réembaucher → T
27 réemployer → T
3 réemprunter → T
3 réenclencher → T
3 réenfiler → T
13 réengager → T
3 réenregistrer → T
12 réensemencer → T
83 réentendre → T
3 rééquilibrer → T

3 rééquiper → T
10 réer → I
3 réescompter → T
25 réessayer → T
8 réétudier → T
7 réévaluer → T
3 réexaminer → T
8 réexpédier → T
3 réexporter → T
3 réexposer → T
3 refaçonner → T
68 refaire → T
83 refendre → T
12 référencer → T
14 référer → Ti
3 refermer → T
3 refiler → T
12 refinancer → T
6 réfléchir → I, T, Ti
14 refléter → T
6 refleurir → I, T
7 refluer → I
3 refonder → T
83 refondre → I, T
13 reforger → T
3 reformer → T
3 réformer → T
3 reformuler → T
9 refouiller → T
3 refouler → I, T
11 refourguer → T
3 refourrer → T
93 refoutre → T
3 réfracter → T
3 refrapper → T
14 re(é)fréner → T
14 réfrigérer → T
6 refroidir → I, T
8 se réfugier → Esp
3 refumer → I, T
3 refuser → I, T
3 réfuter → T
9 regagner → T
3 régaler → T
3 regarder → T, Ti
6 regarnir → T
3 régater → I
3 regazonner → T
20 regeler → T, Imp
14 régénérer → T
3 régenter → I, T
3 regimber → I
3 régionaliser → T
6 régir → T
3 registrer → T
3 réglementer → T
14 régler → T
15 régner → I

3 regonfler → I, T
13 regorger → I, T, Ti
3 regraisser → T
3 regratter → I, T
3 regraver → T
10 regréer → T
3 regreffer → T
3 régresser → I
3 regretter → T
3 regrimper → I, T
6 regrossir → I
3 regrouper → T
3 régulariser → T
3 réguler → T
3 régurgiter → T
3 réhabiliter → T
7 réhabituer → T
3 rehausser → T
3 réhydrater → T
8 réifier → T
3 réimperméabiliser → T
3 réimplanter → T
3 réimporter → T
3 réimposer → T
3 réimprimer → T
3 réimputer → T
14 réincarcérer → T
5 se réincarner → Esp
3 réincorporer → T
3 réinfecter → T
3 réinhumer → T
3 réinitialiser → T
3 réinjecter → T
80 réinscrire → T
14 réinsérer → T
3 réinstaller → T
7 réinstituer → T
14 réintégrer → T
14 réinterpréter → T
74 réintroduire → T
3 réinventer → T
6 réinvestir → T
3 réinviter → T
14 réitérer → T
6 rejaillir → I
24 rejeter → T
88 rejoindre → T
27 rejointoyer → T
7 rejouer → I, T
6 réjouir → T
13 rejuger → T
3 relâcher → I, T
5 se relaisser → Esp
12 relancer → T
6 rélargir → T
3 relater → T
3 relativiser → T

3 relaver → T
3 relaxer → T
25 relayer → I, T
16 reléguer → T
19 relever → I, T, Ti
8 relier → T
79 relire → T
3 relocaliser → T
13 reloger → T
3 relooker → T
7 relouer → T
74 reluire → I
11 reluquer → T
3 relustrer → T
3 remâcher → T
6 remaigrir → I
9 remailler → T
13 remanger → T
8 remanier → T
9 remaquiller → T
3 remarcher → I
8 remarier → T
11 remarquer → T
3 remastériser → T
11 remastiquer → T
3 remballer → T
11 rembarquer → I, T
3 rembarrer → T
3 rembaucher → T
3 rembiner → I
3 remblaver → T
25 remblayer → T
3 rembobiner → T
3 remboîter → T
13 rembouger → T
3 rembourrer → T
3 rembourser → T
25 rembrayer → T
11 rembroquer → T
6 rembrunir → T
3 rembucher → T
8 remédier → Ti
3 remêler → T
3 remembrer → T
3 remémorer → T
19 remener → T
8 remercier → T
94 remettre → T
3 remeubler → T
3 remilitariser → T
3 remiser → T
3 remixer → T
9 remmailler → T
3 remmailloter → T
3 remmancher → T
19 remmener → T
3 remobiliser → T
20 remodeler → T

3 remonter → I, T
être ou avoir
3 remontrer → I, T, Ti
83 remordre → T
11 remorquer → T
3 remoucher → T
90 remoudre → T
9 remouiller → I, T
3 remouler → T
9 rempailler → T
24 rempaqueter → T
3 remparer → T
14 rempiéter → T
3 rempiler → I, T
12 remplacer → T
8 remplier → T
6 remplir → T
27 remployer → T
3 remplumer → T
3 rempocher → T
3 rempoissonner → T
3 remporter → T
3 rempoter → T
3 remprunter → T
7 remuer → I, T
14 rémunérer → T
3 renâcler → I
97 renaître → I, Ti
être, rare au participe passé et aux formes composées
3 renarder → I
3 renauder → I
3 rencaisser → T
3 rencarder → T
3 renchaîner → T
6 renchérir → I, T
104 renclore → T
9 rencogner → T
3 rencontrer → T
34 rendormir → T
3 rendosser → T
83 rendre → I, T
13 reneiger → I, imp.
3 renfaîter → T
3 renfermer → T
3 renfiler → T
3 renflammer → T
3 renfler → I, T
7 renflouer → T
12 renfoncer → T
12 renforcer → T
6 renformir → T
9 se renfrogner → Esp
13 rengager → T
3 rengainer → T
13 se rengorger → Esp
8 rengracier → I

3 rengraisser → I, T
19 rengrener → T
14 rengréner → T
8 renier → T
3 renifler → I, T
21 reniveler → T
3 renommer → T
12 renoncer → T, Ti
7 renouer → T
21 renouveler → T
3 rénover → T
9 renquiller → I, T
9 renseigner → T
3 rentabiliser → T
3 rentamer → T
3 renter → T
3 rentoiler → T
69 rentraire → T
25 rentrayer → T
3 rentrer → I, T
être ou avoir
42 rentrouvrir → T
3 renvelopper → T
3 renvenimer → T
13 renverger → T
3 renverser → T
3 renvider → T
8 renvier → T, Ti
28 renvoyer → T
3 réoccuper → T
14 réopérer → T
3 réorchestrer → T
12 réordonnancer → T
3 réordonner → T
3 réorganiser → T
3 réorienter → T
3 réoxyder → T
3 repairer → I
98 repaître → T
85 répandre → T
96 reparaître → I
être ou avoir
3 réparer → T
3 reparler → I
13 repartager → T
36 repartir → I
(partir à nouveau), être
36 repartir → T
(répondre), avoir
6 répartir → T
3 repasser → I, T
être ou avoir
3 repatiner → T
3 repaver → T
23 repayer → T
3 repêcher → T
9 repeigner → T

86 repeindre → T
83 rependre → T
3 repenser → T, Ti
36 se repentir → Esp
12 repercer → T
3 répercuter → T
83 reperdre → T
14 repérer → T
8 répertorier → T
14 répéter → T
3 repeupler → T
12 repincer → T
3 repiocher → T
11 repiquer → I, T
12 replacer → T
3 replanter → T
3 replâtrer → T
61 repleuvoir → imp.
8 replier → T
11 répliquer → T
3 replisser → T
13 replonger → I, T
27 reployer → T
6 repolir → T
83 répondre → T, Ti
3 reporter → T
3 reposer → I, T
3 repositionner → T
3 repoudrer → T
51 repourvoir → T, Ti
3 repousser → I, T
84 reprendre → I, T
3 représenter → I, T
3 réprimander → T
3 réprimer → T
3 repriser → T
3 reprocher → T
74 reproduire → T
3 reprogrammer → T
8 reprographier → T
3 reprouver → T
3 réprouver → T
3 républicaniser → T
8 répudier → T
9 répugner → T, Ti
3 repuiser → T
3 réputer → T
8 requalifier → T
40 requérir → T
3 requêter → T
11 requinquer → T
3 réquisitionner → T
3 resaler → T
6 resalir → T
7 resaluer → T
3 rescinder → T
19 resemer → T
16 reséquer → T
3 réserver → T
3 résider → I
9 résigner → T
8 résilier → T
3 résiner → T
8 résinifier → T
3 résister → Ti
3 resocialiser → T
3 résonner → I
3 résorber → T
91 résoudre → T
3 respectabiliser → T
3 respecter → T
3 respirer → I, T
6 resplendir → I
3 responsabiliser → T
9 resquiller → I, T
9 ressaigner → I, T
6 ressaisir → T
3 ressasser → T
3 ressauter → I, T
25 ressayer → T
3 ressembler → Ti
21 ressemeler → T
19 ressemer → T
36 ressentir → T
3 resserrer → T
35 resservir → I, T
36 ressortir → I, T *(sortir à nouveau), être ou avoir*
6 ressortir → Ti *(être du ressort de), être*
3 ressouder → T
12 ressourcer → T
39 se ressouvenir → Esp
7 ressuer → I
6 ressurgir → I
3 ressusciter → I, T *être ou avoir*
26 ressuyer → T
3 restaurer → T
3 rester → I, *être*
7 restituer → T
86 restreindre → T
3 restructurer → T
3 restyler → T
12 resucer → T
3 résulter → I *être ou avoir* seulement aux 3es personnes, part. présent et passé
3 résumer → T
3 resurchauffer → T
6 resurgir → I
6 rétablir → T
9 retailler → T
3 rétamer → T
3 retaper → T
3 retapisser → T
3 retarder → I, T
3 retâter → T, Ti
86 reteindre → T
3 retéléphoner → Ti
83 retendre → T
39 retenir → I, T
3 retenter → T
6 retentir → I
12 retercer → T
3 reterser → T
3 réticuler → T
3 retirer → T
3 retisser → T
3 retomber → I *être*
83 retondre → T
11 retoquer → T
83 retordre → T
11 rétorquer → T
3 retoucher → T, Ti
3 retourner → I, T *être ou avoir*
12 retracer → T
3 rétracter → T
74 retraduire → T
69 retraire → T
3 retraiter → T
3 retrancher → T
80 retranscrire → T
94 retransmettre → T
9 retravailler → I, T, Ti
3 retraverser → T
6 rétrécir → I, T
86 re(é)treindre → T
3 retremper → T
7 rétribuer → T
8 retrier → T
6 rétroagir → I
14 rétrocéder → I, T
3 rétrograder → I, T
3 retrousser → T
3 retrouver → T
3 retuber → T
8 réunifier → T
6 réunir → T
6 réussir → I, T, Ti
3 réutiliser → T
3 revacciner → T
3 revalider → T
55 revaloir → T, D seulement à l'infinitif, au futur simple et au cond. présent
3 revaloriser → T
5 se revancher → Esp
3 revasculariser → T
3 rêvasser → I
9 réveiller → T
3 réveillonner → I
14 révéler → T
11 revendiquer → T
83 revendre → T
39 revenir → I, *être*
3 rêver → I, T, Ti
14 réverbérer → T
3 revercher → T
6 reverdir → I, T
14 révérer → T
6 revernir → T
3 reverser → T
37 revêtir → T
3 revigorer → T
3 revirer → I
3 réviser → T
3 revisiter → T
3 revisser → T
3 revitaliser → T
3 revitaminer → T
8 revivifier → T
103 revivre → I, T
49 revoir → T
3 revoler → I, T
3 révolter → T
3 révolutionner → T
3 révolvériser → T
6 revomir → I, T
11 révoquer → T
3 revoter → I, T
57 revouloir → T
3 révulser → T
3 rewriter → T
9 rhabiller → T
3 rhumer → T
3 ribler → I, T
3 ribouler → I
3 ricaner → I
3 ricocher → I
3 rider → T
3 ridiculiser → T
3 riffauder → T
3 rifler → T
8 rigidifier → T
3 rigoler → I
9 rimailler → I
3 rimer → I, T
12 rincer → T
3 ringarder → T
3 ringardiser → T
9 ripailler → I
3 ripatonner → T
3 riper → I, T

3 ripoliner → T
3 riposter → I, T
75 rire → I
11 risquer → T
3 rissoler → I, T
3 ristourner → T
3 ritualiser → T
3 rivaliser → I
3 river → T
24 riveter → T
3 rober → T
3 robotiser → T
3 rocher → I
7 rocouer → T
11 rocquer → I
9 rôdailler → I
3 roder → T
3 rôder → I
9 rogner → I, T
3 rognonner → I
6 roidir → I, T
9 roiller helv → imp.
12 romancer → T
3 romaniser → I, T
92 rompre → I, T
3 ronchonner → I
6 rondir → I, T
3 ronéoter → T
3 ronéotyper → T
11 ronflaguer → I
3 ronfler → I
13 ronger → T
3 ronronner → I
3 ronsardiser → I
11 roquer → I
3 roser → T
6 rosir → I, T
3 rosser → T
3 rossignoler → I
3 roter → I
6 rôtir → I, T
3 roucouler → I, T
7 rouer → T
3 roufler belg → I, T
27 rougeoyer → I
6 rougir → I, T
3 rougnotter → I
9 rouiller → I, T
6 rouir → I, T
3 rouler → I, T
3 roulotter → T
9 roupiller → I
9 rouscailler → I
14 rouspéter → I
21 rousseler → I
6 roussir → I, T
6 roustir → T
3 router → T
42 rouvrir → I, T
3 rubaner → T
8 rubéfier → T
3 rucher → T
3 rudenter → T
27 rudoyer → T
7 ruer → I
6 rugir → I, T
3 ruiler → T
3 ruiner → T
21 ruisseler → I
3 ruminer → I, T
3 rupiner → I
3 ruser → I
8 russifier → T
11 rustiquer → T
3 rûter belg → I
3 rutiler → I
3 rythmer → T

S

3 sabler → T
3 sablonner → T
3 saborder → T
3 saboter → I, T
3 sabouler → T
3 sabrer → T
9 sacagner → T
3 saccader → T
13 saccager → T
8 saccharifier → T
11 sacquer → T
3 sacraliser → T
3 sacrer → I, T
8 sacrifier → T
3 safraner → T
3 saietter → T
9 saigner → I, T
44 saillir → I, D *(sortir, s'élancer)*, seulement à l'inf. et aux 3es personnes
6 saillir → T, D *(s'accoupler)*, seulement à l'inf., aux 3es personnes et au part. présent : *saillissant*
6 saisir → T
3 saisonner → I
8 salarier → T
3 saler → T
8 salifier → T
3 saligoter → T
6 salir → T
3 saliver → I
11 salonguer afr → I
3 saloper → T
3 salpêtrer → T
7 saluer → T
8 sanctifier → T
3 sanctionner → T
3 sanctuariser → T
3 sandwicher → T
3 sangler → T
3 sangloter → I
3 santer afr → I
3 saouler → T
3 saper → T
8 saponifier → T
11 saquer → T
3 sarcler → T
3 sarter → T
3 sasser → T
3 sataner → T
3 sataniser → T
3 satelliser → T
3 satiner → T
3 satiriser → T
68 satisfaire → T, Ti
3 satonner → T
3 saturer → I, T
12 saucer → T
3 saucissonner → I, T
3 saumurer → T
3 sauner → I
3 saupoudrer → T
3 saurer → T
6 saurir → T
21 sauteler → I
3 sauter → I, T
9 sautiller → I
3 sauvegarder → T
3 sauver → T
3 savater → T
52 savoir → T
3 savonner → T
3 savourer → T
3 scalper → T
3 scandaliser → T
3 scander → T
3 scanner → T
8 scarifier → T
22 sceller → T
3 scénariser → T
3 schématiser → T
11 schlinguer → I
3 schlitter → T
3 schmecter → I
3 schnouper → T
3 schpiler → I
8 scier → I, T
3 scinder → T
9 scintiller → I
3 sciotter → T
3 scissionner → I
3 scléroser → T
3 scolariser → T
8 scorifier → T
3 scotcher → T
3 scotomiser → T
3 scrabbler → I
3 scratcher → I, T
9 scribouiller → T
3 scruter → T
3 sculpter → T
14 sécher → I, T
3 seconder → T
7 secouer → T
32 secourir → T
14 secréter → T
14 sécréter → T
3 sectionner → T
3 sectoriser → T
3 séculariser → T
3 sécuriser → T
3 sédentariser → T
3 sédimenter → T
74 séduire → T
3 segmenter → T
16 ségréguer → T
3 séjourner → I
3 sélecter → T
3 sélectionner → T
22 seller → T
3 sembler → I
19 semer → T
12 semoncer → T
3 sénégaliser afr → T
3 sensibiliser → T
36 sentir → I, T
63 seoir → I, D
3 séparer → T
3 septupler → I, T
12 séquencer → T
3 séquestrer → T
12 sérancer → T
6 serfouir → T
3 sérialiser → T
8 sérier → T
3 seriner → T
11 seringuer → T
3 sermonner → T
3 serpenter → I
3 serrer → T
6 sertir → T
35 servir → I, T, Ti
6 sévir → I
19 sevrer → T
3 sextupler → I, T
3 sexualiser → T
3 shampooiner → T
3 shampouiner → T

3 shooter → I, T
3 shunter → T
14 sidérer → T
18 siéger → I
3 siester afr → I
3 siffler → I, T
3 siffloter → I, T
3 sigler → T
3 signaler → T
3 signaliser → T
9 signer → T
8 signifier → T
3 silhouetter → T
3 silicatiser → T
3 siliconer → T
3 sillonner → T
3 similiser → T
8 simplifier → T
3 simuler → T
13 singer → T
3 singulariser → T
3 siniser → T
3 sintériser → T
7 sinuer → I
3 siphonner → T
3 siroter → T
7 situer → T
8 skier → I
3 slalomer → I
3 slaviser → T
12 slicer → T
3 smasher → I
9 smiller → T
3 smurfer → I
3 snif(f)er → T
3 snober → T
3 sociabiliser → T
3 socialiser → T
3 socratiser → I
3 sodomiser → T
9 soigner → T
3 soirer belg → I
3 solariser → T
3 solder → T
3 solenniser → T
8 solfier → T
3 solidariser → T
8 solidifier → T
7 solifluer → I
11 soliloquer → I
3 solliciter → T
3 solmiser → T
3 solubiliser → T
3 solutionner → T
3 somatiser → T
3 sombrer → I
9 sommeiller → I
3 sommer → T

3 somnoler → I
3 sonder → T
13 songer → I, Ti
9 sonnailler → I
3 sonner → I, T, Ti *être* ou *avoir*
3 sonoriser → T
3 sonrer belg → I
11 sophistiquer → T
24 soqueter belg → I
36 sortir → I, T *être* ou *avoir*
6 sortir → T, D (terme juridique), seulement aux 3es pers. : *sortissait*
93 soubattre → T
3 soubresauter → I
24 soucheter → T
19 souchever → T
8 soucier → T
3 souder → T
27 soudoyer → T
3 souffler → I, T
24 souffleter → T
42 souffrir → I, T
3 soufrer → T
3 souhaiter → T
9 souiller → T
13 soulager → T
3 soûler → T
19 soulever → T
9 souligner → T
94 soumettre → T
3 soumissionner → T
3 soupçonner → T
3 souper → I
19 soupeser → T
3 soupirer → I, T
11 souquer → I, T
9 sourciller → I
3 sourdiner → T
sourdre → I, D seulement aux 3es pers. de l'indicatif : *sourd/sourdent, sourdait/sourdaient*
75 sourire → I, Ti
3 sous-affermer → T
14 sous-affréter → T
3 sous-alimenter → T
3 sous-amender → T
3 sous-assurer → T
80 souscrire → T, Ti
3 sous-déclarer → T
16 sous-déléguer → T
3 sous-diviser → T
27 sous-employer → T

83 sous-entendre → T
3 sous-équiper → T
3 sous-estimer → T
7 sous-évaluer → T
3 sous-exploiter → T
3 sous-exposer → T
6 sous-investir → I
7 sous-louer → T
25 sous-payer → T
14 sous-rémunérer → T
83 sous-tendre → T
3 sous-titrer → T
69 soustraire → T, D inusité au passé simple et au subj. imparfait
3 sous-traiter → I, T
3 sous-utiliser → T
3 sous-virer → I
3 soutacher → T
39 soutenir → T
3 soutirer → T
39 souvenir → imp.
3 soviétiser → T
3 spammer → I, T
8 spathifier → T
3 spatialiser → T
3 spécialiser → T
8 spécifier → T
3 spéculer → I
3 speeder → I, T
14 sphacéler → T
3 spiritualiser → T
3 spitter → T
3 splitter → I, T
8 spolier → T
3 sponsoriser → T
3 sporuler → I
3 sprinter → I
3 squatter → T
3 squeezer → I, T
3 stabiliser → T
3 staffer → T
3 stagner → I
3 staliniser → T
3 standardiser → T
3 stariser → T
3 stater belg → T
3 stationner → I *être* ou *avoir*
7 statuer → T, Ti
8 statufier → T
8 sténographier → T
3 sténotyper → T
3 stéréotyper → T
14 stérer → T
3 stériliser → T

3 stigmatiser → T
3 stimuler → T
8 stipendier → T
3 stipuler → T
3 stocker → T
3 stopper → I, T
3 stranguler → T
3 strapasser → T
8 stratifier → T
3 stresser → I, T
3 striduler → I
8 strier → T
3 stripper → T
11 striquer → T
3 structurer → T
68 stupéfaire → T, D seulement aux 3es pers. du sing. de l'ind. présent et des temps composés, p. p. : *stupéfait, e, s, es*
8 stupéfier → T
11 stuquer → T
3 styler → T
3 styliser → T
16 subdéléguer → T
3 subdiviser → T
6 subir → T
11 subjuguer → T
3 sublimer → T
13 submerger → T
3 subodorer → T
3 subordonner → T
3 suborner → T
13 subroger → T
8 subsidier belg → T
3 subsister → I
3 substantiver → T
7 substituer → T
3 subsumer → T
3 subtiliser → I, T
39 subvenir → Ti
3 subventionner → T
6 subvertir → T
14 succéder → Ti
3 succomber → I, Ti
12 sucer → T
3 suçoter → T
3 sucrer → T
7 suer → I, T
81 suffire → I, Ti
3 suffixer → T
11 suffoquer → I, T
14 suggérer → T
3 suggestionner → T
5 se suicider → Esp
3 suif(f)er → T

3 suinter → I
102 suivre → T
20 sukkeler belg → I
3 sulfater → T
3 sulfiter → T
3 sulfoner → T
3 sulfurer → T
6 superfinir → T
3 superposer → T
3 superviser → T
3 supplanter → T
10 suppléer → T, Ti
3 supplémenter → T
8 supplicier → T
8 supplier → T
3 supporter → T
3 supposer → T
3 supprimer → T
3 suppurer → I
3 supputer → T
3 surabonder → I
3 surajouter → T
3 suralimenter → T
3 suraller → I
3 surarmer → T
3 surbaisser → T
3 surboucher → T
3 surbroder → T
13 surcharger → T
3 surchauffer → T
3 surclasser → T
3 surcoller belg → I
3 surcomprimer → T
3 surcontrer → T
3 surcoter → T
3 surcouper → I
3 surcreuser → T
3 surdéterminer → T
3 surdimensionner → T
3 surdorer → T
8 surédifier → T
19 surélever → T
6 surenchérir → I
3 surentraîner → T
3 suréquiper → T
3 surestimer → T
7 surévaluer → T
3 surexciter → T
3 surexploiter → T
3 surexposer → T
12 surfacer → I, T
3 surfacturer → T
68 surfaire → T, D
surtout à l'infinitif et au sing. du présent de l'ind., au p.p. et aux temps composés

3 surfer → I
6 surfleurir → T
3 surfiler → T
3 surfrapper → T
20 surgeler → T
3 surgeonner → I
6 surgir → I
12 surglacer → T
3 surgreffer → T
3 surhausser → T
3 surimposer → T
3 suriner → T
5 se surinfecter → Esp
3 surinformer → T
14 surinterpréter → T
6 surinvestir → I
6 surir → I
3 surjaler → I
24 surjeter → T
7 surjouer → T
8 surlier → T
9 surligner → T
7 surlouer → T
3 surmédicaliser → T
19 surmener → T
3 surmonter → T
3 surmouler → T
13 surnager → I
3 surnommer → T
3 suroxyder → T
3 surpasser → T
25 surpayer → T
11 surpiquer → T
3 surplomber → I, T
84 surprendre → T
74 surproduire → T
18 surprotéger → T
3 sursaturer → T
3 sursauter → I
19 sursemer → T
64 surseoir → T, Ti
pas de féminin au p.p. : *sursis*
3 sursouffler → T
9 surtailler → T
3 surtaxer → T
3 surtitrer → T
83 surtondre → T
3 survaloriser → T
9 surveiller → T
83 survendre → T
39 survenir → I, *être*
37 survêtir → T
3 survirer → T
103 survivre → I, Ti
3 survoler → T
3 survolter → T

3 susciter → T
3 suspecter → T
83 suspendre → T
3 sustenter → T
3 susurrer → I, T
3 suturer → T
11 swinguer → I
3 syllaber → T
3 symboliser → T
3 symétriser → I, T
3 sympathiser → I
3 synchroniser → T
3 syncoper → T
3 syncristalliser → I
3 syndicaliser → T
11 syndiquer → T
3 synthétiser → T
3 syntoniser → T
3 systématiser → T

T

3 tabasser → T
3 tabler → Ti
3 tabouiser → T
3 tabuler → I, T
3 tacher → T
3 tâcher → I, T, Ti
24 tacheter → T
3 tacler → I, T
11 taguer → I, T
3 taillader → T
9 tailler → I, T
70 taire → T
3 taler → T
3 taller → I
3 talocher → T
3 talonner → I, T
11 talquer → T
3 tambouler afr → I
3 tambouriner → I, T
3 tamiser → I, T
3 tamponner → T
12 tancer → T
11 tanguer → I
3 tan(n)iser → T
3 tanner → T
13 tapager → I
3 taper → I, T
3 tapiner → I
6 se tapir → Esp
3 tapisser → T
3 taponner → T
3 tapoter → I, T
11 taquer → T
3 taquiner → T
3 tarabiscoter → T
3 tarabuster → T

3 tarauder → T
3 tarder → I, Ti
3 tarer → T
11 se targuer → Esp
3 tarifer → T
6 tarir → I, T
3 tarter → T
3 tartiner → I, T
6 tartir → I
3 tasser → I, T
3 tâter → T, Ti
3 tatillonner → I
3 tâtonner → I
7 tatouer → T
3 tauper → T
21 taveler → T
22 taveller → T
3 taxer → T
3 tayloriser → T
3 tchadiser afr → T
3 tchatcher → I
3 techniciser → T
3 techniser → T
3 technocratiser → T
3 tecker afr → I
9 teiller → T
86 teindre → T
3 teinter → T
13 télécharger → T
3 télécommander → T
8 télécopier → T
3 télédiffuser → T
8 télégraphier → I, T
3 téléguider → T
14 télémétrer → I, T
3 téléphoner → I, T, Ti
3 télescoper → T
94 télétransmettre → T
3 téléviser → T
3 télexer → T
9 témoigner → T, Ti
14 tempérer → T
3 tempêter → I
3 temporiser → I
9 tenailler → T
83 tendre → T, Ti
39 tenir → I, T, Ti
3 tenonner → T
3 ténoriser → I
3 tenter → T
12 tercer → T
3 tergiverser → I
3 terminer → T
6 ternir → T
3 terrasser → T
3 terreauter → T
3 terrer → I, T

8 terrifier → T
6 terrir → I
3 terroriser → T
3 terser → T
24 teseter [afr] → T
3 tester → I, T
3 tétaniser → T
14 téter → T
3 têter [afr] → T
3 textualiser → T
3 texturer → T
3 texturiser → T
3 théâtraliser → T
3 thématiser → T
3 théoriser → I, T
3 thésauriser → I, T
11 tictaquer → I
6 tiédir → I, T
12 tiercer → T
3 tigrer → T
9 tiller → T
3 timbrer → T
3 tinter → I, T
3 tintinnabuler → I
3 tip(p)er [helv] → T
11 tiquer → I
9 tirailler → I, T
3 tire(-)bouchonner → I, T
3 tirer → I, T, Ti
3 tisaner → T
3 tiser → T
3 tisonner → T
3 tisser → T
tistre → T, D
p.p. : *tissu, e,*
et temps composés
9 titiller → I, T
3 titrer → T
3 tituber → I
3 titulariser → T
3 toaster → I, T
3 togoliser [afr] → T
3 toiletter → T
3 toiser → T
14 tolérer → T
3 tomber → I, T
être ou *avoir*
3 tomer → T
83 tondre → T
8 tonifier → T
7 tonitruer → I
3 tonner → I
3 tonsurer → T
3 tontiner → T
3 toper → I
3 topicaliser → T
11 toquer → I
3 torcher → T
3 torchonner → T
83 tordre → T
10 toréer → I
3 toronner → T
9 torpiller → T
8 torréfier → T
3 torsader → T
9 tortiller → I, T
3 tortorer → T
3 torturer → T
3 tosser → I
3 totaliser → T
3 toubabiser [afr] → T
3 toucher → T, Ti
7 touer → T
9 touiller → T
9 toupiller → I, T
3 toupiner → I
3 tourber → I
3 tourbillonner → I
3 tourillonner → I
3 tourmenter → T
9 tournailler → I
3 tournasser → T
3 tournebouler → T
3 tourner → I, T
être ou *avoir*
3 tournicoter → I
9 tourniller → I
11 tourniquer → I
27 tournoyer → I
9 toussailler → I
3 tousser → I
3 toussoter → I
3 touter [afr] → I
3 trabouler → I
3 tracaner → T
3 tracasser → T
12 tracer → I, T
3 tracter → T
74 traduire → T
3 traficoter → I
11 trafiquer → I, T, Ti
6 trahir → T
9 traînailler → I, T
3 traînasser → I, T
3 traîner → I, T
69 traire → T, D
3 traiter → T, Ti
3 tramer → T
3 tranchefiler → T
3 trancher → I, T
3 tranquilliser → T
3 transbahuter → T
3 transborder → T
3 transcender → T
3 transcoder → T
80 transcrire → T
14 transférer → T
3 transfigurer → T
3 transfiler → T
3 transformer → T
3 transfuser → T
3 transgresser → T
3 transhumer → I, T
13 transiger → I
6 transir → I, T
3 transistoriser → T
3 transiter → I, T
3 transitiver → T
3 translater → T
14 translit(t)érer → T
94 transmettre → T
3 transmigrer → I
7 transmuer → T
3 transmuter → T
96 transparaître → I
12 transpercer → T
3 transpirer → I, T
3 transplanter → T
3 transporter → T
3 transposer → T
8 transsubstantier → T
3 transsuder → I, T
3 transvaser → T
3 transvider → T
11 traquer → T
3 traumatiser → T
9 travailler → I, T, Ti
3 travailloter → I
3 traverser → T
6 travestir → T
3 trébucher → I, T
3 tréfiler → T
83 tréfondre → I
13 treillager → T
3 treillisser → T
3 trémater → T
3 trembler → I
3 trembloter → I
5 se trémousser → Esp
3 tremper → I, T
3 trémuler → I
3 trépaner → T
3 trépasser → I
être ou *avoir*
3 trépider → I
9 trépigner → I, T
44 tressaillir → I
3 tressauter → I
3 tresser → T
9 treuiller → T
3 trévirer → T
3 trianguler → T
3 triballer → T
3 tricher → I
3 tricocher → I
3 tricoter → I, T
8 trier → T
9 trifouiller → I, T
9 triller → I, T
3 trimarder → I, T
3 trimbal(l)er → T
3 trimer → I
3 tringler → T
11 trinquer → I
3 triompher → I, Ti
9 tripatouiller → T
3 tripler → I, T
3 tripoter → I, T
11 triquer → T
16 triséquer → T
3 trisser → I, T
3 triturer → T
3 troler [afr] → T
3 tromper → T
24 trompeter → I, T
3 tronçonner → T
3 trôner → I
11 tronquer → T
3 tropicaliser → T
11 troquer → T
3 trotter → I
3 trottiner → I
3 troubler → T
7 trouer → T
3 trouilloter → I
3 troussequiner → T
3 trousser → T
3 trouver → T
3 truander → I, T
3 trucider → T
3 truffer → T
11 truquer → I, T
3 trusquiner → T
3 truster → T
3 tuber → T
3 tuberculiner → T
3 tuberculiniser → T
3 tuberculiser → T
7 tuer → T
3 tuiler → T
8 tuméfier → T
3 turbiner → I, T
3 turlupiner → T
3 turlut(t)er [québ] → I, T
21 tûteler [belg] → T
3 tûter [belg] → I, T
3 tuteurer → T
3 tutorer → T
27 tutoyer → T

3 tututer → I, T
3 tuyauter → I, T
3 twister → I
3 tympaniser → T
3 typer → T
3 typiser → T
8 typographier → T
3 tyranniser → T

U

14 ulcérer → T
3 ululer → I
8 unifier → T
3 uniformiser → T
6 unir → T
3 universaliser → T
3 urbaniser → T
13 urger → I, D seulement à la 3e personne
3 uriner → I, T
3 user → T, Ti
3 usiner → T
3 usurper → I, T
3 utiliser → T

V

3 vacciner → T
9 vaciller → I
3 vacuoliser → T
9 vadrouiller → I
3 vagabonder → I
6 vagir → I
11 vaguer → I, T
95 vaincre → T
3 vaironner → I
11 valdinguer → I
24 valeter → I
3 valider → T
3 vallonner → T
55 valoir → I, T
3 valoriser → T
3 valouser → T
3 valser → I
3 vamper → T
3 vampiriser → T
3 vandaliser → T
3 vanner → T
3 vanter → T
3 vaporiser → T
11 vaquer → I, Ti
3 varapper → I
8 varier → I, T
3 varloper → T
3 vasectomiser → T
3 vaseliner → T
3 vaser → imp., *il vase*
9 vasouiller → I
3 vassaliser → T
3 vaticiner → I
3 vautrer → T
14 végéter → I
3 véhiculer → T
9 veiller → I, T, Ti
3 veiner → T
3 vélariser → T
3 vêler → I
3 velouter → T
13 vendanger → I, T
83 vendre → T
14 vénérer → T
13 venger → T
39 venir → I, *être*
3 venter → T, imp.
3 ventiler → T
3 ventouser → T
3 verbaliser → I, T
13 verbiager → I
6 verdir → I, T
27 verdoyer → I
3 verduniser → T
13 verger [belg] → I
12 verglacer → imp. *il verglace*
8 vérifier → T
3 verjuter → T
3 vermiculer → T, I
9 vermiller → I
3 vermillonner → I, T
5 se vermouler → Esp
6 vernir → T
3 vernisser → T
9 verrouiller → T
3 verser → I, T
8 versifier → I, T
3 vesser → I
9 vétiller → I
37 vêtir → T
3 vexer → T
3 viabiliser → T
3 viander → I
3 vibrer → I, T
3 vibrionner → I
8 vicier → T
3 victimiser → T
13 vidanger → T
3 vider → T
3 vidimer → T
6 vieillir → I, T *être ou avoir*
3 vigiler [afr] → T
24 vigneter → T
3 vilipender → T
3 villégiaturer → I
3 vinaigrer → T
3 viner → T
8 vinifier → T
12 violacer → T
3 violenter → T
3 violer → T
3 violoner → I, T
6 vioquir → I
3 virer → I, T, Ti
3 virevolter → I
3 virguler → T
3 viriliser → T
3 viroler → T
3 viser → T, Ti
3 visionner → T
3 visiter → T
3 visser → T
3 visualiser → T
3 vitrer → T
8 vitrifier → T
3 vitrioler → T
14 vitupérer → T, Ti
8 vivifier → T
3 vivoter → I
103 vivre → I, T
3 vocaliser → I, T
14 vociférer → I, T
11 voguer → I
3 voiler → T
49 voir → T
3 voisiner → I
3 voiturer → T
3 volatiliser → T
3 volcaniser → T
3 voler → I, T
24 voleter → I
13 voliger → T
25 volleyer → I
3 volter → I
13 voltiger → I
6 vomir → I, T
3 voter → I, T
7 vouer → T
57 vouloir → T, Ti
27 vous(s)oyer → T
3 voûter → T
27 vouvoyer → T
13 voyager → I
9 vriller → I, T
6 vrombir → I
3 vulcaniser → T
3 vulganiser [afr] → T
3 vulgariser → T
3 vulnérabiliser → T

W

3 warranter → T
3 week-ender [afr] → I
3 wolophiser [afr] → T

Y

9 yailler [afr] → T
3 yodiser → T
3 yodler → I
3 yoper [afr] → T
3 yoyot(t)er → I

Z

3 zaïrianiser [afr] → T
3 zapper → I, T
14 zébrer → T
3 zerver → T
3 zester → T
25 zézayer → I, T
3 ziber → T
3 zieuter → T
9 zigouiller → T
11 ziguer → T
11 zigzaguer → I
11 zinguer → T
3 zinzibuler → I
3 zinzinuler → I
3 zipper → T
3 zoner → I, T
3 zonzonner → I
3 zoomer → T, Ti
3 zouaver [afr] → T
3 zouker → I
3 zozoter → I
3 zûner [belg] → I
3 zwanzer [belg] → I
3 zyeuter → T

Imprimé en Espagne par Macrolibros
Dépôt légal n° 11326-8/01
Mai 2025

PAPIER À BASE DE FIBRES CERTIFIÉES

Hatier s'engage pour l'environnement en réduisant l'empreinte carbone de ses livres. Celle de cet exemplaire est de : 450 g éq. CO_2
Rendez-vous sur www.hatier-durable.fr